LES MALADIES TRANSMISSIBLES SEXUELLEMENT

Collection *l'Omnipraticien*

sous la direction de Louis Laplante

Abus sexuels, par Jean-Yves Frappier et coll.
230 p., 34 ill. dont 12 coul. [2-7606-1525-1]

Allergie, par François Léger
168 p. [2-7606-1501-4]

Arthrite et rhumatisme, par de Guise Vaillancourt
2e édition [2-7606-1534-0] 222 p.

Endocrinologie, par Ronald Matte, Raphaël Bélanger
2e édition [2-7606-1603-7] 478 p.

Épidémiologie pratique, par Pierre Philippe
182 p. [2-7606-0710-0]

Maladies transmissibles sexuellement (MTS),
par Marc Steben, Fernand Turgeon et coll.
412 p. [2-7606-1607-X]

Neurologie, par Guy Courtois
418 p. [2-7606-1532-4]

Pneumologie clinique,
par Jean-Jacques Gauthier, Pierre Nadeau et coll.
540 p. [2-7606-1602-9]

Soins palliatifs, par Anne-Marie Mouren-Mathieu
2e édition [2-7606-1502-2] 220 p.

La collection «l'Omnipraticien» est constituée de volumes écrits par des spécialistes, avec l'objectif précis de répondre aux besoins du médecin généraliste.

Chaque volume couvre les données essentielles et les acquis récents d'une discipline médicale donnée. Toutefois, contrairement à la plupart des manuels de médecine, l'importance accordée aux divers thèmes de chaque discipline est fonction, non de l'intérêt d'un médecin spécialiste ou chercheur, mais des priorités qui découlent du rôle du médecin généraliste, médecin de première ligne, consulté par les patients au tout début d'un problème de santé et appelé à suivre à moyen et à long terme.

Face à l'explosion des connaissances nouvelles dans tous les domaines de la médecine, il est impossible à qui que ce soit de bien maîtriser cette avalanche d'informations. Néanmoins le généraliste est désireux de se tenir à la page et de faire bénéficier ses patients des connaissances nouvelles. Aussi, le défi de la collection «l'Omnipraticien» est-il de sélectionner à même la somme de connaissances anciennes et récentes ce qui est pertinent à l'exercice de la médecine générale.

LES MALADIES TRANSMISSIBLES SEXUELLEMENT

SOUS LA DIRECTION DE

Fernand Turgeon
Service de microbiologie
et maladies infectieuses de l'Hôpital Saint-Luc
Marc Steben
Clinique médicale de l'Ouest

1994

LES PRESSES DE L'UNIVERSITÉ DE MONTRÉAL
C.P. 6128, succ. A, Montréal (Québec), Canada, H3C 3J7

Données de catalogage avant publication (Canada)

Vedette principale au titre:

Les Maladies transmissibles sexuellement

(Collection pour l'omnipraticien)
Comprend des réf. bibliogr.

ISBN 2-7606-1607-X

1. Maladies transmises sexuellement. 2. Sida. 3. Génito-urinaire, Appareil - Maladies. 4. Hépatite virale. I. Turgeon, F. (Fernand), 1931- II. Steben, Marc, 1954- . III. Collection.

RC200.M34 1993 616.95'1 C94-940033-5

ISBN 2-7606-1607-X

Dépôt légal, 1er trimestre 1994 - Bibliothèque nationale du Québec

À mon épouse Francine Côté ainsi qu'à mes enfants Ève et Hugo
qui ont accepté un autre projet médical
dans notre vie familiale!

Marc Steben

À mon épouse Francine, à mes enfants, à mes petits-enfants
ainsi qu'à tous les membres de ma famille.

Fernand Turgeon

REMERCIEMENTS

Nous désirons remercier les personnes suivantes pour leur précieuse collaboration à la rédaction de cet ouvrage:

Les docteurs Guy Courtois et Louis Laplante de la collection «l'Omnipraticien» ainsi que Mmes Isabelle Lambert et Marie-Claire Borgo des PUM.

Nos collaborateurs et collaboratrices, qui ont eu foi en notre projet et ont accepté de partager leur expérience et leurs connaissances.

Les secrétaires, Mmes Angela Gurd et Brigitte Chevrier, qui ont déchiffré nos écritures et tenu la correspondance souvent dans des délais beaucoup trop courts.

Le docteur Pierre Dessain et M. Nabil Zaccour de Pfizer Canada Inc., qui ont cru à notre projet et ont fourni le budget nécessaire à la préimpression.

Mme Suzanne Delisle, qui a accompli un excellent travail de correction linguistique de ce volume.

M. Yvan Dupuis pour son travail apprécié de révision des épreuves.

PRÉFACE

Malgré l'apparition du SIDA et par conséquent, le changement du comportement sexuel, les maladies sexuellement transmissibles (MST) demeurent un problème de santé publique. Elles constituent un obstacle majeur à une parfaite santé sexuelle et reproductive – élément intégral d'une vie saine et heureuse.

Le présent ouvrage s'insère dans la politique que recommande l'Organisation mondiale de la Santé pour la lutte contre les MST, en mettant l'accent, d'une part sur une intégration de la lutte contre les MST dans les structures de soins de santé primaire, d'autre part sur une combinaison pragmatique des activités préventives et curatives.

L'approche pratique du livre est particulièrement rafraîchissante. Je recommande fortement cet ouvrage aux cliniciens de différentes spécialités et à toute personne impliquée dans la lutte contre les MST et le SIDA.

Dr Peter Piot
Directeur Associé
Maladies sexuellement transmissibles
Programme mondial de Lutte
contre le SIDA
Organisation mondiale de la Santé

TABLE DES MATIÈRES

DEUXIÈME PARTIE: LES PRINCIPALES MTS AU QUÉBEC

TROISIÈME PARTIE : LES PRINCIPAUX SYNDROMES

QUATRIÈME PARTIE : ASPECTS ÉPIDÉMIOLOGIQUES SPÉCIAUX

INTRODUCTION

Marc Steben et Fernand Turgeon

C'est avec un vif plaisir que nous vous présentons ce volume sur les maladies transmissibles sexuellement (MTS).

Cet ouvrage a été conçu pour répondre aux besoins des médecins québécois aux prises avec ce fléau grandissant. Longtemps on a cru qu'avec la découverte des antibiotiques, le problème des MTS serait réglé définitivement. Cette période d'euphorie n'a malheureusement duré que quelques années. Aujourd'hui, non seulement sommes-nous aux prises avec des bactéries qui deviennent de plus en plus résistantes aux antibiotiques, mais aussi avec l'éclosion de maladies virales telles que le VPH, le VHB, le VHS et plus dramatiquement le VIH. Ces infections sont résistantes aux arsenaux thérapeutiques actuels et les problèmes avec lesquels nous sommes confrontés n'ont jamais été aussi énormes. En effet, ces maladies prennent une telle importance dans la population, que tous les médecins, omnipraticiens ou spécialistes, se doivent d'acquérir des connaissances pratiques sur les MTS puisqu'ils y font face soit occasionnellement, soit quotidiennement.

Cependant, il est difficile de posséder des connaissances claires, précises et pratiques dans un domaine qui a autant évolué au cours de la dernière décennie. Qu'il suffise d'évoquer l'identification de nouveaux agents étiologiques ou la découverte de nouveaux modes de transmission et de nouvelles armes thérapeutiques.

En outre, il faut considérer les nouvelles techniques de laboratoire devenues accessibles à un plus grand nombre de médecins. Dès lors, il est souvent difficile de saisir les indications, la pertinence, la sensibilité et la spécificité de ces nouvelles technologies. Par ailleurs, une quantité impressionnante de recherches et de découvertes sur les aspects fondamentaux concernant les agents étiologiques, leur génétique, leurs constituants antigéniques et leur pathogénicité ont été effectuées. Certaines de ces découvertes ont des implications épidémiologiques et thérapeutiques importantes.

Les auteurs de ce volume ont donc tenté de dégager les principaux éléments de cet énorme bagage de connaissances. Ils ont voulu faire un guide simple, pratique et facile à consulter où la démarche clinique est éminemment pragmatique et relève de l'expérience.

Ces objectifs ont pu être atteints en faisant appel, pour chacun des chapitres, à des auteurs qui possèdent une expertise complémentaire.

Ce volume est le résultat d'un travail d'équipe. Les auteurs ont non seulement participé en rédigeant des chapitres, mais ils ont également tenu, à l'occasion de rencontres, des discussions de fond sur des problèmes controversés. Ces discussions ont permis de dégager des consensus québécois.

Cet ouvrage a été conçu en tenant compte des objectifs et des stratégies préconisés par l'Organisation mondiale de la Santé pour combattre et contrôler la pandémie actuelle. C'est un instrument éducatif, d'usage facile, qui permettra la détection précoce et l'application d'un traitement efficace. Il a été conçu pour sensibiliser le lecteur aux aspects importants de la lutte contre ce fléau, notamment le suivi des personnes atteintes ainsi que la nécessité d'identifier leurs partenaires et de déterminer la conduite à adopter à leur égard.

Nous espérons contribuer ainsi au mieux-être de nos semblables et nous souhaitons à tous ceux et celles qui consulteront ce volume autant de plaisir à le lire que nous en avons eu à l'écrire.

PREMIÈRE PARTIE

GÉNÉRALITÉS

1

HISTOIRE: LA PETITE ET LA GRANDE

Jean Robert

Les origines des maladies vénériennes se perdent dans la nuit des temps. D'ailleurs, un vieux proverbe wallon en fait foi: *Ève s'est donnée au premier venu.*

Les traces de ces maladies remontent à la plus haute Antiquité. Plusieurs millénaires avant notre ère, en Chine, le mercure ou calomel (chlorure mercureux) était recommandé dans le Pen T'sao comme traitement contre les maladies vénériennes. Puis, l'arsenic est venu s'ajouter, sur la recommandation d'un autre médecin chinois, Chun Szi-sung, reprise ensuite par Paul Ehrlich en 1909 lors de la synthèse du premier arsénobenzol: le fameux Salvarsan 606.

La Bible décrit les «règles relatives au pur et à l'impur». Au sujet des «impuretés sexuelles», le Lévitique présente une description très éloquente de la blennorragie et de son traitement.

Plusieurs écrits de l'époque des empires grec et romain et du Moyen Âge (Ve- XVe siècles) nous sont parvenus. À partir de la fin du XVe siècle, les œuvres sur ce sujet foisonnent et se caractérisent non seulement par leur confusion sur l'étiologie des maladies vénériennes[a], mais aussi par leurs explications pathologiques et surtout leurs traitements parfois aussi mystérieux qu'inefficaces.

Il est fort intéressant de consulter le livre de Jean Astruc[1] et d'y parcourir la longue bibliographie remontant à 1498 dans laquelle il est fait mention du statut des experts de l'époque: les médecins privés des rois et des papes! Plus tard, en l'an XIII de la République (1805), F. Swediaur publie à Paris, à compte d'auteur, son *Traité complet des maladies vénériennes ou syphilitiques*[2]. Si l'on doit à Galien, en l'an 130, le mot «gonorrhée» (du grec γόνος, «semence», et ρειν, «couler»[b]), c'est Swediaur qui introduit plus justement la dénomination de blennorragie (βλέννα, «mucus» et ῥήγνυμι «je jaillis»), dès le premier chapitre de son ouvrage. Cependant, «syphilis» et «maladies vénériennes» étaient encore synonymes.

À Vérone, en août 1530, Hieronymi Frascatoro publie son célèbre poème *Syphilis sive morbus gallicus* d'après le personnage d'Ovide, Sipyle, jeune porcher puni par Apollon pour l'insulte que lui aurait proférée Niobé, la mère du jeune porcher. Le mot «syphilis» venait de naître[c].

Au-delà des mots, plusieurs «maladies vénériennes» sont décrites et deviendront, au cours des siècles, la gale, la chlamydiase (urétrite non gonococcique ou chlamydienne, ou blennorragie), la condylomatose acuminée, le chancre mou, le granulome inguinal et le lymphogranulome vénérien. En fait, la seule maladie vénérienne vraiment nouvelle serait actuellement la rétrovirose due au virus de l'immunodéficience humaine (VIH) à moins que la pathocénose[d] n'ait joué au XXe siècle le même rôle qu'a eu pour la syphilis la découverte de l'Amérique à la fin du XVe siècle.

Durant tous ces siècles de confusion, plus d'un médecin célèbre se fourvoya. Un médecin anglais, Thomas Sydenham (1624-1689), affirmait que syphilis et gonorrhée étaient une seule et même maladie. John Hunter (1728-1793), chirurgien extraordinaire du roi, se serait inoculé en 1767 (même si la description est faite à la troisième personne) le pus d'un malade gonococcique. Ardent défenseur de la théorie uniciste... il développa la syphilis! Erreur classique, le donneur était atteint à la fois de blennorragie gonococcique et de syphilis.

Moins pudibond, Swediaur décrit lui-même son propre «ulcère syphilitique au gland», acquis en voyage et disparu après «dix à douze jours de traitement aux

a. On doit à un médecin français de Rouen, Jacques de Béthencourt, l'introduction de l'adjectif «vénérien» (de Vénus, déesse de l'amour chez les Romains), dans l'expression latine de *lues venerea*, en 1527.

b. Les anciens croyaient que l'écoulement de la blennorragie était un écoulement de semence.

c. Selon Quétel, ce serait Érasme qui utilisa le premier le terme de syphillis comme synonyme de vérole, en 1524, dans *Seu conjuguium impar* (L'union mal assortie). C. Quétel, *Le mal de Naples*, Paris, Coll. Médecine et Histoire, Seghers, 1986, p. 87.

d. Pathocénose: équilibre dans la fréquence de toutes les maladies qui affectent une population déterminée. L'histoire d'une maladie est tributaire de l'histoire de toutes les autres maladies (mot créé par M. Grmek).

pilules mercurielles». Six mois plus tard, toujours en voyage, il écrit: «en examinant la partie[a] affectée, je trouvai ma chemise tachée en cet endroit d'une matière jaune verdâtre semblable à celle d'une blennorragie...»

On doit au chirurgien français Philippe Ricord d'avoir mis fin à cette confusion en 1838, à Paris. Après une expérimentation, douteuse d'un point de vue éthique, auprès de 667 internés, il a démontré la spécificité de la blennorragie gonococcique et celle de la syphilis, de même que celle du chancre mou (dit plus tard de Ducrey, d'après le nom du dermatologue italien et découvreur du bacille responsable en 1889). Véritable fondateur de la vénéréologie française, Ricord a été décrit plus tard comme «le Voltaire de la littérature pelvienne».

C'est à un médecin allemand, Albert Neisser, que revient la découverte du gonocoque (1879), et à un bactériologiste allemand, Fritz-Richard Schaudinn, que l'on doit la description en 1905 du *Treponema pallidum.*

Le folklore thérapeutique contre la syphilis, au mercure, à l'arsenic, au bismuth et à l'iodure, a persisté durant tous ces siècles, et même après l'arrivée de la pénicilline en 1943. Les recettes sont aussi nombreuses que les voies d'administration[b] et reconnaissent de multiples contre-indications et des effets secondaires. On y retrouve également des médications non spécifiques et des méthodes de traitement qui «procurent, tout au moins pour certaines d'entre elles, des résultats qu'on peut qualifier, sans exagération, de merveilleux». Ainsi en est-il de la malariathérapie (1917, Wagner Jauregg, Vienne), de la récurrenthérapie au spirille d'Obermeyer (*Borrelia recurrentis*), de la méthode pyrétogène par injections de protéines (lait, vaccins, sérums, nucléinate sodique, colloïdes minéraux), des rayons ultraviolets, des courants électriques de haute fréquence, du soufre et de ses composés, du traitement hydrominéral, etc.

Les traitements antigonococciques inspirent de l'horreur: instillation «retenue 30 minutes» et lavage urétraux de solutions astringentes (permanganate de potassium, nitrate d'argent, acridine, alum de chrome, pyridium) selon la technique de Janet, dilatation des strictures infectieuses et iatrogènes par bougies, etc. Quand Ricord écrit: «Mais ce qui est plus grave encore (que 93 cas par millier de soldats à Montréal en 1942, dont 45 % par prostitution), c'est qu'à peine 10 % des syphilitiques qui sont parmi nous se font traiter... (et que) les ignorants, de nos jours, sont moins nombreux que les récalcitrants[3]», il faut comprendre la frustration du réputé vénéréologue, mais il faut aussi tenir compte, dans le jugement porté sur la fidélité des patients, de la nature des traitements qui leur sont infligés.

---

a. À rapprocher du québécisme «les parties». G. Dulong, *Dictionnaire des canadianismes*, Québec, Éd. Larousse, 1989, p. 314.

b. Dont les tristement célèbres et terribles bains sudorifiques fumigatoires au sulfure de mercure (cinabre) administrés dans un «archet» où il fallait «suer sa vérole». Voir l'estampe «L'Espaignol affligé du Mal de Naples», 1647. Bibliothèque nationale, Paris.

Même le Québec, alors appelé Bas-Canada, fait partie de cette histoire. Dès 1773, dans le calme village de Baie-Saint-Paul[a], survient une épidémie mystérieuse après l'escale d'un bateau écossais, dit-on. L'épidémie gagne Montréal en 1775 et s'étend à toute la contrée en 1782. Le gouverneur envoie des médecins et des enquêteurs pour faire un rapport sur le «mal de Baie-Saint-Paul» entre 1775 et 1785[4].

Le 31 janvier 1783, le Conseil législatif crée le comité Badelard (présidé par le docteur François Badelard), chargé de recommander des mesures pour enrayer le mal de Baie-Saint-Paul. Mgr Jean-Olivier Briand, évêque de Québec, sollicite l'aide des curés pour le dépistage des malades (Bordet et Wasserman ne sont pas encore nés!) et le général Frederick Haldimand établit la liste des personnes atteintes. Chaque paroisse a sa liste de citoyens soupçonnés d'être affectés par la maladie, comme l'a ordonné le gouverneur Guy Carleton. C'est vraisemblablement le début des maladies à déclaration obligatoire. Religion oblige!

En 1785, sur une population canadienne-française de 120 000 habitants, on dénombre 5 801 cas de mal de Baie-Saint-Paul. De connivence, la hiérarchie ecclésiastique et les juges de paix émettent des directives, des ordonnances et des documents «pour la guérison du mal de Baie-Saint-Paul». En 1787, paraît une brochure intitulée *Remarques sur la maladie contagieuse de la Baie-Saint-Paul avec la description de ses symptômes et la méthode d'en faire la cure; à l'usage du clergé et autres messieurs résidant à la campagne*[b].

En 1788, dans la troisième édition de son œuvre, Swediaur consacre un chapitre «sur la nouvelle maladie vénérienne qui s'est montrée en Canada», la syphilis. Dès 1791, les juges de paix ont un pouvoir de réglementation sur la «santé des habitants». La première loi de quarantaine apparaît en 1795. Elle est reconduite et élargie en 1802, puis en 1808, en 1812, en 1817 et ainsi de suite jusqu'à la création de la «Commission provinciale d'hygiène, et pour d'autres fins relatives à la santé publique» (ou Loi d'hygiène publique du Québec) en 1886.

Dès 1861, une nouvelle loi autorise les villes et les villages à créer des bureaux de santé dotés de pouvoirs étendus. Québec et Montréal s'en prévalent respectivement en 1830 et en 1851[5] même si les règlements ne sont adoptés qu'ultérieurement. C'est d'ailleurs en vertu de cette loi que Montréal exige «des personnes qui demandent des permis de colporteurs»... «une épreuve de Wasserman».

En 1865, un «Acte pour arrêter la propagation des maladies contagieuses dans certaines stations navales et militaires en cette province»[a] est proclamé et la

a. Les francophones parlaient de «la maladie de la Baie» et les anglophones de «Molbay».
b. L'auteur (R. Jones) s'oppose à l'idée que le mal de Baie-Saint-Paul soit la syphillis. James et John McGill par contre y souscrivent. Holmes, op. cit.

loi stipule qu'un juge, à partir d'une dénonciation impliquant une femme (est-ce le début de la «recherche des contacts»?), pourra ordonner que cette dernière se rende, de gré ou de force, dans un hôpital pour y subir des examens médicaux. Advenant la présence d'une maladie vénérienne, la femme sera détenue à l'hôpital pour une période de 24 heures, période pendant laquelle un juge pourra ordonner aux autorités de l'hôpital de prolonger la détention pour recevoir les traitements appropriés[b], et ce jusqu'à ce qu'elle soit libérée par les autorités. C'est le début des maladies à traitement obligatoire. En outre, les propriétaires de maisons de chambre sont tenus de signaler aux autorités les prostituées atteintes de maladies vénériennes.

Dans l'*Union médicale du Canada* de juillet 1872, un extrait du *Wiener Med. Wochenschrift* (Prof. Zeissl) du 9 mars recommande le traitement du bubon syphilitique inguinal par des compresses de plomb, de même que le traitement de la leucorrhée par de l'arsenic à petites doses et les condylomes (acuminés) «avec de l'acide carbonique pur liquide ou très concentré».

En résumé, de 1663 à 1795, l'hygiène publique a fait l'objet d'édits royaux, d'ordonnances et de règlements, puis, de 1796 à 1886, d'actes et de lois dont l'application était laissée aux autorités municipales (comités de santé, commissions de police et de santé, bureaux et enfin services de santé municipaux).

Le véritable coup d'envoi de la première organisation fut donné par la proclamation, en 1886, de ce qui sera connu comme la Loi d'hygiène publique du Québec et par l'établissement de la Commission provinciale d'hygiène. Amendée à cinq reprises, la loi sera refondue *in extenso* en 1901 et la Commission deviendra le Conseil d'hygiène. En 1909, un nouvel amendement oblige les bureaux municipaux d'hygiène à se conformer à la Loi d'hygiène publique. En 1915, le Conseil d'hygiène devient le Conseil supérieur d'hygiène avec pouvoirs consultatifs seulement. C'est en 1919 qu'apparaît un nouvel article prévoyant que «toute personne appréhendée pour un délit sexuel ou comme prostituée, souteneur ou pourvoyeur de prostitution doit être examinée sans délai par le médecin de la prison ou autre lieu de détention et que le médecin doit communiquer au juge le résultat de son examen avant la sentence» (cet article ne sera abrogé que le 18 mai 1983). Elle oblige les médecins des prisons à signaler les cas de maladies vénériennes à l'inspecteur régional du Conseil supérieur d'hygiène. Elle dispense du secret professionnel les médecins qui jugent cette déclaration nécessaire pour empêcher la contagion et pour des fins de justice (article abrogé dans la refonte de 1972).

---

a. «Maladies contagieuses» signifie ici les maladies vénériennes.

b. À cette époque, le traitement des maladies vénériennes se limitait généralement à des séries d'injections de chlorure mercureux (le calomel).

En 1920, la Loi sur les maladies vénériennes est adoptée, créant notamment des dispensaires antivénériens (DAV), introduisant le traitement gratuit et initiant la Commission provinciale antivénérienne. Dès 1920, les premiers DAV ouvrent leurs portes à Montréal aux hôpitaux Notre-Dame et Saint-Luc. En 1921, l'hôpital Saint-Joseph de Trois-Rivières ouvre le sien; en 1924, l'Hôtel-Dieu de Montréal fait de même. En 1921, la Commission provinciale antivénérienne entreprend une vaste campagne de lutte contre les maladies vénériennes en organisant des conférences, en distribuant des brochures et en produisant des films.

En 1922, à partir d'une refonte des lois antérieures, une loi créant le Service provincial d'hygiène avec pouvoirs exécutifs[6] est promulguée. Elle dresse la liste des maladies infectieuses à déclaration obligatoire et introduit un article précisant que «quiconque, sciemment ou par négligence, communique à une autre personne une maladie syphilitique ou vénérienne devient passible d'une amende n'excédant pas 200 $ ou d'un emprisonnement n'excédant pas trois mois» (cet article survivra aux refontes de 1941, de 1946 et de 1964, pour finalement disparaître dans celle de 1972).

L'arrivée des premiers antibactériens, les sulfamidés, a eu des échos chez nous, mais ils étaient considérés comme moins efficaces et plus toxiques que les corps organo-soufrés, notamment le «693», commercialisé sous le nom de Dagenan. À la veille de l'apparition de la pénicilline, il est fort édifiant de parcourir la mise à jour du traitement moderne de la syphilis paru dans l'*Union médicale* de 1942. C'est l'armée américaine qui donnera ses lettres de noblesse aux sulfamidés. En effet, chaque soldat en permission «devait ingérer deux grammes de sulfathiazol en présence de l'officier,... deux autres grammes au retour et deux grammes additionnels le lendemain, toujours sous le contrôle immédiat de l'officier présent.» Le nombre de cas passa de 171 cas à 8 cas par mille pour la gonorrhée, et de 56 à 2 pour la chancrelle: c'était la victoire sur la «goutte militaire»!

L'année 1944 marque le début de la campagne la plus intensive jamais lancée au Canada contre les maladies vénériennes. Tous les paliers de gouvernement y participent avec l'appui du haut clergé catholique et protestant. Ainsi le 4 février 1944 est proclamée la journée nationale d'hygiène sociale. Le lendemain, une grande soirée réunissant plus de 2 500 personnes au Monument national inaugure la campagne antivénérienne, sous le haut patronage de l'archevêque de Montréal, Mgr Joseph Charbonneau, et la présidence d'honneur du ministre de la Santé du Québec, J.-H.-Albini Paquette, ainsi que du maire de Montréal, Camilien Houde. La campagne veut mettre à contribution «quatre secteurs» (santé publique, bien-être social, loi, morale) pour appliquer les mesures suivantes:

— protéger la famille (père, mère et enfant) par des analyses de sang confidentielles avant l'embauche, des analyses prénuptiales et prénatales;

— substituer un traitement humain à la «cure d'incarcération» infligée aux malheureuses femmes et filles atteintes de maladies vénériennes et créer des cercles locaux d'hygiène et de réhabilitation;

— donner de l'information dans les écoles supérieures et les cercles de jeunes sur la question des maladies vénériennes;

— créer des centres de loisirs sains et agréables dans chaque localité;

— cesser d'imposer des amendes aux prostituées puisqu'elles sont alors forcées de continuer à exercer leur métier pour les acquitter;

— infliger des peines de prison aux tenanciers, aux souteneurs, aux entremetteurs et à tout autre individu de même acabit.

Le 15 septembre 1944, la pénicilline fait une entrée éclatante à Montréal dans le service de neurologie de l'hôpital Notre-Dame. En effet, une religieuse (sœur E. D.), admise d'urgence la veille pour une méningite à pneumocoques, recevait un traitement au Solu-Dagenan à raison de cinq grammes en injection intraveineuse suivis d'un gramme toutes les quatre heures. Devant l'échec clinique, le docteur Roma Amyot cesse l'administration des sulfamidés et procède à l'injection intrarachidienne de 20 000 unités de pénicilline dans 20 mL de sérum physiologique et de 10 000 unités en injection intramusculaire toutes les trois heures. Le traitement est interrompu le 22 septembre et la malade obtient son congé le 28. Elle est guérie.

La pénicilline fait aussi ses premiers pas dans le traitement de la syphilis et de la gonorrhée, avec des hésitations posologiques normales dans les circonstances. Le docteur Frappier, dans une brillante revue de l'état des connaissances sur la pénicilline, mentionne qu'elle possède une remarquable action contre deux bactéries principales, le gonocoque et le méningocoque et «qu'il semble bien qu'elle s'attaque au tréponème de la syphilis».

À l'instar de la tuberculose, punition de Dieu pour les mariages consanguins, la syphilis est et restera longtemps le châtiment de Dieu pour les rapports sexuels avant le mariage. On lit notamment: «Montréal n'est plus Ville-Marie.» «Le traitement doit durer au moins dix-huit mois et le malade doit demeurer sous la surveillance du médecin pendant au moins un an.» «Le syphilitique doit toujours avoir à l'esprit qu'il ne doit jamais se marier avant d'être guéri, et, seul, le médecin a le droit de permettre au syphilitique de se marier.» «Depuis quelque temps, les prêtres conseillent aux futurs époux de se munir de ce certificat de santé.»

La Loi de l'hygiène publique de 1941 est révisée en 1964, de même que les règlements provinciaux d'hygiène dont le chapitre II traite des maladies vénériennes. On y précise notamment que la syphilis est contagieuse et infectieuse durant quatre ans (art. 3,2). Une urétrite gonococcique masculine n'est considérée guérie que s'il n'y a plus d'écoulement, ni de filaments dans les urines, et que si deux examens microscopiques pratiqués à au moins 48 heures d'intervalle sont négatifs (art. 4,1). Chez la femme, une gonococcie est guérie quand il n'y plus d'écoulement anormal et que des examens microscopiques de prélèvements de l'urètre, du vagin et du col sont pratiqués deux fois par semaine à au moins 48 heures d'intervalle, durant quatre semaines consécutives et qu'ils sont tous négatifs (art. 4,2). Les méthodes thérapeutiques font l'objet de prescription légale quant au choix des antibiotiques, à la posologie, à la voie d'administration et à la durée du traitement (art. 6). L'existence et les fonctions du Service provincial d'hygiène sont reconduites et une division des maladies vénériennes est créée.

La Loi des maladies vénériennes de 1941 subit le même sort en 1964 et contient toujours ses éléments cœrcitifs, punitifs et répressifs. Tout porte à croire que c'est aussi en 1964 qu'une décision administrative interne établit une division des maladies infectieuses dont le premier titulaire fut le docteur A.-Roger Foley et le second, le docteur Gérard Martineau. Par ailleurs, les règlements provinciaux d'hygiène créent une division des maladies vénériennes.

Au début des années 1970, le docteur A.-B. Valois, adjoint au directeur du Service de santé de la Ville de Montréal, écrit: «Habituellement nous observons une augmentation des maladies vénériennes en temps de guerre et une diminution de fréquence en temps de paix. Actuellement, à l'encontre de l'expérience passée, nous assistons à une recrudescence [1961-1971] des maladies vénériennes en temps de paix.» Il en attribue la cause à une nouvelle philosophie («Faisons l'amour et non la guerre»), à l'augmentation des rapports sexuels avec partenaires multiples, à la mobilité des populations, aux voyages internationaux, à l'éloignement du foyer chez les jeunes, aux touristes et aux immigrants. Il n'y a pas de raison, dit-il, de ne pas revenir aux faibles taux de 1955.

En 1972, la Loi de l'hygiène publique est révisée et reconduite avec deux réglementations: l'une concerne la prophylaxie des maladies contagieuses de l'homme et l'autre concerne les maladies vénériennes. Le 21 décembre de la même année, la loi de la protection de la santé publique est sanctionnée. L'article 65 précise que «Les règlements adoptés en vertu de la Loi de l'hygiène publique ou en vertu de la Loi des maladies vénériennes demeurent en vigueur, dans la mesure où ils sont conciliables avec la présente loi, jusqu'à ce qu'ils soient abrogés, modifiés ou remplacés par des règlements adoptés en vertu de la présente loi ou de la Loi de la qualité de l'environnement».

Le 17 avril 1974, les règlements d'application de la Loi de la protection de la santé publique font l'objet d'un décret. C'est la première fois qu'un texte réglementaire mentionne «le chef du Service des maladies infectieuses» (art. 2,205).

En 1977, les lois sont refondues. La Loi de la protection de la santé publique devient la Loi sur la protection de la santé publique et porte le sigle de LRQ, c.P-35, 1977.

Depuis le début, la loi désigne sous le nom de «maladie vénérienne» «la syphilis, la blennorragie, le chancre mou, la lymphogranulomatose vénérienne ou le granulome inguinal». Or, le 19 décembre 1981 (sanction du projet de loi 27), le mot blennorragie est remplacé par infections gonococciques. Étymologiquement, la blennorragie chlamydienne ne pouvait plus être considérée comme maladie vénérienne, bien que l'agent étiologique du lymphogranulome vénérien continuât d'être la *Chlamydia trachomatis*!

Depuis la fin des années 1960 et le début des années 1970, plusieurs décisions et directives administratives ont modifié l'organigramme du ministère de la Santé, devenu celui des Affaires sociales, puis celui de la Santé et des Services sociaux[7]. Ainsi, le Service d'épidémiologie et le Service des maladies infectieuses devinrent la Division des maladies infectieuses; en 1971, la Division de la tuberculose fusionna avec celle des maladies infectieuses[8]. Un an plus tard, la Division des maladies infectieuses devenait aussi responsable de la Section des maladies vénériennes, qui fut abolie en 1978 à la retraite de son dernier titulaire. La division fut à son tour intégrée dans le Service des programmes, puis dans la Division de la santé communautaire avant de devenir, plus récemment, la Direction de la santé publique, sous la responsabilité d'un directeur et l'autorité du sous-ministre associé. En février 1982 naît, sous la présidence du docteur Richard Morisset, le Comité Sida-Québec, aboli le 31 mars 1987 et remplacé en juillet 1989 par le Centre québécois de coordination sur le sida (CQCS) sous la direction de Mme Denise Laberge-Ferron.

Au cours de ces décennies, les médecins responsables des maladies vénériennes au ministère furent successivement les docteurs Gaudias Choquette, David Beaulieu, Louis-Philippe Desrochers et Georges Tarjan. Parmi les experts-conseils, on note les docteurs Jules Archambault, Lucien Sylvestre, Jules Gilbert et Armand Frappier.

Au moment d'écrire ces lignes, la réforme annonce une direction générale de la santé publique et un programme national, où on peut lire au treizième objectif: «D'ici l'an 2002, réduire l'incidence du virus du sida et des maladies transmissibles sexuellement ainsi que leurs complications, et stabiliser les infections résistant aux antibiotiques classiques».

L'éternelle problématique des maladies vénériennes, surtout depuis l'arrivée du sida, s'apparente tout à fait à une dynamique de crise brillamment décrite par Lagadec[9]. «Elle est brutale, insidieuse, tenace, récurrente, inexorable... D'emblée terrifiante ou au contraire parée des atours de la normalité pour qu'on ne la reconnaisse pas, elle se joue des lignes de défense, ouvre sans cesse de nouveaux fronts, ridiculise les ordonnancements méticuleux, désagrège les mécanismes de fonctionnement, s'attaque impunément aux nœuds du système adverse. [...] Insufflant la peur dans les états-majors, elle déclenche des réactions crispées dont elle se nourrit avidement pour décupler ses forces. Certains semblent l'accueillir avec empressement et lui donner tout leur appui, d'autres disent vouloir la combattre, mais ne font que l'amplifier: à qui prêter sa confiance?»

Puisse la grande histoire assagir la petite!

BIBLIOGRAPHIE

1. ASTRUC, J. *Traité des maladies vénériennes*, Paris, 1755.
2. SWEDIAUR, F. *Traité complet sur les symptômes, les effets, la nature et le traitement des maladies syphilitiques*. 5e édition, Paris, 1805.
3. MARIN, A. «Notre problème vénérien». *Union médicale du Canada*, 74 (6); 773, 1945. Conférence prononcée le 5 février 1945, au Monument National, lors d'une réunion publique organisée conjointement par la Société Saint-Jean-Baptiste de Montréal et le Service municipal de santé, pour inaugurer la campagne de 1945 contre les maladies vénériennes.
4. GOULET, D. et PARADIS, A. *Trois siècles d'histoire médicale au Québec, chronologie des institutions et pratiques* (1639-1939). Montréal, Éd. VLB, 1992.
5. Règlement pour établir un Bureau de santé dans la Cité de Montréal (passé le 10 mai 1865), chapitre VII. Règlements de la Cité de Montréal, Montréal 1902, Éd. Eusèbe Senécal, p. 3.
6. LA FONTAINE, B. Aperçu historique des services de santé publique au Québec, Mars 1992. Communication personnelle.
7. MARTINEAU, G. Communication personnelle.
8. BEAUCHESNE, A. Communication personnelle.
9. LAGADEC, P. *États d'urgence, défaillances technologiques et déstabilisation sociale*. Paris, Éd. du Seuil, 1988.

2

ÉPIDÉMIOLOGIE DES MTS AU QUÉBEC

Michel Alary et Robert S. Remis

2.1 INTRODUCTION

Il est difficile de bien documenter les caractéristiques de l'incidence et des facteurs de risque pour les maladies transmissibles sexuellement au Québec. En effet, peu d'études ont été publiées sur l'épidémiologie des MTS au Québec. L'information reliée aux maladies transmissibles sexuellement à déclaration obligatoire demeure généralement le seul indice de leur incidence et les quelques déterminants démographiques qui accompagnent ces déclarations restent le seul reflet des facteurs de risque qui y sont associés. Malheureusement, l'interprétation de ces données, comme toutes les autres provenant de cette source, connaît des limites. D'abord, toutes les personnes qui souffrent de MTS ne consultent pas nécessairement un médecin. Ensuite, celles qui en consultent un ne subissent pas toujours les examens de laboratoire nécessaires pour confirmer une infection particulière. Cette situation existe fréquemment dans les régions rurales, soit parce que le recours au laboratoire est difficile, soit à cause des habitudes des médecins traitants. Finalement, malgré une amélioration de la situation depuis les dix dernières années, il reste sans doute une certaine proportion des infections identifiées qui ne sont pas déclarées à l'unité de santé publique.

Au Québec par exemple, la gonococcie, la syphilis et l'hépatite B sont à déclaration obligatoire depuis longtemps et les infections à *Chlamydia trachomatis* ont été ajoutées en octobre 1987. Cependant, le VIH n'est pas à déclaration obligatoire, mais le sida, la manifestation des déficiences sévères, est à déclaration obligatoire depuis octobre 1986. Il existe aussi d'autres problèmes particuliers selon le pathogène. Pour l'hépatite B, notamment, il est arrivé souvent que la déclaration ne soit qu'une identification de l'HBsAg en laboratoire. Pourtant, une proportion importante de ces cas représente des porteurs chroniques et ne devrait pas figurer dans les données sur l'incidence, mais l'information nécessaire pour classifier ces cas en infection aiguë et en cas porteurs est parfois manquante ou non disponible. Quant aux infections génitales à *C. trachomatis*, comme elles sont asymptomatiques et souvent de longue durée, le nombre d'infections identifiées et déclarées dépendra autant de l'activité de dépistage (déterminé en partie par la variation dans les critères d'utilisation et de la disponibilité des tests de laboratoire) que de l'incidence de la maladie; par conséquent, l'interprétation des chiffres sur cette maladie se trouve grandement limitée.

Malgré tous les problèmes mentionnés, il semble pourtant que l'incidence des MTS au Québec ne soit pas si différente de celles des autres régions de l'Amérique du Nord ayant le même niveau d'urbanisation. L'incidence des MTS est plus importante à Montréal que dans le reste du Québec et l'incidence reliée à l'âge semble équivalente à celle des autres régions avec un point culminant chez les hommes âgés de 25 à 39 ans et chez les femmes âgées de 15 à 24 ans (voir, par exemple, les tableaux 2.1 et 2.2 sur la gonococcie, p. 42 et 43).

2.2 LA GONOCOCCIE

La gonococcie compte parmi les MTS bactériennes les plus répandues dans le monde entier. Dans les pays développés, après des épisodes épidémiques survenus au cours des deux guerres mondiales, l'incidence de la gonococcie, estimée à partir des données de surveillance épidémiologique, s'est accrue de façon régulière au cours des années 1960 et 1970 pour ensuite diminuer progressivement. Ainsi, en Suède, l'incidence annuelle des infections gonococciques a atteint un maximum de 487 cas par 100 000 habitants en 1970 pour ensuite diminuer de manière spectaculaire jusqu'à 31 par 100 000 en 1987. Aux États-Unis, l'incidence annuelle a atteint un maximum de 473 par 100 000 en 1975. La diminution ultérieure a été progressive, mais moins importante qu'en Suède. En

1987, l'incidence annuelle de la gonococcie aux États-Unis se situait encore à 324 cas par 100 000 habitants. Au Canada, l'incidence maximale n'a été atteinte qu'en 1981 (231 par 100 000). En 1989, cette incidence n'était plus que de 73 cas par 100 000. L'incidence de la gonococcie au Québec a évolué en parallèle avec la situation observée au Canada. Cependant, les taux rapportés au Québec sont toujours inférieurs à ceux observés dans l'ensemble du Canada. Le tableau 2.1 présente l'évolution de l'incidence de la gonococcie au Québec, en Ontario et aux États-Unis pour les années 1984 à 1990. Alors que 7 058 cas de gonococcie ont été déclarés au Québec en 1984 (taux de 108 par 100 000), seulement 1 695 l'ont été en 1989 (taux de 26 par 100 000). En 1990, on a enregistré une légère augmentation avec 1 793 cas déclarés.

L'incidence moins élevée de la gonococcie rapportée au Québec comparativement au Canada pourrait être factice. En effet, dans une étude réalisée en 1986 dans une région rurale du Québec, l'incidence réelle de cas de cette maladie s'est avérée quatre fois plus élevée que celle calculée à partir des déclarations reçues par le département de santé communautaire de cette région. Il faut noter qu'au Québec, la gonococcie est une maladie vénérienne au sens de la loi. Dès lors, contrairement aux États-Unis et à plusieurs provinces canadiennes où la déclaration se fait de façon nominale, les déclarations de gonococcie au Québec doivent être obligatoirement anonymes.

Les tableaux 2.1 et 2.2 (voir p. 42 et 43) présentent l'incidence de la gonococcie déclarée au Québec selon l'âge et le sexe pour les années 1984 à 1990. Comme on peut le constater, l'incidence maximale de la gonococcie se situe chez les 20 à 29 ans pour les hommes (taux de 120 par 100 000 en 1990) et chez les 15 à 24 ans pour les femmes (taux de 104 par 100 000 en 1990). Par ailleurs, il est intéressant de remarquer les variations dans le ratio homme-femme. Ainsi, alors que ce ratio diminuait de manière continue de 1,5 en 1984 à 1,1 en 1988, il a ensuite augmenté à 1,3 en 1989 et à 1,7 en 1990. Finalement, il faut noter que l'incidence de la gonococcie est plus élevée à Montréal que dans le reste de la province. De façon constante, l'incidence annuelle de cas de gonococcie déclarés dans la région de Montréal est à peu près deux fois plus élevée que celle observée dans le reste du Québec. Cependant, des taux au moins aussi élevés que ceux observés sur les territoires des départements de santé communautaire du centre de Montréal sont enregistrés dans certaines communautés autochtones, particulièrement dans le nord du Québec.

La diminution d'incidence de la gonococcie observée un peu partout dans les pays industrialisés au cours de la dernière décennie serait attribuable en grande partie à des modifications de comportement sexuel imputables à l'épidémie de sida. Cette tendance est encourageante certes, mais les problèmes reliés à la résistance des gonocoques aux antibiotiques se multiplient. En effet, aux États-Unis, les premières souches de *Neisseria gonorrhoeae* productrices de pénicillinase (NGPP) ont été isolées en 1976. Jusqu'en 1980, le nombre d'isolats de ce type identifiés aux État-Unis se limitait à environ 100 par année. Depuis lors, une augmentation rapide a été enregistrée. Ainsi, en 1982, le nombre d'infections aux NGPP rapporté aux États-Unis était de plus de 4 500 et il atteignait 16 608 en 1987 (1,8 % de tous les cas de gonococcie rapportés). Cette année-là, près des deux tiers des infections aux NGPP se retrouvaient à New-York, à Los Angeles ou en Floride. La situation canadienne a évolué parallèlement à celle des États-Unis. Alors que le nombre annuel moyen de NGPP rapportés au Canada se situait à moins de 50 entre 1976 et 1983, il est passé à 232 en 1984 et a augmenté progressivement jusqu'à 1 046 en 1989, soit 5,5 % de tous les cas de gonococcie rapportés, comparativement à 0,5 % en 1985.

Le tableau 2.3 montre l'évolution de la situation au Québec de 1984 à 1989. Au cours de cette dernière année, la proportion de cas de gonococcie de souche NGPP était plus élevée au Québec (9,9 %) que partout ailleurs au Canada. Il faut cependant noter que cette augmentation n'a pas été constante dans toutes les régions du Québec. Ainsi, dans la grande région de Québec, où les départements de santé communautaire font une recherche active des contacts dans tous les cas de NGPP, la proportion de cas de gonococcie attribuables aux NGPP est passée de 5,8 % en 1988 à 4,3 % en 1989. Selon une étude publiée en 1988, environ la moitié des infections aux NGPP au Québec seraient contractées chez nous et l'autre moitié, lors de voyages à l'étranger. Cela confirme l'endémicité des NGPP dans notre province.

On note que pour de nombreuses souches cette résistance à la pénicilline est d'origine chromosomique. Ces souches résistent aussi de plus en plus fréquemment à la tétracycline et on a même signalé des résistances à la spectinomycine et à la norfloxacine. Par conséquent, malgré la diminution importante de l'incidence de la gonococcie au cours de la dernière décennie, il faut demeurer très vigilant. En effet, l'augmentation des souches présentant une résistance aux antibiotiques pourrait être un prélude à une recrudescence. D'ailleurs, en 1990, on a noté une légère augmentation dans l'incidence de la gonococcie au Québec. Voilà pourquoi des protocoles d'investigation et de traitement qui tiennent compte de l'importance des souches résistantes doivent être appliqués. Il faut aussi penser que la surveillance de la gonococcie peut devenir un excellent outil pour observer l'évolution des habitudes sexuelles responsables de la transmission du VIH.

2.3 LA SYPHILIS

Au Québec, l'incidence de la syphilis a connu une diminution depuis le début des années 1980. La syphilis récente, incluant la syphilis primaire, secondaire et latente précoce, représente une indication de la propagation de cette bactérie. Entre 1984 et 1988, le nombre de cas est passé de 477 à 142 cas, soit une diminution de 70 % pour cette période de cinq ans. Le taux de syphilis primaire et secondaire a diminué de 5,7 par 100 000 de population en 1984 jusqu'à 1,5 par 100 000 de population en 1988. Le taux de syphilis primaire et secondaire est comparable à celui de l'Ontario pour la même période. Cependant, il est moins important que celui des États-Unis et n'a pas connu l'augmentation observée chez les Américains pendant les cinq dernières années, surtout dans les populations pauvres des agglomérations urbaines. En 1984, aux États-Unis, le taux était de 12,1 par 100 000 ou 2,1 fois plus important qu'au Québec et, en 1988, il était de 16,3 par 100 000 ou 11 fois plus important que le taux au Québec. Chez nous, l'incidence de la syphilis récente a toujours été plus importante chez les hommes que chez les femmes. Le rapport homme-femme a toujours été supérieur à 1, mais il a diminué de 4,3 fois à 3,25 fois entre 1984 et 1988. En 1988, c'est chez les hommes et les femmes âgés de 30 à 39 ans qu'on retrouve le taux de syphilis récente (primaire, secondaire et latente précoce) le plus élevé. L'incidence de la syphilis est beaucoup plus importante chez les hommes que chez les femmes. Elle est en grande partie associée aux contacts entre hommes. Des études américaines menées au début des années 1980 démontrent que plus de 90 % des cas de syphilis sont attribuables à un contact sexuel entre hommes.

L'incidence de la syphilis récente était plus importante à Montréal que dans le reste du Québec avec un taux de 5,3 contre 0,8, soit un taux sept fois plus élevé.

La diminution de l'incidence de la syphilis pendant les années 1980 est probablement associée à l'arrivée du sida et de l'infection au VIH qui partagent en grande partie la même épidémiologie: ces maladies sont transmises par contact sexuel, surtout entre hommes.

2.4 LES INFECTIONS À *CHLAMYDIA TRACHOMATIS*

Au cours des années 1980, l'infection génitale à *Chlamydia trachomatis* est devenue la MTS bactérienne la plus fréquente en Amérique du Nord et en Europe. Aux États-Unis, comme la législation sur la déclaration obligatoire varie d'un État à l'autre, il est très difficile de connaître de façon exacte l'incidence de cette infection. Cependant, des signes évidents révèlent une augmentation constante de l'incidence de cette maladie jusqu'au début des années 1980, suivie d'une certaine stabilisation. Ainsi, le nombre de consultations annuelles pour une urétrite non gonococcique chez l'homme est passé de 500 000 à la fin des années 1960 à environ 800 000 dans les années 1980. Au cours de la même période, on note une diminution de la gonococcie. En effet, aux États-Unis, en 1987, le nombre de consultations pour une urétrite non gonococcique était trois fois plus élevé que le nombre de consultations pour une gonococcie. À partir de ces différentes données, on a estimé à 4 000 000 le nombre de nouvelles infections à *C. trachomatis* au cours de cette dernière année.

Au Canada, la législation sur la déclaration de cette MTS varie aussi d'une province à l'autre. Cependant, dans un programme de surveillance dont font partie 27 laboratoires collaborant à un programme de l'OMS, le nombre de rapports positifs de *C. trachomatis* a quintuplé entre 1980 et 1986, établissant ainsi un parallèle avec la situation américaine.

Au Québec, une étude réalisée en 1986 dans une région rurale montrait déjà que l'incidence de la chlamydiase était trois fois plus élevée que celle de la gonococcie (470 contre 150 par 100 000 par année). Depuis novembre 1987, l'infection à *C. trachomatis* est à déclaration obligatoire au Québec, et, depuis 1988, les autorités sanitaires québécoises ont reçu huit fois plus de déclarations de chlamydiase que de gonococcie. Le nombre de cas rapporté annuellement est passé de 19 493 (taux de 299 par 100 000) en 1988 à 16 674 (taux de 250 par 100 000) en 1989 et à 14 565 (taux de 223 par 100 000) en 1990. La diminution observée au cours de ces trois années peut être réelle, mais elle pourrait aussi s'expliquer autrement. La déclaration obligatoire de la chlamydiase a coïncidé avec l'augmentation des ressources diagnostiques disponibles pour cette maladie. Comme cette maladie peut demeurer présente sous une forme asymptomatique pendant longtemps, il est possible qu'un nombre relativement élevé de cas prévalants aient été inclus dans les cas rapportés comme incidents en 1988. Cela se serait produit moins fréquemment dans les années suivantes. Par ailleurs, la chlamydiase n'est pas une maladie vénérienne au sens de la loi. Elle est donc déclarée de façon nominale comme les autres maladies à déclaration obligatoire. Or, plusieurs laboratoires hospitaliers du Québec utilisent des tests immuno-enzymatiques pour le diagnostic de cette infection. Ces tests dénotent certaines déficiences au niveau de la sensibilité et, surtout, de la spécificité. C'est pourquoi plusieurs responsables de laboratoires cliniques nous ont dit qu'ils hésitaient à déclarer nominalement des infections à *C. trachomatis* quand le diagnostic est basé sur des tests dont l'utilisation pourrait générer un nombre relativement élevé de faux positifs.

Le tableau 2.3 (voir p. 44) présente la distribution par âge et par sexe des infections génitales à *C. trachomatis* déclarées au Québec de 1988 à 1990. On constate que l'incidence maximale se retrouve chez les 20 à 24 ans pour les hommes et chez les 15 à 19 ans pour les femmes. En outre, on compte trois fois plus de cas déclarés chez les femmes que chez les hommes. Cette prédominance pourrait s'expliquer en grande partie par des problèmes reliés aux tests de laboratoire et à leur utilisation. Comme les femmes consultent beaucoup plus fréquemment que les hommes pour des examens de routine des organes génitaux (par exemple, dépistage du cancer du col utérin), des tests de dépistage de *C. trachomatis* sont alors fréquemment effectués, permettant ainsi le diagnostic de nombreux cas asymptomatiques. De plus, il a été démontré que l'ensemble des tests utilisés dans le diagnostic de cette infection sont moins sensibles chez les hommes que chez les femmes, surtout en l'absence de symptômes.

De nombreuses études de la prévalence de l'infection génitale à *C. trachomatis* nous fournissent d'autres données précieuses sur l'épidémiologie de cette maladie. Plusieurs de ces études ont été réalisées aux États-Unis à la fin des années 1970 et au cours des années 1980. Elles révèlent une prévalence de 2 % chez les hommes qui consultaient pour des raisons non reliées aux MTS et qui ne présentaient aucun symptôme. Cette prévalence variait entre 12 % et 31 % chez ceux qui consultaient dans les cliniques de MTS. Quant aux études réalisées chez les femmes enceintes ou chez celles qui fréquentaient une clinique externe de gynécologie ou de planning familial, la plupart révèlent des prévalences se situant entre 5 % et 14 %. Cependant, dans certains milieux défavorisés, on observe des prévalences de plus de 20 %. Dans les cliniques de MTS, la prévalence chez les femmes se situe entre 18 % et 28 %.

Au Québec, nous avons pu recenser huit études sur la prévalence de la chlamydiase dans différentes populations. Toutes ces études ont cependant été réalisées depuis 1985. Le tableau 2.4 (voir p. 45) présente schématiquement ces différentes études. Les études plus récentes démontrent une prévalence plus faible chez les femmes enceintes et celles qui subissent un avortement que les études réalisées il y a quelques années. Il faut cependant noter que cette diminution pourrait n'être due qu'à un changement dans la structure d'âge des femmes enceintes. En effet, dans l'étude réalisée à Québec, 80 % des femmes enceintes ont 25 ans ou plus alors que, dans les études réalisées au début des années 1980 aux États-Unis, 70% avaient moins de 25 ans. En ajustant la prévalence sur cette dernière structure d'âge, on arrive à une estimation comparable à celle de plusieurs études antérieures (prévalence de 5,5 % ajustée pour l'âge). Par ailleurs, dans les études de Joliette et de Québec, la différence de prévalence chez les femmes enceintes pourrait être attribuable à l'utilisation de tests de laboratoire différents. En effet, cette différence pourrait être due à la présence de faux positifs à l'épreuve immuno-enzymatique. Toutes les études de prévalence réalisées jusqu'à maintenant révèlent qu'être âgé de moins de 25 ans et avoir un nombre élevé de partenaires sexuels sont des facteurs associés à la présence de la chlamydiase.

L'infection génitale à *C. trachomatis* constitue un problème important de santé publique. En effet, elle a été clairement associée à la salpingite, aux grossesses ectopiques et à l'infertilité. De plus, des données provenant des pays en voie de développement suggèrent qu'elle pourrait agir comme cofacteur dans la transmission hétérosexuelle du VIH. Malgré une faible diminution de cette maladie, elle mérite encore toute notre attention. Il faudrait mettre de l'avant des programmes de santé publique (incluant le dépistage sélectif et la recherche des contacts) pour contrôler efficacement la propagation de cette MTS extrêmement répandue.

2.5 L'HÉPATITE B*

Même si le Québec, comme les autres régions de l'Amérique du Nord et de l'Europe de l'Ouest, est considéré comme une zone de faible endémicité pour cette maladie, l'hépatite B reste un important problème de santé publique pour la population québécoise. En effet, la morbidité et la mortalité associées aux infections aiguës, de même que la proportion importante de cas qui se compliquent par des hépatites chroniques, une cirrhose ou un hépatocarcinome, en font une maladie redoutable. Entre 1980 et 1990, le Québec a connu une augmentation dramatique des cas déclarés, passant de 3,4 cas à 32,9 cas par 100 000 habitants par année. Cependant, il faut noter que certains facteurs peuvent expliquer une part de cette augmentation, notamment:

— une plus grande sensibilisation des médecins traitants et des départements de santé communautaire au problème de l'hépatite B;

— une plus grande disponibilité des analyses de laboratoire dans le domaine de l'hépatite B;

— la prise en compte dans les statistiques d'un certain nombre de personnes identifiées porteuses pour la première fois et qui ne devraient pas figurer dans les données de surveillance.

En 1990, au Québec, 2 139 cas ont été déclarés au MSSS, dont 419 étaient identifiés comme des cas d'infections aiguës. L'incidence des infections aiguës était plus importante dans la région du Montréal métropolitain et dans la région de Québec (région 03) et elle était plus grande chez les hommes que chez les femmes (8,9 contre 4,3 par 100 000). La majorité des cas (67 %) se trouvent parmi la population âgée de 20 à 39 ans; dans ce groupe, l'incidence spécifique de l'âge était plus importante que chez les gens plus âgés ou moins âgés.

Une étude a été effectuée auprès des septs DSC participants du Regroupement des DSC du Montréal métropolitain pour connaître les facteurs de risque. Sur 143 cas d'infections aiguës et pour lesquels les données sur les facteurs d'exposition étaient disponibles, 45 (31,5 %) ont été associés aux contacts hétérosexuels, 30 (21,0 %) aux utilisateurs de drogues injectables et 20 (14,0 %) aux hommes gais. Néanmoins, dans 35 cas (24,5 %), aucun facteur de risque n'a été identifié lors de l'enquête auprès de la personne atteinte.

La prévalence brute de l'HBsAg est difficile à estimer, mais elle se situerait probablement entre 0,2 % et 0,9 %; il y a donc entre 15 000 et 60 000 porteurs sains au Québec. La prévalence de l'HBsAg dans les sous-populations varie tout

* Nous voudrions remercier le docteur Réjean Dion pour nous avoir permis de nous servir de son étude sur l'épidémiologie de l'hépatite B au Québec.

comme dans d'autres régions des pays à faible endémicité; elle est plus élevée parmi certains groupes à risque pour l'hépatite B. Les groupes les plus particulièrement touchés sont les hommes gais, les utilisateurs de drogues intraveineuses et les personnes originaires des pays à endémicité modérée ou de certains pays des Antilles (Haïti) et d'Afrique, au sud du Sahara. Quelques études ont été publiées pour tenter de mesurer ou d'estimer la prévalence selon le pays d'origine du sujet.

2.6 L'HERPÈS GÉNITAL

Au milieu des années 1960, l'infection génitale au virus de l'herpès simplex représentait la MTS avec le taux d'accroissement le plus rapide jusqu'au début de l'épidémie du sida. Cependant, comme cette maladie n'est pas à déclaration obligatoire, il existe peu de données précises disponibles sur l'incidence de nouvelles infections. Aux États-Unis, le nombre de consultations pour l'herpès génital symptomatique auprès des médecins de pratique privée est passé de 30 000 par année en 1966 à 450 000 en 1985. Durant la même période, le nombre de consultations pour un premier épisode d'herpès génital est passé de 18 000 à 157 000. Au cours des années subséquentes, on a observé une légère diminution. Une vaste étude sur l'incidence de nouvelles infections génitales à herpès a été menée à Rochester entre 1965 et 1979. Elle a démontré une augmentation de l'incidence de cette maladie de 12,5 à 128 par 100 000 par année. Au Québec, une seule étude réalisée en milieu rural en 1986 a tenté d'estimer l'incidence de nouveaux cas d'herpès génital. L'incidence estimée a été de 36 par 100 000 par année. L'herpès néonatal est à déclaration obligatoire depuis novembre 1987. En 1988, seulement deux cas ont été déclarés.

Il existe deux types de virus de l'herpès simplex: le VHS-1, responsable de la majorité des infections labiales et d'un petit nombre d'infections génitales, et le VHS-2, le type le plus fréquent dans les infections génitales. L'exposition à ces deux virus est courante. Cependant, il semble que seulement 12 % à 25 % des personnes infectées développeront des manifestations cliniques d'infection à herpès simplex au cours de leur vie. En effet, entre 20 % et 50 % de la population adulte posséderait des anticorps contre VHS-2 et cette proportion serait de plus de 50 % contre VHS-1.

De façon générale, l'infection génitale à herpès simplex peut être considérée comme une nuisance (à cause de son caractère récurrent et de sa transmissibilité) plutôt qu'un problème majeur de santé publique. Cependant, la situation est différente pour les femmes enceintes. Chez elles, le problème peut devenir important à cause du risque de transmission au nouveau-né pour qui la maladie peut être fatale ou laisser des séquelles importantes. De plus, il est possible que l'herpès génital puisse agir comme cofacteur dans la transmission du VIH, bien que son rôle soit probablement moins important que celui d'autres MTS ulcératives. Finalement, les personnes infectées au VIH peuvent être atteintes de récidives d'herpès très importantes et à durée prolongée.

2.7 LE VIRUS DES PAPILLOMES HUMAINS ET SES COMPLICATIONS

Au cours des dernières années, une association entre le virus des papillomes humains (VPH), particulièrement les génotypes 16 et 18, et les lésions cancéreuses et précancéreuses du col utérin, de la vulve, de l'anus et du pénis a été clairement établie. Ces observations ont incité les médecins à porter une attention toute particulière aux infections génitales à VPH, notamment à cause de l'importance du cancer du col utérin. En effet, cette maladie représente 16 % de tous les cancers chez la femme; elle correspond à 500 000 nouveaux cas par année dans le monde. Aux États-Unis, 12 900 cas sont détectés annuellement et 7 000 femmes meurent chaque année du cancer du col utérin. Au Canada, environ 400 femmes en meurent, dont 80 au Québec.

Quatre observations principales relient le VPH au cancer du col:

1. Les condylomes acuminés sont des MTS. Le cancer du col se comporte aussi comme une MTS. Ses principaux facteurs de risque sont associés à un nombre élevé de partenaires sexuels et à un jeune âge lors des premières relations sexuelles.

2. L'ADN des VPH, particulièrement celui des génotypes 16 et 18, se retrouve dans 80 % à 100 % des cancers invasifs du col. De plus, on le retrouve presque aussi souvent dans les néoplasies intra-épithéliales du col (NIC) et on a pu le détecter dans des lignées de cellules cancéreuses provenant du col utérin. Cette association est aussi présente, mais de façon moins consistante, dans les cancers de la vulve et du pénis.

3. On a trouvé une association entre la présence de NIC et les condylomes externes, la détection du VPH au niveau du col et avec la présence de condylomes chez le partenaire sexuel.

4. L'évolution de l'infection cervicale au VPH semble dépendre en partie du génotype viral en cause; par exemple, les infections au génotype 16 ont beaucoup plus tendance à évoluer vers la malignité que celles aux génotypes 6 ou 11.

Ces deux derniers génotypes sont surtout présents dans les condylomes externes, même s'ils sont aussi associés à des lésions dysplasiques (mais de faible intensité) du col utérin. Même si les condylomes externes ne représentent qu'une partie de l'ensemble des infections au VPH, le nombre de consultations pour ce type de lésions demeure actuellement le meilleur indicateur disponible sur l'évolution des infections au VPH. Ainsi, aux États-Unis, le nombre de consultations pour condylomes externes auprès des médecins de pratique privée est passé de 169 000 en 1966 à plus de 1 800 000 en 1987.

Grâce à des méthodes de détection de l'ADN viral au niveau des cellules cervicales, on a pu démontrer que la prévalence des infections du col au VPH variait de 5 % à 19 % chez des femmes qui consultaient pour des examens de routine. Cette prévalence atteignait même 27 % chez celles qui fréquentaient des cliniques de MTS. Ces données sont basées sur des techniques d'hybridation moléculaire. L'utilisation de nouvelles méthodes plus sensibles, comme le PCR (réaction en chaîne par polymérase) pourrait nous faire réévaluer ces estimations à la hausse.

Au Québec, il n'existe pas de données disponibles sur la prévalence du VPH. Cependant, une étude débutera prochainement et elle nous fournira des informations précieuses à ce sujet.

Bien que les évidences associant le VPH au cancer du col soient plutôt convaincantes, il n'est pas encore établi que cette infection soit une cause suffisante dans l'étiologie de ce cancer. En effet, le développement du cancer du col serait probablement multifactoriel et pourrait impliquer une interaction entre différents facteurs.

2.8 LE SIDA ET L'INFECTION AU VIH

Certaines limites nous empêchent de connaître la situation sur l'épidémiologie du sida et de l'infection au VIH au Québec. Comme les infections au VIH ne sont pas à déclaration obligatoire, et malgré un service de sérodiagnostic centralisé de dépistage des anticorps anti-VIH, le système actuel ne permet même pas de connaître le nombre de personnes séropositives, car il est impossible de distinguer entre les sérums positifs et les personnes positives. Même s'il était possible de distinguer les échantillons et les patients, toutes les personnes infectées n'ont pas nécessairement subi un test de dépistage. Jusqu'en septembre 1992, 440 300 tests pour le VIH ont été effectués au Québec et 16 600 sérums ont été testés positifs. Depuis le début du programme de lutte contre le sida en mars 1986, le taux de séropositivité a diminué. Il se chiffrait à 17 % pendant la première année, mais depuis janvier 1988, il s'est stabilisé autour de 2 % à 4 %.

En décembre 1990, différentes études et la modélisation nous permettent d'estimer à 11 200 le nombre de personnes infectées au Québec, mais le nombre réel peut varier entre 8 000 et 15 000 personnes.

Le tableau 2.5 (voir p. 46) résume la prévalence estimée d'infection au VIH parmi les adultes de quinze ans et plus selon le sexe et le lieu de résidence au Québec. La prévalence du VIH dans la région du Montréal métropolitain est plus importante que celle des autres régions du Québec, avec un taux six à sept fois plus élevé.

La prévalence chez les hommes est, en général, dix fois plus importante que chez les femmes. L'incidence annuelle des infections au VIH est encore plus difficile à évaluer, mais elle doit se chiffrer entre 500 et 3 000. Le tableau 2.6 (voir p. 47) résume le nombre de cas déclarés de sida au Québec jusqu'au 15 novembre 1992 par catégorie de risque et par sexe. Il faut reconnaître que les cas ne sont pas tous déclarés; le taux de déclaration, sans être connu de façon précise, tourne autour de 70 % à 90 %. La majorité des cas de sida se retrouve toujours chez les hommes homosexuels (ils représentent 72,4 % des cas, incluant aussi ceux qui se sont injecté des drogues) et les personnes originaires des pays de modèle II[a] (10,5 %).

L'incidence du sida au Québec est la deuxième en importance au Canada: le Québec se classe derrière la Colombie-Britannique en termes d'incidence et après l'Ontario en nombre absolu de cas. Au Québec, l'incidence chez les femmes est supérieure à celle retrouvée chez les femmes du reste du Canada. L'incidence cumulative du sida chez les femmes au Québec est de 7,8 cas par 100 000 habitants contre 2,1 cas par 100 000 habitants. Elle représente 9,7 % des cas chez les adultes, contre 3,5 % pour le reste du Canada. L'importance accrue du sida chez les femmes au Québec est due surtout à la transmission hétérosexuelle parmi les femmes d'origine haïtienne et les femmes nées au Canada qui ont eu des rapports sexuels avec des hommes de pays de modèle II, dont Haïti et les pays d'Afrique. Depuis la dernière année, l'incidence annuelle du sida semble ralentir. Au Québec, elle se stabilise autour de 600 nouveaux cas diagnostiqués par année. Néanmoins, avec la récente vitesse de propagation du VIH chez les toxicomanes et, selon les anecdotes cliniques et les données provenant des études à l'extérieur du Québec, les sérovirages au VIH qui continuent chez les jeunes homosexuels, l'incidence du sida risque d'augmenter de nouveau dans les prochaines années.

---

a. Les pays de modèle II sont définis par l'OMS comme des pays ayant un taux important d'infection au VIH, où le mode prédominant de transmission est le contact hétérosexuel.

BIBLIOGRAPHIE

1. ALARY, M., JOLY, J.R. et POULIN, C. «Incidence of four sexually transmitted diseases in a rural community: a prospective study». *The American Journal of Epidemiology,* Vol. 130, 1989, p. 547-556.

2. Direction générale de la santé publique. *Rapports annuels des maladies infectieuses de 1984 à 1989.* Québec, Ministère de la Santé et des Services sociaux.

3. Direction générale de la santé publique. *Rapport annuel 1984-1988 sur les maladies vénériennes.* Québec, Ministère de la Santé et des Services sociaux.

4. Laboratoire de lutte contre la maladie au Canada. *Maladies transmises sexuellement au Canada.* Ottawa, Santé et Bien-être social Canada, Rapports annuels de 1985 à 1989.

5. NOEL, L. et RINGUET, J. *Les infections à Neisseria gonorrhoeae productrices de pénicillinase au Québec: évaluation de la situation pour l'année 1988.* Rapport hebdomadaire des maladies au Canada, Vol. 15, 1990, p. 49-52.

6. YEUNG, K. H., PAUZÉ, M., Groupe national d'étude et DILLON, J.A. *Les infections à Neisseria gonorrhoeae productrices de pénicillinase au Canada – 1989.* Rapport hebdomadaire des maladies au Canada, Vol. 17, 1991, p. 49-50.

7. GULLY, P.R., et RWETSIDA, D.K. *La blennorragie au Canada: tendances de 1980 à 1988.* Rapport hebdomadaire des maladies au Canada, Vol. 17, 1991, p. 105-109.

8. REMIS, R.S. *Surveillance des cas du sida, Québec: cas cumulatifs 1979-1991*, mise à jour 91-04. Centre d'études sur le sida, DSC-HGM et Centre québécois de coordination sur le sida, Ministère de la Santé et des Services sociaux: 15 juillet 1991.

9. REMIS, R.S, BÉDARD, L. et PALMER, R.W.H. *Heterosexual AIDS in the province of Québec.* V[e] conférence internationale sur le sida, Montréal, Québec, Canada, 4-9 juin 1989 (Abrégé WAO14).

10. REMIS, R.S. et PALMER, R.W.H. *The epidemiology of HIV infection and AIDS among women in Québec.* VIIe conférence internationale sur le sida, Florence, 16-21 juin 1991 (Abrégé MC3259).

11. REMIS, R.S. *Rapport sur la situation du sida et de l'infection au VIH au Québec,* 1992. Centre d'études sur le sida, DSC Hôpital général de Montréal, juillet 1992.

12. DION, R. *Épidémiologie de l'hépatite B au Québec.* Rapport préparé pour le comité provincial sur l'hépatite B. DSC Maisonneuve-Rosemont, août 1991.

13. DELAGE, G., MONTPLAISIR, S., RÉMY-PRINCE, S. et PERRIE, E. «Prevalence of hepatitis B virus infection in pregnant women in the Montreal area». *Canadian Medical Association Journal,* Vol. 134, 1986, p. 897-901.

14. AUDET, A.M, DELAGE, G. et REMIS, R.S. «Screening for HBsAg in pregnant women: A cost analysis of the universal screening policy in the Province of Québec». *Canadian Journal of Public Health,* Vol. 82, 1991, p. 191-195.

Tableau 2.1 Cas déclarés d'infections gonococciques selon l'âge et le sexe au Québec de 1984 à 1990[1].

	–15	15-19	20-24	25-29	30-39	40+	Total[2]
1984							
♂	13	366	1379	1144	1027	300	4229
♀	23	762	1123	508	332	81	2829
1985							
♂	9	387	1448	941	966	294	4045
♀	39	861	1097	466	360	87	2910
1986							
♂	6	346	1053	743	732	196	3076
♀	29	687	863	480	276	61	2396
1987							
♂	2	262	803	576	548	178	2369
♀	20	565	684	374	209	62	1914
1988							
♂	5	144	392	361	326	125	1353
♀	16	376	438	183	171	43	1227
1989							
♂	1	88	242	209	220	88	848
♀	19	202	212	115	83	24	655
1990							
♂	2	94	271	307	105	89	1085
♀	13	188	210	101	22	29	634

1. Source: Ministère de la Santé et des Services sociaux du Québec.
2. La somme du nombre de cas pour les deux sexes ne correspond pas exactement au nombre de cas inscrits dans le texte. Ceci est dû à un certain nombre de valeurs manquantes pour l'âge ou le sexe dans les déclarations. Ainsi, pour les années 1986 à 1990, le nombre de valeurs manquantes pour ces variables était respectivement de 433, 243, 216, 192 et 74.

Tableau 2.2 Nombre de cas et incidence (par 100 000) des infections à *Neisseria gonorrhœae* totales (NG) et à *Neisseria gonorrhœae* productrices de pénicillinase (NGPP) au Québec de 1984 à 1989[1].

Année		Incidence			%
	NG	NG	NGPP	NGPP	NGPP/NG
1984	7058	105,4	13	0,2	0,2
1985	6955	103,8	59	0,9	0,9
1986	5905	88,2	71	1,1	1,2
1987	4526	67,6	102	1,5	2,3
1988	2796	41,7	159	2,4	5,7
1989	1695	25,3	168	2,5	9,9

1. Sources: L. Noel et J. Ringuet. *RHMC*, Vol. 16, 1990, p. 49-52.
K.H. Yeung et al. *RHMC*, Vol. 17, 1991, p. 49-50.

Tableau 2.3 Cas déclarés d'infections à *Chlamydia trachomatis* selon l'âge et le sexe au Québec de 1984 à 1990[1].

	-15	15-19	20-24	25-29	30-39	40+	Total[2]
1988							
♂	31	641	1 777	1 206	1 006	317	4 978
♀	154	4 048	4 764	2 311	1 719	420	13 416
1989							
♂	26	646	1 319	878	671	229	3 769
♀	215	3 860	3 984	2 043	1 382	342	11 826
1990							
♂	29	565	1 151	752	546	153	3 196
♀	213	3 310	3 209	1 752	1 195	264	9 943

1. Source: Ministère de la Santé et des Services sociaux du Québec.

2. La somme du nombre de cas pour les deux sexes ne correspond pas exactement au nombre de cas inscrits dans le texte. Ceci est dû à un certain nombre de valeurs manquantes pour l'âge ou le sexe dans les déclarations. Ainsi, pour les années 1988 à 1990, le nombre de valeurs manquantes pour ces variables était respectivement de 1099, 1079 et 1458.

Tableau 2.4 Prévalence de l'infection génitale à *Chlamydia trachomatis* observée dans les études réalisées au Québec depuis 1985.

	Lieu de l'étude	Année[1]	Labo[2]	Clientèle Prévalence
Hommes et femmes à risque	Rimouski[3]	1986	Cult.	Total: 17,5 % ♂: 28,2 % ♀: 13,6 %
Hommes et femmes à risques	Montréal[4]	1986-1987	EIA	Total: 11,1 % ♂: 13,2 % ♀: 10,2 %
Femmes asymptomatiques consultant pour cytologie	Montréal[5]	1985-1986	Cult.+	7,1 %
Femmes consultant pour avortement	Québec[6]	1985-1986	EIA	11,4 %
Femmes consultant pour avortement	Montréal[7]	1988	EIA	4,6 %
Femmes enceintes	Rimouski[3]	1986	Cult.	7,0 %
Femmes enceintes	Joliette[8]	1988-1989	EIA	4,2 %
Femmes enceintes	Québec[9]	1990-1991	Cult.	2,3 %

1. Année de réalisation de l'étude et non pas de sa publication.
2. Cult.: Culture cellulaire; EIA: épreuve immuno-enzymatique; Cult.+: culture ou positivité simultanée à l'épreuve immuno-enzymatique et à l'immunofluorescence.
3. Source: H. Bernatchez et al. *Union médicale du Canada*, mars-avril 1989, p 81-85.
4. Source: J. Vincelette et al. *Can Med Assoc J*, Vol. 144, 1991, p. 713-721.
5. Source: R. Massé et al. *Can Med Assoc J*, Vol. 145, 1991, p. 953-961.
6. Source: P. Levallois et al. *Can Med Assoc J* ,Vol. 137, 1987, p. 33-37.
7. Source: M.A. Miller et P.E. Gillett. *RHMC*, Vol. 16, 1990, p. 249-251.
8. Source: P. Auger et al. *RHMC*, Vol. 15, 1990, p. 45-46.
9. Source: M. Alary et al. Canadian Association of Clinical Microbiology and Infectious Diseases, 58th Meeting, Halifax, 1990, Abstract no. G-1.

Tableau 2.5 Taux de séroprévalence du VIH (par 1 000 personnes) parmi les adultes (15 ans et plus) selon le lieu de résidence et le sexe, Québec, 31 décembre 1990.

	Sexe masculin		Sexe féminin		Total	
	N^bre^	Taux	N^bre^	Taux	N^bre^	Taux
Montréal métropolitain	7 800	9,7	800	0,89	8 600	5,1
Québec hors du Montréal métropolitain	2 300	1,3	300	0,17	2 600	0,75
Québec	10 100	4,0	1 100	0,41	11 200	2,2

Tableau 2.6 Cas déclarés de sida par catégorie de risque[1] et par sexe, Québec 1979 - 15 novembre 1992

	Sexe masculin	Sexe féminin	Total	(%)
Homme homosexuel/bisexuel	1 510	—	1 510	(68,9)
Homme homosexuel/bisexuel et utilisateur de drogues intraveineuses	76	—	76	(3,5)
Utilisateur de drogues intraveineuses	32	14	46	(2,1)
Ayant reçu des facteurs de coagulation	49	6	55	(2,5)
Contact hétérosexuel: *a*) personne originaire d'un pays de modèle II[2]	139	91	230	(10,5)
b) partenaire d'une personne infectée ou à risque élevé	26	69	95	(4,3)
Transfusé	23	17	40	(1,8)
Transmission materno-fétale	18	23	41	(1,9)
Aucun facteur de risque identifié[3]	85	12	97	(4,4)
Total	**1 958**	**232**	**2 190**	**(100,0)**

1. Mutuellement exclusive assignée selon l'ordre énuméré ci-dessus.

2. Pays d'origine: Haïti 213, Rwanda 3, Burundi 2, Jamaïque 2, Trinidad 2, Angola 1, Barbades 1, Ghana1, République Dominicaine 1, Sainte-Lucie 1, Zaïre 1, Zimbabwe 1, et non précisé 1.

3. Inclut 26 cas sans données relatives aux facteurs de risque.

3

L'APPROCHE GLOBALE DES MTS ET L'ENTREVUE

Michel G. Bergeron et Marc Steben

3.1 L'APPROCHE GLOBALE

L'approche du patient souffrant de MTS actives ou silencieuses exige beaucoup de flair clinique et de délicatesse. Pour mener à bien l'entrevue, la pierre angulaire de l'approche clinique des MTS, le médecin doit intégrer des connaissances cliniques et épidémiologiques, et utiliser de façon pratique et raisonnable les méthodes diagnostiques et thérapeutiques disponibles. Le terme MTS est souvent limitatif puisque certaines MTS, telles l'hépatite et l'infection au VIH, sont également des maladies transmises par voie sexuelle et par voie sanguine; en fait on devrait appeler ces dernières des MTSS. Le thérapeute doit donc s'enquérir non seulement des habitudes sexuelles, mais aussi de la possibilité de transmission verticale (mère-enfant). Il doit s'informer sur l'utilisation des aiguilles ou sur la possibilité d'un contact avec des produits sanguins contaminés (toxicomanie ou transfusion dans des pays où les produits sanguins ne font pas l'objet d'une vérification de routine pour déceler la présence du VIH ou du virus de l'hépatite B). Depuis la première description du sida en

1981, on a séparé, pour des raisons politiques, cette entité des autres MTS. Cependant le clinicien doit considérer d'emblée l'infection au VIH chez tout patient susceptible d'être atteint d'une MTS ou d'une MTSS. Un doute sérieux demeure la clef de l'entrevue, mais les médecins font face à une difficulté majeure: ils manquent de temps pour établir un climat de confiance qui permettrait de confirmer leur diagnostic et de prendre les mesures préventives et thérapeutiques nécessaires pour contrôler les MTS. (Voir tableau 3.1, p. 59.)

3.2 L'HISTOIRE DE LA MALADIE

L'histoire de la maladie est une étape cruciale, non seulement pour recueillir des indices, mais aussi pour donner le ton à la visite médicale. Les termes utilisés par le médecin et le malade doivent être clairs et précis. Le médecin doit parler avec assurance et franchement pour permettre au sujet d'exprimer ses symptômes et ses craintes. Si certaines questions plus intimes semblent intimider le patient, il faut lui expliquer l'importance et les motifs de cette investigation. Il faut connaître la chronologie de l'apparition ou de la disparition des symptômes après le contact, l'évolution de la maladie ainsi que les mesures prises par le patient pour se soulager ou tenter de guérir les symptômes. Il ne faut surtout pas oublier l'intermittence des symptômes dans certains cas: par exemple, une gonococcie uro-génitale, une syphilis primaire ou un herpès récidivant peuvent disparaître avant la consultation, inspirant ainsi au médecin et au patient un faux sentiment de sécurité.

Le médecin doit également s'enquérir des antécédents du client: les MTS antérieures, les rechutes, les nouvelles infections, l'utilisation de médicaments prescrits ou non, les allergies médicamenteuses connues. Il doit noter l'adresse et le numéro de téléphone du client pour s'assurer d'un suivi et lui transmettre des résultats s'il y a lieu. Il ne faut surtout pas avoir l'air pressé et demander au patient s'il désire ajouter quelque chose ou s'il aimerait discuter d'un point avant de procéder à l'examen.

3.3 L'ÉVALUATION DU RISQUE

Plusieurs médecins éprouvent de la difficulté dans cette section de l'entrevue. Elle demande une bonne ouverture d'esprit: on doit accepter les valeurs des clients même si elles diffèrent des nôtres.

Cette phase délicate de l'entrevue sert non seulement à définir le choix des tests, mais elle permet aussi de retenir certains thèmes à privilégier lorsque le médecin abordera l'aspect counselling et éducation. Si une personne ne voit pas de lien entre les questions et ses symptômes, il faut lui expliquer qu'il est difficile de différencier une MTS d'une autre maladie sans question d'ordre comportemental.

3.3.1 Les contacts

La connaissance du type de partenaires sexuels permet d'évaluer l'importance du risque de MTS. Le contact anonyme est plus à risque que le contact connu. Le lieu du contact permet de préciser plus spécifiquement le diagnostic: en cas d'ulcérations génitales après un voyage en Afrique, le diagnostic de syphilis est plus plausible qu'en cas de contact au Québec.

Il est important de savoir si le ou les partenaires ont été avertis afin d'arrêter rapidement la chaîne de transmission et pour voir si quelqu'un a déjà reçu un diagnostic. Il faut aussi vérifier si la personne infectée a eu d'autres contacts depuis l'apparition des symptômes.

3.3.2 L'expression sexuelle

Même s'il est important de connaître les préférences sexuelles du malade, il faut savoir que ses préférences ne constituent pas un facteur de risque; c'est plutôt le type de relations sexuelles qui représente le facteur de risque des MTS.

Plusieurs, médecins et patients, estiment que le médecin n'a pas à jouer un rôle d'inquisiteur et à s'enquérir de la vie privée des gens. Qui le fera alors? La sexualité est une fonction biologique normale qui doit faire partie de l'évaluation médicale, compte tenu des répercussions sur la santé que peuvent avoir certains comportements sexuels. Le médecin doit donc poser des questions sur les préférences sexuelles des individus: As-tu des relations sexuelles avec des hommes, des femmes ou les deux? Un ton neutre amène généralement une réponse franche. Les questions de cette nature doivent être simples mais directes, car plusieurs personnes ne connaissent pas les appellations scientifiques comme cunnilinctus, fellation, tribadisme ou sodomie. Il faut être précis et demander, par exemple: Embrasses-tu les organes génitaux de ton partenaire? Ou encore: Te fais-tu embrasser le pénis? Te fais-tu embrasser la vulve? Pénètres-tu l'anus ou le rectum de tes partenaires? Te fais-tu pénétrer l'anus? Des questions aussi claires favorisent une bonne compréhension et dissipent toute équivoque.

3.3.3 La toxicomanie

Les psychotropes, tels l'alcool et certaines drogues, accroissent le risque de MTS puisque leurs utilisateurs négligent souvent d'adopter des mesures préventives. De plus, certains consommateurs de drogues ont des relations sexuelles en échange de leur drogue. Quant aux utilisateurs de drogues injectables qui échangent le matériel d'injection sans stérilisation, ils augmentent leur risque de contracter l'hépatite B ou C, le VIH et la syphilis (voir chapitre sur la prévention).

3.3.4 La contraception

Les femmes qui n'utilisent pas de méthode contraceptive ou qui n'ont recours à aucune méthode barrière sont habituellement plus à risque que les autres.

3.4 L'EXAMEN PHYSIQUE

Un bon examen physique suffit souvent à poser un diagnostic présomptif et à prescrire un traitement ad hoc. L'examen médical n'a pas à faire mal pour être bon. Combien de personnes conservent un mauvais souvenir d'un examen vaginal ou rectal douloureux ou de prélèvements faits avec inattention. Il faut éviter d'effaroucher les patients.

L'examen physique doit au moins porter sur les muqueuses (conjonctive, bouche et gorge), la peau, les adénopathies, les organes génitaux externes et internes, et l'anus. Une personne à risque peut ne présenter aucun symptôme, mais présenter des signes physiques. Il faut être particulièrement vigilant avec ce type de maladie: il peut cacher une vésicule peu apparente ou une ulcération silencieuse.

3.5 LES DIAGNOSTICS

3.5.1 Le diagnostic présomptif

Plusieurs indices cliniques permettent de faire un diagnostic présomptif de MTS. La fièvre suggère la présence d'une infection sévère, localisée (salpingite, prostatite) ou systémique (gonococcémie). Les brûlures et le prurit vulvo-vaginal sont des manifestations fréquentes de cervicites bactériennes ou d'infections génitales à *trichomonas* ou à *candida*. La quantité, l'apparence et l'odeur des pertes génitales aident à préciser le diagnostic. Les pertes génitales grisâtres, à odeur de poisson, suggèrent une vaginose bactérienne; les pertes blanches et épaisses, la *candida*; les pertes verdâtres et grumeleuses, le *trichomonas;* les pertes épaisses et jaunâtres, le gonocoque. Une cervicite accompagnée d'une infection des glandes de Skene et de Bartholin, d'urétrite, d'une inflammation anale ou de salpingite doit nous faire soupçonner le gonocoque, alors qu'une cervicite seule suggère plutôt une infection à *chlamydia*. Les infections pelviennes généralement causées par une flore mixte à *chlamydia* ou à *N. gonorrhoeae* ou à tout autre pathogène d'origine vaginale sont beaucoup plus complexes et parfois difficiles à diagnostiquer.

La présence d'ulcérations génitales doit nous faire penser à la syphilis, à l'herpès, au chancre mou, au lymphogranulome vénérien ou au granulome inguinal. Il est en général difficile de préciser cliniquement le diagnostic étiologique de ces ulcérations génitales chez l'humain. La présence d'écoulement urétral est souvent le seul signe objectif d'une infection génitale.

3.5.2 Le diagnostic certain

Sauf pour les condylomes acuminés et les pédiculoses, il est extrêmement difficile de faire un diagnostic certain de MTS sans l'examen des sécrétions. Des tests tels que le pH vaginal et la coloration de Gram des sécrétions ou la détection de pyurie dans les urines permettent un diagnostic rapide et très précis. Dans de nombreux cas, ils limitent l'utilisation de tests de confirmation étiologique.

3.5.3 Le diagnostic étiologique

Dans certains cas, comme la syphilis, l'hépatite B et l'infection au VIH, où la précision d'un diagnostic étiologique est essentielle, seuls les tests sérologiques et virologiques peuvent définir le diagnostic. Le diagnostic étiologique devient nécessaire dans de rares cas seulement et il ne devrait jamais retarder le traitement. Mais il devient important quand le traitement échoue.

3.6 L'ÉVALUATION BIOLOGIQUE

3.6.1 L'utilité des tests

Les tests de laboratoire sont d'autant plus utiles que le diagnostic présomptif a été établi après un questionnaire serré, un examen clinique précis et après que les prélèvements ont été faits adéquatement, de préférence par le médecin lors de l'examen du malade. L'anuscopie peut être extrêmement utile. Le vagin, l'anus, la gorge et les ulcérations génitales regorgent d'une flore bactérienne naturelle qui rend parfois difficile l'identification de pathogènes. C'est pourquoi on doit utiliser des milieux de cultures spécialisés. De plus, il faut faire les prélèvements à un endroit précis, tel l'endocol, par exemple, pour le gonocoque et la chlamydia et à un moment opportun comme le matin avant la première miction ou au moins une heure après la miction pour le prélèvement urétral chez l'homme. Ces différentes approches augmentent les chances d'identifier le pathogène. On peut retrouver simultanément deux pathogènes, tels le gonocoque et la chlamydia, chez un même malade. Les prélèvements faits chez un partenaire souvent asymptomatique peuvent parfois résoudre le problème d'une culture négative.

Plusieurs MTS peuvent être diagnostiquées facilement et rapidement dans le cabinet de consultation du médecin puisqu'elles ne nécessitent aucun équipement sophistiqué. Des écouvillons de type culturette à tige de plastique ou de métal servent aux prélèvements. Ils doivent être ensemencés immédiatement dans des milieux spécifiques appropriés ou transportés dans des conditions qui permettront aux microorganismes de survivre plusieurs heures ou plusieurs jours.

3.6.2 Les tests rapides

L'ajout de KOH à 10 % aux sécrétions vaginales augmente l'odeur de poisson et un pH de plus de 5, révélé par un papier pH, suggère une vaginose bactérienne. L'examen microscopique à l'état frais permet de révéler la présence de *Trichomonas vaginalis*, de *Candida albicans* ou de *clue cells*. Chez l'homme, un examen microscopique des sécrétions urétrales confirme la présence d'une urétrite lorsqu'il révèle un nombre suffisant de polymorphonucléaires. La coloration de Gram, bien qu'utile chez l'homme pour confirmer une infection gonococcique, s'avère peu utile chez la femme. Somme toute, ces tests orientent le diagnostic et guident la thérapeutique.

3.6.3 Les tests de confirmation

En laboratoire, l'examen microscopique du pathogène permet son identification, soit par coloration spéciale ou par immunofluorescence, soit par culture ou par des techniques d'identification rapide, soit encore par fluorescence ou par agglutination sur lame, techniques maintenant disponibles dans certains laboratoires. La présence de vésicules en grappes suggère un herpès génital et suffit pour diagnostiquer un herpès. S'il s'agit d'ulcération, un frottis permet d'identifier des cellules géantes multinucléées avec des inclusions spécifiques. Quand le diagnostic est incertain, une identification par recherche d'antigènes ou par culture virale est appropriée. D'autres techniques, décrites plus loin, permettent d'identifier des pathogènes tels l'*Haemophilus ducreyi* ou le *Calymmatobacterium granulomatis*. Si la valeur des tests sérodiagnostics pour les infections à *chlamydia* est discutable, celle des tests sérologiques pour la syphilis, le VIH et l'hépatite B est fort précieuse.

3.7 LA THÉRAPIE

3.7.1 Généralités

Pour administrer une thérapie appropriée, il faut:

- un diagnostic précis;
- une bonne compréhension de la maladie, des complications possibles et des risques de contagiosité;
- une description par le médecin des effets secondaires possibles des médicaments utilisés;
- un contrôle après la thérapie;
- un traitement des partenaires.

De plus, le thérapeute doit être convaincu de l'importance des mesures de prévention pour éviter les rechutes, et le patient doit être conscient que la diminution des symptômes ou leur disparition ne signifie pas la guérison. Il doit savoir qu'un pourcentage d'hommes et de femmes sont asymptomatiques tout en étant des véhicules de transmission de la maladie; par conséquent, un contrôle microbiologique s'impose après la thérapie. Le choix thérapeutique varie selon le type de patient à traiter (femme enceinte, enfant, adulte) et selon l'étiologie. L'origine géographique, qui détermine souvent les types de résistance, et la localisation anatomique de l'infection doivent aussi être prises en compte. En effet, certains antibiotiques, tels la tétracycline ou l'ampicilline, atteignent mal la région pharyngée ou anale. Il faut conseiller au patient en voyage de consulter un médecin dans sa région ou son pays dès son retour. Finalement, le climat de confiance entre le patient et le médecin demeure le gage du succès thérapeutique.

La chronicité de certaines infections récurrentes comme l'herpès et l'évolution lente d'une maladie comme l'infection au VIH doivent faire l'objet d'une attention particulière. Dans de tels cas, il faut annoncer la maladie avec tact et prendre de 30 à 60 minutes pour s'assurer que le patient a bien compris les conséquences de telles infections. Il faut aussi offrir un support psychologique adéquat aux patients qui en sentent le besoin.

3.7.2 Les modalités thérapeutiques

3.7.2.1 La thérapie de support ou palliative

Elle permet de soulager par la chaleur, les analgésiques, le repos ou le changement de certaines habitudes. Le praticien néglige trop souvent cette forme de thérapie pourtant fort utile; elle doit être considérée au même titre que la thérapie spécifique. Cependant, il faut se rappeler que les antiviraux comme la zidovudine ou l'acyclovir limitent l'infection sans vraiment la guérir.

3.7.2.2 La thérapie spécifique ou curative

Elle vise à neutraliser le pathogène potentiel ou spécifique. On doit autant que possible utiliser la forme thérapeutique la plus simple (traitement unidose, par exemple), le mode d'administration le plus confortable (oral) sans négliger l'aspect pécuniaire. En effet, les médicaments les plus efficaces ne sont pas nécessairement les plus chers! Il faut vérifier les contre-indications, avertir des effets secondaires possibles et décrire la marche à suivre dans de tels cas. Il faut aussi bien expliquer l'importance de prendre toute la médication et mentionner de ne pas la partager avec d'autres.

3.7.2.3 La thérapie empirique

Dans bien des cas, notamment pour la salpingite, il est difficile de prouver précisément l'étiologie d'une MTS. Il faut donc recourir à une médication basée sur le diagnostic le plus probable.

3.7.2.4 La thérapie chronique

Dans les cas d'infections récurrentes telles que l'herpès et l'infection au VIH, les médications sont administrées sur plusieurs années. Il faut donc établir une relation de confiance particulière avec ces patients.

3.8 LE COUNSELLING ET L'ÉDUCATION

Les médecins oublient souvent cette étape ou la sous-estiment. Pourtant, quelques conseils ou des suggestions peuvent éviter des échec ou des récidives. Il n'est nullement question de faire la morale, mais bien de conseiller pour bien guérir la maladie actuelle et pour prévenir une maladie future.

3.8.1 L'épisode présent

Pendant le traitement d'un grand nombre de MTS, il faut éviter les relations sexuelles non protégées. La masturbation n'influence aucunement le traitement.

3.8.2 L'épisode futur

Il faut tâcher de comprendre pourquoi les patients n'utilisent pas de méthodes préventives. Est-ce par ignorance ou par manque de confiance? Est-ce à cause des partenaires ou pour des raisons financières?

Lors du counselling, il faut transmettre de l'information, mais il faut discuter des attitudes et des comportements. Il faut souvent répéter les conseils: d'une part, les gens ne les adoptent pas d'emblée et, d'autre part, ils ont tendance à les oublier. Afin de vérifier la compréhension des clients, il est bon de leur faire résumer la discussion.

3.9 LA DÉCLARATION

La déclaration de certaines MTS est une obligation à la fois morale et légale. Elle vise à surveiller la progression de la maladie dans la population, à identifier les groupes à risque, à contrôler et à suivre l'évolution de la maladie, et à évaluer les programmes de prévention et de contrôle des MTS incluant le sida. Cette étroite collaboration avec les autorités de Santé publique permet également de révéler, par exemple, le développement de résistances et d'établir de nouveaux protocoles thérapeutiques. C'est pourquoi le médecin doit expliquer au patient l'importance de cette déclaration et lui faire comprendre combien sa collaboration est essentielle pour retracer ses partenaires. Cette conscientisation est l'une des formes les plus efficaces de prévention des MTS. Sauf pour certaines infections à déclaration nominale telles l'hépatite B, les chlamydiases et les infections à herpès, la plupart des MTS incluant le sida doivent être déclarées de façon anonyme. Le médecin doit rapporter les assauts sexuels chez les enfants aux agences locales de protection des enfants, mais il n'est pas tenu de les rapporter dans le cas des adultes. Il doit plutôt conseiller ceux-ci ou les diriger vers des centres spécialisés.

La confidentialité est une obligation à la fois professionnelle, éthique et légale qui doit être respectée en tout temps à l'intérieur des limites et des obligations qu'imposent la loi et les autorités de santé publique.

3.10 LA RECHERCHE DES CONTACTS

La recherche des contacts permet de traiter des personnes asymptomatiques qui risquent de développer des complications et qui sont contagieuses pour leurs partenaires sexuels. De plus, l'examen de ces contacts permet parfois de trouver d'autres MTS.

3.11 LE SUIVI

Cette étape trop souvent négligée est pourtant cruciale. D'abord, c'est l'étape qui permet de confirmer la guérison clinique et d'effectuer des tests de contrôle. Elle permet aussi de révéler la présence de maladies concomitantes ou sous-jacentes après le traitement de la maladie symptomatique. Ensuite, elle assure un suivi sur la recherche des contacts. Ont-ils été retracés? Ont-ils été traités? Avaient-ils d'autres MTS? Enfin, cette étape permet de vérifier l'adoption des comportements suggérés.

Le suivi devient encore plus important lorsque le diagnostic de la première entrevue était plutôt vague. La visite de contrôle permet de revérifier les symptômes ou de s'informer sur l'état des autres partenaires et aide donc un diagnostic plus précis.

3.11.1 L'échec du traitement

Comme l'échec du traitement entraîne des frustrations, le médecin ne doit jamais garantir l'efficacité du traitement, mais plutôt insister sur la nécessité d'un suivi. L'approche globale est fort intéressante à cet égard.

L'échec de traitement entraîne une démarche systématique:

1. Confirmer l'échec.
2. Vérifier la cause.
3. Appliquer le traitement.
4. Insister sur le suivi.

Les différentes causes d'échec du traitement se trouvent dans le tableau 3.2 (voir p. 60).

Dans les cas de MTS, de VIH ou de sida, l'hypocondrie représente une situation délicate pour le praticien. Il doit vérifier le contact et ne pas administrer de traitement avant d'avoir posé un diagnostic précis. Il vaut mieux revoir la personne si des symptômes réapparaissent ou si elle manifeste d'autres signes. L'hypocondrie exclut les autres causes et la consultation avec un psychologue ou un psychiatre devient nécessaire dans les cas de délire névrotique ou psychotique.

BIBLIOGRAPHIE

1. Lignes directrices canadiennes pour la prévention, le diagnostic, la prise en charge et le traitement des maladies transmises sexuellement chez les nouveau-nés, les enfants, les adolescentes et les adulte. *RHMC*, avril 1992, Vol 18 S1, 235 pages.

2. ZENILMAN, J.M. «Sexually transmitted diseases treatment guidelines». *Review of Infect. Dis.* Vol 12, 1990, p. S-577 à S-690.

Tableau 3.1 Les étapes de l'approche globale

1. L'approche globale
2. Histoire de la maladie
3. Évaluation du risque
4. Examen physique
5. Diagnostic
6. Évaluation biologique
7. Thérapie
8. Counselling et éducation
9. Déclaration du cas
10. Recherche des contacts
11. Suivi

Tableau 3.2 Causes d'échec du traitement

AU NIVEAU DIAGNOSTIC:

1. infection mixte
2. erreur de laboratoire (analyse faussement positive ou négative)

AU NIVEAU DU MÉDECIN:

1. mauvais diagnostic
2. mauvais counselling (condom, prise de médication)
3. mauvais traitement (médicament, durée, dose)
4. pas de traitement épidémiologique des contacts
5. pas de suivi

AU NIVEAU THÉRAPEUTIQUE:

1. résistance du germe
2. infection compliquée
3. échec prévisible d'un traitement
4. arrêt à cause des effets secondaires

AU NIVEAU DU PATIENT:

1. arrêt du traitement à la disparition des symptômes
2. pas de recherche ni de traitement des contacts (réinfection)
3. relations non protégées durant le traitement
4. manque de fidélité au traitement
5. réinfection
6. nouveau partenaire
7. hypocondrie (diagnostic d'exclusion)

4

CONSIDÉRATIONS DE SANTÉ PUBLIQUE

LE MÉDECIN DE PREMIÈRE LIGNE, UN AGENT DE SANTÉ PUBLIQUE

Jacques Ringuet et Yves Robert

NOTE LIMINAIRE

Le concept de «maladies transmissibles sexuellement» semble faire l'unanimité sur sa clarté et son utilité. Pourtant il est obscur. Ces infections sont les seules du domaine médical que l'on tente de regrouper par leur mode de transmission. Loin d'être homogènes, ces infections, au nombre d'une quarantaine actuellement, présentent plus de différences que de ressemblances: les agresseurs sont variés, allant du virus au parasite, et les manifestations, le plus souvent inapparentes (il ne s'agit donc pas toujours de «maladies»!), sont localisées ou systémiques. Les pronostics vont de la nuisance de l'infestation bénigne au décès et les voies de transmission ne sont pas toujours limitées à l'exercice de la sexualité. Les termes «maladies transmissibles sexuellement» et l'acronyme MTS ainsi que la notion qu'ils reflètent, nous paraissent à tout le moins inappropriés. Nous avons tenté vainement de trouver un terme plus approprié. Le malaise devant la terminologie n'est-il pas le reflet du malaise devant la sexualité où, par l'invention de circonlocutions et d'euphémismes, on tente d'éviter le sujet plutôt que d'en parler? Notre échec à trouver un terme permettant de désigner ce problème de santé publique est peut-être lié à l'échec des acteurs de Santé publique à circonscrire le problème lui-même. Voilà pourquoi nous nous sommes finalement résignés, malgré toutes nos réserves, à utiliser l'acronyme MTS, par convention plutôt que par conviction.

4.1 INTRODUCTION

Il peut paraître paradoxal de tenter de formuler des considérations de santé à propos de maladies. Le paradoxe s'amplifie lorsque les maladies concernées sont transmissibles sexuellement, circonstances éminemment intimes, et que les considérations de santé à formuler sont d'ordre public. Il s'atténue toutefois par les constats suivants:

- chaque humain sexuellement actif peut avec ses partenaires transmettre ou acquérir à son insu des agents microbiens agresseurs;
- chaque personne infectée peut souffrir d'une complication de l'infection;
- chaque personne mal investiguée ou mal traitée peut devenir un réservoir et la source d'une dissémination dans la communauté.

À partir de ces constats, l'individu, qu'il soit patient, sujet-contact ou médecin, n'est plus seul en cause. L'officier de Santé publique se doit d'intervenir, mais où et comment? Ce chapitre tentera de circonscrire les paramètres d'action et d'identifier les responsabilités des différents acteurs de Santé publique ainsi que leurs interactions, en insistant particulièrement sur le rôle du médecin de première ligne.

4.2 MÉDECINE INDIVIDUELLE ET MÉDECINE DE POPULATION

On définit la santé publique comme «l'état de bien-être physique, mental, environnemental et social d'une population, au-delà du bien-être de chacune des personnes prises individuellement et qui la composent, sans l'exclure»[1].

La pratique médicale de Santé publique est l'art de protéger et de promouvoir ce bien-être. Cet art fait appel à des champs de connaissances, d'aptitudes et d'habiletés qui dépassent largement le seul domaine des sciences biologiques et médicales et incluent notamment l'épidémiologie, la psychologie individuelle et de foule, l'anthropologie, la sociologie, l'administration, le marketing, les communications et la sexologie.

Loin de s'opposer à la médecine curative individuelle, la médecine de Santé publique en provient, la complète et l'enrichit. Les démarches de la médecine curative et préventive sont différentes et mutuellement complémentaires (voir tableau 4.1, p. 74). En médecine curative, la démarche est initiée par une personne, habituellement malade, qui sollicite une aide professionnelle dans le but de traiter la maladie et de rétablir la santé. En médecine préventive, la démarche est initiée par un professionnel de la santé qui sollicite, auprès d'un groupe de personnes saines ou présumées telles, une action visant à protéger de la maladie par la promotion de comportements sains[1].

Appliquée au contrôle et à la prévention des MTS, on comprendra sans peine que la demande de soins permet d'identifier, à partir du patient, une population où un risque de transmission d'agents microbiens est présent. Le lien entre la médecine curative et la médecine de santé publique s'établit à partir de l'intérêt qui existe entre le diagnostic et le traitement d'un individu, et le questionnement du groupe dont il provient et où il retourne. Cela signifie également que la pratique de la Santé publique n'est pas l'apanage des professionnels œuvrant dans les organismes de santé publique. C'est une partie non négligeable de la pratique médicale de première ligne. Dans le domaine des «MTS», entre autres, cette responsabilité de Santé publique est partagée entre le praticien de Santé publique et le praticien de première ligne. Elle doit être assumée sous peine de devenir soi-même associé à la dissémination. Cela vaut également pour les autres acteurs concernés...

4.3 ACTEURS ET ENJEUX CONCERNÉS PAR LES MTS

Nous identifierons maintenant les responsabilités respectives des acteurs concernés par le contrôle et la prévention des MTS et ébaucherons rapidement les enjeux qui favorisent ou défavorisent la transmission d'infections. Le schéma I illustre le choc de deux populations, celle des microorganismes et celle des humains et l'effet engendré sur le réseau humain par le jeu des alliances possibles entre les cinq acteurs principaux, soit:

- le patient,
- le médecin,
- le laboratoire,
- l'officier de Santé publique et son réseau de professionnels,
- la population en général.

Le patient, ou mieux encore le futur patient, doit être informé, éduqué et avoir accès aux connaissances relatives à la sexualité. Il doit connaître les implications de la pratique de certains gestes sexuels et la façon de réduire les risques encourus par ces gestes. La transmission de ces connaissances et de ces habiletés doit être opportuniste, c'est-à-dire que toute occasion, particulièrement une consultation professionnelle, doit permettre d'aborder la santé de l'expression sexuelle. Le milieu familial, les écoles et autres maisons d'enseignement, et évidemment le cabinet du médecin sont autant de lieux favorisant l'accès aux connaissances et à l'apprentissage d'attitudes et d'habiletés. Bien plus, le patient doit avoir facilement accès aux moyens de protection et de prévention, notamment le condom. Enfin, le patient doit apprendre à connaître la normalité de son corps pour mieux déceler l'anormalité et consulter rapidement le cas échéant. Dans certains cas, selon le nombre de partenaires, la nature des gestes sexuels ou les circonstances où ils sont pratiqués, un dépistage périodique est recommandé.

Le médecin a comme première fonction d'accueillir le plus ouvertement possible le patient qui vient le consulter, d'effectuer l'anamnèse, l'examen physique et l'investigation appropriés, de prescrire ou d'administrer les traitements, s'il y a lieu, sans oublier d'assurer le suivi en contrôlant l'efficacité du traitement. Voilà qui complète la partie curative.

Le rôle du médecin en Santé publique commence en établissant un climat de confiance incitant le patient à revenir sans hésitation pour le suivi de l'infection en cours et une détection ultérieure ou à inviter ses partenaires à consulter. Il se poursuit en questionnant les gestes sexuels pratiqués par le patient pour renforcer les messages préventifs prévus au Programme national de santé publique, comme l'usage du condom ou le dépistage périodique, tout en les adaptant à sa situation particulière. Le patient est invité à informer ses partenaires lui-même avec, s'il le faut, le soutien du médecin ou du personnel de Santé publique dans un esprit d'entraide et non de coercition.

Le médecin peut également offrir l'immunisation contre l'hépatite B ou toute autre immunisation utile. Enfin, il participe à la surveillance des indicateurs de maladies en déclarant à l'officier de Santé publique les informations pertinentes relatives aux infections sous surveillance. Le médecin de première ligne profite de cette surveillance puisqu'elle permet ensuite une mise à jour continue des protocoles d'investigation et de traitement. Toutefois, pour exercer ce rôle, le médecin a besoin du soutien et de l'appartenance à un véritable réseau[a] de santé, condition préalable à sa participation.

Le laboratoire, quant à lui, collabore à la surveillance par la caractérisation des microorganismes; il permet la validation des diagnostics et confirme l'efficacité des traitements. Au Québec, le responsable du laboratoire doit déclarer

---

a. Réseau: organisation clandestine formée par un certain nombre de personnes en relation directe ou indirecte les unes avec les autres et obéissant aux mêmes directives *(Petit Robert)*.

à l'officier de Santé publique tout résultat positif d'une épreuve diagnostique visant une infection sous surveillance. En outre, il informe rapidement le clinicien de toute caractéristique du microorganisme pouvant influencer le traitement.

À l'instar du médecin de première ligne, la première responsabilité de l'officier de Santé publique, parce qu'il est médecin, est de créer un climat de confiance et de solidarité entre tous les acteurs concernés. Il doit à la fois initier, favoriser et maintenir les actions de tous. Pour ce faire, il est assisté par un réseau de professionnels. Il est toutefois le premier responsable de l'existence et du rendement d'un véritable réseau de contrôle et de prévention des infections transmissibles, en particulier les MTS. Comme porte-parole de la Santé publique, il doit régulièrement informer les autorités politiques, les professionnels de la santé et la population en général sur l'état de la situation des infections transmissibles et les actions requises pour l'améliorer.

Enfin, le cinquième acteur est la population des humains agissant comme réservoir de l'infection, c'est-à-dire l'ensemble des êtres humains sexuellement actifs ou appelés à le devenir, y compris le médecin, les autres professionnels de la santé et l'officier de Santé publique. C'est là que se trouvent les sujets-contacts, les infectés, les malades et les futurs infectés. C'est là que doivent avoir lieu des actions globales (messages grand public) ou sélectives (interventions auprès de certains sous-groupes) de Santé publique. À sa manière, la population en général joue aussi un rôle actif, notamment par son influence sur les choix du décideur.

Tous les acteurs mentionnés sont interdépendants et également responsables, chacun à son niveau, du choix de disséminer ou de contrôler l'infection. Toutefois, c'est à l'officier de Santé publique qu'incombe en tout premier lieu la responsabilité d'initier le mouvement vers le contrôle et la prévention, d'informer chacun de son rôle et de faire en sorte qu'il soit rempli (voir tableau 4.2, p. 74).

4.4 MÉTHODES ET INTERVENTIONS DE SANTÉ PUBLIQUE

Pour que la Santé publique ait une légitimité d'action, une agression dans une population doit répondre à trois conditions[1]:

1. L'agresseur doit être connu ou présumé.
2. Il doit exister une relation de cause à effet entre l'agent agresseur et l'anomalie pathologique observée.
3. Il doit surtout exister des interventions pertinentes et efficaces reconnues pour agir sur l'agresseur ou l'anomalie.

À partir de ces critères, on comprend mieux pourquoi la Santé publique ne peut avoir d'intérêt dans toutes les infections transmissibles. Voilà pourquoi, au Québec, la Santé publique ne s'intéresse qu'à huit infections identifiées dans la

Loi sur la protection de la santé publique (L.R.Q., chap. P-35) et son règlement d'application. Ces huit infections sont identifiées non seulement à cause de leur fréquence et de leurs conséquences, mais surtout parce qu'elles peuvent faire l'objet d'interventions diagnostiques, thérapeutiques ou préventives reconnues efficaces.

Il s'agit d'abord de la gonococcie, de la syphilis, du lymphogranulome vénérien, du chancre mou et du granulome inguinal. Ces cinq infections correspondent au terme «maladies vénériennes», au sens de la loi. Elles doivent être déclarées à l'officier de Santé publique par le médecin ou le laboratoire local sur un formulaire particulier où n'apparaît pas le nom du patient. Trois autres infections transmissibles doivent être déclarées par le médecin ou le laboratoire local: la chlamydiase, l'hépatite B et le sida, si les deux premières infections sont déclarées sur le formulaire de déclaration de toute maladie à déclaration obligatoire où le nom du patient apparaît, il n'en va pas de même pour le sida, qui doit être déclaré sur un formulaire dépersonnalisé particulier. Comme le lymphogranulome vénérien, le chancre mou et le granulome inguinal sont rares au Québec, la Santé publique s'intéresse donc en pratique à cinq infections: la gonococcie, la syphilis, la chlamydiase, l'hépatite B et le sida.

D'autres infections comme la condylomatose ou l'herpès méritent encore des recherches avant que des interventions de Santé publique soient nécessaires.

La Santé publique vise deux objectifs:

1. mesurer l'ampleur (prévalence) et les fluctuations (incidence) de ces infections dans la population;

2. intervenir par des activités de prévention primaire, secondaire et tertiaire.

4.4.1 Mesurer l'ampleur (prévalence) et les fluctuations (incidence) de ces infections dans la population

L'atteinte de cet objectif se réalise par une technique de Santé publique appelée surveillance. Elle peut être générale, cela correspond au système des MADO (maladies à déclaration obligatoire) ou sélective, c'est-à-dire faire appel à des banques de données (données d'hospitalisation pour salpingite/grossesse ectopique) ou à des réseaux-sentinelles de médecins ou de populations cibles. L'analyse de l'ensemble des indicateurs de surveillance permet à l'officier de Santé publique d'apprécier la situation d'une infection dans une population donnée et d'émettre des recommandations de contrôle ou de prévention appropriées. La surveillance implique la participation du médecin et du laboratoire local et une rétroaction vers eux de l'information analysée. La surveillance s'exerce sur des aspects variés. Elle doit d'abord s'intéresser à la mesure de l'infection, de la maladie, de ses complications et à la caractérisation des microorganismes agresseurs. La surveillance implique la recherche active de tous les cas, la validation de chacun d'entre eux et un suivi rigoureux. Une fois les mécanismes de cette surveillance mis en place et l'évaluation satisfaisante, la surveillance peut être orientée vers la santé. Elle peut alors tenter de mesurer, entre autres, l'utilisation du condom par certaines populations ou la vaccination contre l'hépatite B, indices du niveau d'alerte ou du taux de réponse de la population concernée aux interventions de Santé publique.

La surveillance est toutefois pleine de pièges. Il faut interpréter les données accumulées avec beaucoup de prudence. Il en faut encore davantage pour traduire les données interprétées en décisions de santé publique. En effet, une augmentation d'incidence d'une infection n'est pas nécessairement alarmante; elle peut être le reflet d'une plus grande vigilance du réseau de surveillance entraînant une augmentation du nombre de cas déclarés. À l'inverse, une diminution d'incidence peut refléter une démotivation au signalement ou au dépistage et doit parfois inquiéter davantage le responsable de santé publique puisqu'il devient difficile d'obtenir une approximation de la réalité. Une lecture superficielle des données pourrait amener à un alarmisme ou à un triomphalisme tout aussi dangereux l'un que l'autre. L'interprétation des données, de même que la décision de Santé publique qui en découle, doit être dissociée de toute récupération politique.

Il ne faut pas confondre la surveillance de Santé publique avec la recherche. L'objectif de la recherche est de tester une hypothèse à l'aide d'une méthodologie validée par les pairs, dont la durée est limitée dans le temps[1]. L'objectif de la surveillance est de suivre les tendances d'une anomalie, d'une pathologie, d'un comportement ou d'un état dans une population pour amener l'officier de Santé publique à décider des interventions de promotion ou de protection. Tout amalgame de ces deux outils, surveillance et recherche, peut nuire à l'atteinte de leurs objectifs respectifs.

4.4.2 Intervenir par des mesures de prévention primaire, secondaire et tertiaire

En protection de la Santé publique, on définit trois niveaux d'intervention:

1. la prévention primaire où l'action survient avant l'exposition à l'agresseur;
2. la prévention secondaire où l'action survient après l'exposition à l'agresseur, mais avant qu'il ait pu produire un état morbide;
3. la prévention tertiaire où l'action tend à éviter les complications provoquées par l'état morbide.

4.5 LA PRÉVENTION PRIMAIRE

Dans le domaine du contrôle des MTS, les actions de prévention primaire cherchent à permettre la pratique de gestes sexuels sans transmission d'agents infectieux.

Elle porte sur deux secteurs: la communication d'information sur les maladies, mais aussi et surtout sur la santé, et l'acquisition de comportements adaptés. Les actions portent sur trois niveaux: population en général, sous-populations particulières, individus.

Dans la population en général on peut utiliser des moyens grand public pour révéler l'acuité du problème et promouvoir à court terme la santé sexuelle et génitale avec des messages renforçant les habitudes souhaitées.

Ces campagnes grand public doivent cependant être utilisées avec prudence. En effet, elles ne peuvent constituer une fin en soi. Elles doivent toujours être intégrées dans un programme de contrôle plus vaste dont elles ne constituent qu'un élément. Elles créent des attentes et des demandes de services auxquelles on se doit de répondre. Il ne faudrait pas nourrir les racines d'une contre-production faite de frustrations, d'incrédulité et de méfiance pire que l'absence initiale de campagne. On ne doit jamais faire la promotion de ce que l'on ne peut offrir ou soutenir par la suite. S'il en est ainsi des principes, il en est de même des moyens. En effet, comment recommander l'usage de méthodes barrières de prévention comme le condom, s'il n'est ni accessible ni disponible? On ne peut à la fois protéger la santé publique et défendre des principes moraux s'ils viennent en conflit. Il faut alors faire des choix et les exprimer clairement.

Par analogie avec un programme d'immunisation, un programme de prévention primaire dans le domaine de la santé sexuelle ressemble à l'administration universelle et systématique d'un «vaccin sociologique ou comportemental». Il nécessite une primo-immunisation intense à l'aide d'un message préventif univoque, simple, concret et compréhensible, transmis par un messager crédible. Il doit être suivi de nombreux rappels périodiques pour inviter la population à continuer de résister à la dissémination des agents agresseurs et raviver la mémoire collective et individuelle des comportements protecteurs.

À plus long terme, l'éducation systématique de tous les enfants dès le primaire sur la sexualité et la santé représente un investissement primordial. L'immunisation systématique et universelle contre l'hépatite B avant l'âge où s'exerce la sexualité est actuellement un acte de prévention primaire qui s'impose et qui donne l'occasion de renforcer individuellement les messages préventifs lancés à la collectivité.

Dans les sous-populations où le risque d'acquisition ou de transmission d'agents infectieux est reconnu élevé, il faut encourager la création et la promotion de programmes d'information, de prévention et de dépistage adaptés. On pense en particulier aux contacts de malades ainsi qu'aux milieux de la prostitution, surtout de rue, de la toxicomanie et de l'itinérance.

Il faut inviter le médecin en cabinet privé a jouer un rôle de messager auprès de l'individu. Une consultation pour un examen médical périodique, ou une demande de contraception, particulièrement à l'adolescence, sont des occasions privilégiées pour questionner la vie sexuelle et sensibiliser le patient à la connaissance de son corps ainsi qu'aux moyens permettant de vivre en santé sa vie sexuelle et affective. Cela devient encore plus évident si la raison de consultation concerne une MTS. Comme la pratique de la médecine préventive est fondamentalement opportuniste, il faut profiter de toutes les occasions pour aborder les sujets préventifs. La somme de ces actions individuelles donne ultimement des résultats collectifs mesurables. À l'inverse, le relâchement et le laxisme contribuent à la transmission.

4.6 LA PRÉVENTION SECONDAIRE

Dans le domaine du contrôle des MTS, la prévention secondaire vise à rechercher la présence d'une infection asymptomatique chez une personne sans symptômes ayant pratiqué des gestes sexuels non protégés. Aux fins d'intervention de masse, cette action s'appelle «dépistage» et ses conditions d'application sont exposées au tableau 4.3 (voir p. 75). Lorsqu'elle s'applique à un seul individu à des fins diagnostiques, on parle de «détection». On doit retenir que la seule existence d'une épreuve de laboratoire ne suffit pas à créer ni à justifier un programme de dépistage. De plus, pour avoir une valeur de santé publique, le dépistage doit nécessairement amener à une action reconnue efficace contre l'infection dépistée et offrir un bénéfice à la personne testée. Cette action n'est toutefois pas déterminée par le seul résultat du test, mais par l'ensemble des informations recueillies par l'anamnèse et l'examen. Dans ce contexte, cinq infections peuvent actuellement faire l'objet d'un dépistage ou d'une détection:

1. la gonococcie;
2. la syphilis;
3. la chlamydiase;
4. l'hépatite B;
5. l'infection par le virus d'immunodéficience acquise (VIH).

Dans ce dernier cas, le dépistage est utile dans un contexte tout à fait différent de celui des quatre autres.

Pour d'autres infections comme l'herpès génital et la condylomatose, si la détection peut permettre un bénéfice individuel, l'absence de traitement éliminant l'agent microbien explique l'inutilité actuelle d'un programme de dépistage de masse.

La prévention secondaire se fait dans le cabinet de consultation du médecin. En plus de la pratique d'une anamnèse et d'un examen appropriés, elle implique l'accessibilité aux services de laboratoire pour le médecin et l'accessibilité aux médicaments et vaccins pour le patient. L'information, l'investigation et le traitement, le cas échéant, des partenaires des porteurs symptomatiques identifiés, voilà la suite logique qui peut être initiée par le patient lui-même, par le médecin ou par l'auxiliaire de Santé publique. Une visite d'évaluation ne doit pas faire oublier d'appliquer les principes de prévention primaire qui trouvent là une occasion privilégiée.

Compte tenu du caractère asymptomatique de certaines MTS et de leur haute transmissibilité, la recherche des contacts est une autre activité complémentaire essentielle à tout programme efficace de prévention et de lutte contre les MTS.

Plus qu'une activité de détection et de traitement, la recherche des contacts est aussi une activité de promotion de la santé. Cette intervention poursuit effectivement deux objectifs:

1. Le premier est de retracer les partenaires sexuels d'une personne atteinte afin de freiner la transmission et d'éviter les complications d'une infection non traitée en les investiguant et en les traitant de façon épidémiologique ou, selon le cas, soit en fonction des pathogènes isolés ou sur des bases épidémiologiques.
2. Le deuxième est l'éducation sanitaire personnalisée et le counselling des personnes impliquées dans une chaîne de transmission de MTS.

La personne atteinte ou présumée atteinte d'une MTS est une cible privilégiée pour bénéficier d'une activité d'éducation sanitaire; elle reconnaît généralement sa susceptibilité particulière et est plus disposée à modifier son comportement. C'est un moment favorable pour échanger sur les MTS, leurs complications, la prise adéquate du médicament, l'utilisation des moyens de protection, l'importance de rejoindre d'autres contacts.

Les acteurs impliqués dans ce processus sont le patient lui-même, le médecin traitant et au besoin un professionnel de Santé publique. Le médecin traitant est responsable au premier chef de faire comprendre au patient l'importance d'informer tout contact pour qu'il puisse se faire traiter et recevoir les conseils requis.

En tenant compte des circonstances telles que la nature des maladies, les disponibilités de chacun, le type et la localisation du partenaire, un professionnel de Santé publique peut être mis à contribution à la demande du patient ou du médecin traitant. L'intervention doit se faire en collaboration avec le médecin traitant, puisqu'il demeure l'intervenant privilégié auprès du patient.

Pour être efficace, les modalités organisationnelles de cette activité doivent s'adapter aux circonstances. Il n'existe pas de modèle organisationnel unique ni de formule miracle pour rejoindre tous les contacts. Ainsi, certains sont tout à fait anonymes, d'autres sont très difficilement retraçables et mobiliseraient des ressources qui ne rencontreraient pas un rapport coût-efficacité satisfaisant.

Dans le contexte québécois actuel, il s'agit de trouver une coordination adéquate entre le réseau public et privé. Ainsi, une recherche plus active et plus dynamique, mobilisant ces deux réseaux, doit s'effectuer dans certaines situations:

— cas de nouvelles souches résistantes;

— cas d'infections pelviennes causées par une MTS;

— cas de récidives;

— cas de syphilis.

Pour d'autres cas, un modèle mettant davantage le cas index en cause s'avère une solution moins coûteuse et plus appropriée; ce cas index peut aussi obtenir l'assistance d'un professionnel de Santé publique.

L'officier général ou régional de Santé publique, en collaboration avec les cliniciens, doit pour sa part:

— s'assurer que les services de laboratoire sont accessibles et de qualité;

— identifier clairement les infections à surveiller et les tests à utiliser pour le faire;

— développer des mécanismes appropriés pour avertir les contacts;

— rendre les médicaments et vaccins requis facilement accessibles au patient.

À ce sujet, il est intéressant de noter que, depuis le printemps 1992, les médicaments traitant plusieurs des MTS sous surveillance sont couverts par le ministère de la Santé et de Services sociaux du Québec. Il est à souhaiter que le vaccin contre l'hépatite B devienne gratuit pour tout le monde, comme en Colombie-Britannique depuis l'automne 1992. Chez nous, il est gratuit dans certains cas seulement. D'ailleurs, tout autre nouveau produit immunisant efficace au cours des prochaines années devrait aussi être gratuit.

La prévention secondaire s'intéresse enfin au nouveau-né. La prévention de l'ophtalmite néonatale d'origine gonococcique ou chlamydienne en est un exemple, l'immunisation dès la naissance des enfants nés de mères porteuses du virus de l'hépatite B en est un autre. Il faut préciser ici que l'État paye le coût de l'immunisation au Québec.

4.7 LA PRÉVENTION TERTIAIRE

Ici, l'objet de la prévention est le diagnostic et le traitement précoce d'une personne souffrant d'un syndrome clinique compatible avec une MTS. L'objectif est de prévenir les complications de l'infection ou d'en atténuer les effets. Le médecin joue un rôle déterminant appuyé par l'infrastructure d'un programme de Santé publique lui donnant accès aux ressources de laboratoire et aux traitements requis, à l'instar de la prévention secondaire.

4.8 L'ÉVALUATION

Chaque élément d'un programme doit être évalué de façon continue tant pour ses résultats que pour son rendement opérationnel. Une telle évaluation accompagnée de l'indispensable rétroaction de l'information, notamment auprès du médecin, permet d'entretenir la motivation à l'action. Elle permet aussi d'ajuster rapidement les interventions cliniques aux interactions fluctuantes entre l'hôte humain et les agents agresseurs, et aux changements technologiques affectant les méthodes diagnostiques et les moyens thérapeutiques et préventifs. Une telle rétroaction favorise la formation continue des intervenants, condition essentielle au maintien de la qualité des services et au bien-être de la population desservie.

4.9 CONCLUSION

Les MTS sont endémiques et ne peuvent être complètement enrayées dans l'état actuel des choses. Par conséquent, l'objectif réaliste des interventions de Santé publique consiste à agir sur l'amplitude des fluctuations à la hausse. Les actions les plus efficaces sont souvent celles qui se situent à petite échelle. En ce sens, la lutte contre les infections d'origine tient davantage de la guérilla que de la guerre. Les éléments clés d'un programme de santé publique dévoué aux résultats et à la pérennité comprennent:

- La motivation d'un individu à protéger sa santé et celle de ses partenaires par l'utilisation de méthodes barrières et la pratique de l'auto-examen périodique;
- le souci du médecin en cabinet privé d'informer, de motiver, de dépister, de diagnostiquer, de traiter et d'assurer un suivi;

— l'engagement de l'officier de Santé publique à créer un terrain social propice aux actions individuelles de prévention en brisant les tabous sur la sexualité et les susceptibilités entre intervenants.

La lutte contre les MTS est une course de fond dont le succès se mesure dans la durée par l'existence de réseaux de terrain presque clandestins, par la notoriété de l'anonymat et par l'action humble et persévérante de personnes auprès d'autres personnes. À l'instar du microorganisme traqué, le geste préventif doit se communiquer et s'amplifier d'une personne à l'autre. À ce chapitre, le médecin contribue par son action à réduire l'infection ou, par son inaction, à la disséminer. La somme de ces parts individuelles produit un impact en Santé publique.

BIBLIOGRAPHIE

1. ROBERT, J. «Prévention de l'infection par VIH». *Sida et infection par VIH* (Montagnier, L., et al.). Paris, Flammarion, 1989, chap. 42, p. 503-508.

2. LAST, J.M., WALLACE, R.B., et al. *Maxcy-Rosenau-Last Public Health and Preventive Medicine*, 13e éd. Connecticut/Californie, Appleton-Lange,1992, 1257 p.

3. ROBERT, Y. «MTS : stratégies de prévention et attitudes face au dépistage». *Congrès MTS et Sida: contexte et défis nouveaux*. Fédération des médecins omnipraticiens du Québec, Rio de Janeiro, Brésil, janvier 1990.

4. ROBERT,Y. «Une approche de santé communautaire des MTS». Atelier au congrès *L'omnipraticien et les maladies transmissibles sexuellement*, Fédération des médecins omnipraticiens du Québec, Montréal, 22, 23 et 24 octobre 1986.

5. RINGUET, J. «Politique de santé et de bien-être — Plan d'action MTS du ministère de la Santé et des Services sociaux du Québec. État de situation sommaire». MSSS, juillet 1990.

6. ROCHON, M. *Les MTS au Québec, indicateurs, surveillance et objectifs de santé*. MSSS, Québec, février 1990.

7. MESSELY, M.-C., ARCHAMBAULT, C., RINGUET, J. «La médication: une stratégie d'intervention pour contrer les MTS». MSSS, Québec, avril 1990.

8. OMS. *La lutte contre les maladies sexuellement transmissibles*, Genève, 1986.

Tableau 4.1 Caractéristiques complémentaires entre la médecine préventive et la médecine curative

MÉDECINE CURATIVE	MÉDECINE PRÉVENTIVE
Personne malade	Personne saine
Action initiée par la personne	Action initiée par les soignants
Vise un individu	Vise une population
Guérir de la maladie	Protéger de la maladie
Rétablir la santé	Promouvoir la santé

Tableau 4.2 Actions de santé publique du médecin de première ligne

1. Créer un climat de confiance
2. Être vigilant
3. Détecter ou informer de l'exposition au risque
4. Proposer des comportements préventifs appropriés
5. Inciter à diriger ses partenaires vers le dépistage
6. Offrir un traitement épidémiologique aux sujets-contacts d'un cas
7. Recommander des dépistages
8. Immuniser
9. Déclarer les cas d'infections sous surveillance

Tableau 4.3 Conditions du dépistage de masse (d'après J. Robert)

1. S'applique à des personnes en santé
2. Répond à des règles préalables coordonnées
3. Est systématique et modifiable dans le temps
4. Utilise un instrument de mesure sensible et spécifique
5. Permet et facilite une action pertinente et efficace
6. Doit bénéficier à la personne testée
7. Accepte les refus éclairés

5

LE MATÉRIEL, L'ORGANISATION ET LE TRANSPORT AU LABORATOIRE

Monique Drapeau, Pierre-J. Laflamme et Pierre Saint-Antoine

5.1 OBJECTIFS ET PRINCIPES GÉNÉRAUX

Dans des situations cliniques de dépistage, de diagnostic ou de contrôle de traitement, il est parfois utile sinon nécessaire d'avoir recours aux analyses de laboratoire pour les infections génitales.

Il est cependant important de connaître les paramètres des analyses (sensibilité, spécificité, conditions de réalisation) pour apprécier la signification des résultats obtenus; suivant les différentes situations et les conditions de réalisation (prélèvement, site prélevé, transport, etc.), un résultat positif ou négatif peut ne pas revêtir la même signification. Autrement dit, toutes les analyses ne sont pas équivalentes et aucune n'a une sensibilité ni une spécificité parfaite.

Idéalement, le médecin pourrait donc pouvoir choisir l'analyse en fonction de la situation clinique (par exemple: culture, immunofluorescence, EIA). Toutefois, c'est impensable compte tenu de la disponibilité restreinte de certains de ces tests. Dès lors, les facteurs importants sont ceux qui caractérisent le test que le médecin peut réaliser lui-même ou celui qui est accessible à son patient. Dans ce cadre, le médecin pourra apprécier à sa juste valeur le résultat obtenu.

L'utilisation d'un test doit donc procéder d'une décision éclairée et d'une connaissance juste. Il ne doit pas être fait automatiquement en pensant que le résultat sera fiable. De plus, le recours à un test n'est justifiable que par son utilité dans le traitement ou le suivi d'un patient.

5.2 OPTIONS DISPONIBLES

En fait, le médecin peut adopter une des quatre approches suivantes dans l'utilisation des tests de laboratoire pour le diagnostic, le dépistage ou le contrôle post-traitement des infections génitales.

D'abord, il peut se limiter à prescrire les analyses nécessaires à son patient et à l'orienter vers un centre de prélèvement; il peut aussi le référer à un collègue capable de procéder à une investigation MTS. Cette approche comporte néanmoins un inconvénient. En effet, le médecin traitant ignore la qualité des prélèvements effectués par un autre que lui.

Il peut aussi se limiter à des prélèvements dans son bureau. Il ne fait aucun test lui-même, mais il achemine les échantillons à un laboratoire de sa région.

Il peut encore, en plus de faire des prélèvements, procéder également à l'examen des sécrétions vaginales et urétrales dans son bureau.

Finalement, le médecin peut décider de développer un laboratoire. Cette dernière option se situe de toute évidence dans une tout autre perspective et ne sera pas discutée plus longuement.

5.3 LES PRÉLÈVEMENTS

Le médecin qui procède aux prélèvements dans son bureau doit connaître les principales conditions d'un bon prélèvement selon le site choisi, le matériel employé et la technique utilisée. Les deux derniers éléments (matériel et technique) dépendent étroitement des ressources des laboratoires de sa région. Le laboratoire pourra fournir le matériel nécessaire ou indiquer au médecin où se le procurer.

L'écouvillon avec alginate de calcium convient bien à un prélèvement pour la *Neisseria gonorrhoeae*, mais peut être toxique pour la culture de la *Chlamydia trachomatis* et l'herpès simplex. De plus le bâtonnet ouaté en bois peut s'avérer toxique pour la *Neisseria gonorrhoeae*.

Comme la technique précise des prélèvements influe sur la qualité des spécimens, on trouvera ces données aux chapitres traitant des différentes pathologies. La séquence des prélèvements est aussi très importante. Elle se trouve en annexe au présent chapitre.

Par ailleurs, les délais dans l'acheminement des échantillons et les conditions de transport constituent aussi des facteurs critiques influençant les résultats d'un test. C'est pourquoi il faut tenir compte des heures de réception des spécimens au laboratoire.

Il importe de savoir que la qualité d'un résultat ne peut être supérieure à la qualité du spécimen reçu au laboratoire. Les défauts de prélèvement, les délais d'acheminement ou les conditions de transport défavorables influencent la qualité d'un résultat. Il faut donc vérifier la date de péremption des milieux de transport.

Il faut aussi fournir au laboratoire les renseignements essentiels pour favoriser la réalisation des analyses; ces renseignements comprennent des données précises sur la nature et la qualité du spécimen (heure du prélèvement et provenance: endocol, vagin, urètre) et des données épidémiologiques (femme enceinte, individu prépubère, abus sexuel, spécimen postopératoire). L'échec d'un régime thérapeutique constitue aussi un renseignement utile à l'examen du spécimen.

5.4 LA RÉALISATION DES TESTS DE LABORATOIRE

Le médecin qui décide de procéder lui-même, dans son bureau, à des analyses de laboratoire, même simples, doit se soumettre à certaines exigences, au même titre que les autres professionnels de la santé engagés dans des activités de laboratoire.

Ces normes de fonctionnement requièrent:

— un équipement adéquat, en bonne condition et bien entretenu;

— un personnel compétent;

— un minimum hebdomadaire de spécimens cliniques, suffisant pour chaque type d'analyse retenu;

— un contrôle interne continu de la qualité des analyses;

— un contrôle externe périodique de la compétence.

Compte tenu de ces normes, les techniques de diagnostic des MTS qu'un omnipraticien peut utiliser dans son bureau doivent généralement se limiter à l'examen des sécrétions vaginales et urétrales. Les laboratoires des centres hospitaliers peuvent aider le médecin pour les contrôles externes ou internes.

5.5 LES TECHNIQUES D'AVENIR

Le monde de la technologie diagnostique est en perpétuelle évolution. De nouvelles techniques diagnostiques se développent régulièrement, mais il reste à les apprécier et à bien définir leur place dans l'éventail des moyens disponibles. On peut mentionner, entre autres, l'immunofluorescence (ex.: herpès, tréponème pâle) et les techniques de génie génétique impliquant une amplification (en chaîne par polymérase) ou utilisées sans amplification. À mesure que ces techniques deviendront disponibles, la façon d'obtenir et d'acheminer les prélèvements, l'interprétation des résultats et les conditions justifiant l'utilisation de ces analyses devront être précisées.

TABLEAU 5.1

EXAMEN DES SÉCRÉTIONS VAGINALES À l'ÉTAT FRAIS

(utile dans tout type d'écoulement vaginal ou de vaginite)

Matériel requis

— Microscope (objectif 40 × et oculaire 10 ×)

— Lames et lamelles

— Solution physiologique (NaCl 0,9 %) avec compte-gouttes

— Solution KOH à 10 %

— Papier indicateur de pH avec échelle permettant de préciser la valeur 4,0. Ex.: 4,0 à 6,0 ou 3,0 à 5,5

pH

— La présence d'eau, de sang, de lubrifiant ou de milieu de transport peut influencer la valeur mesurée du pH.

— Échantillonner le cul-de-sac postérieur ou latéral en évitant le mucus du col (qui est plus élevé que le pH vaginal).

— Appliquer l'échantillon sur le papier réactif.

— Lire le pH.

— Un pH normal se situe à < 4,5; une valeur > 4,5 est compatible avec une vaginose bactérienne ou une trichomoniase.

Recherche de trichomonas et de *clue cells*

Trichomonas

— Étaler le spécimen à l'aide de l'écouvillon.

— Ajouter une goutte de salin.

— Rechercher la présence de *Trichomonas vaginalis*. L'examen doit être effectué rapidement en évitant de refroidir le spécimen, car le parasite ne sera plus mobile. Examiner 10 à 20 champs à 400 ×.

— On reconnaît le *Trichomonas* à sa taille (un peu supérieure à un polynucléaire), à son mouvement saccadé et à la présence de ses flagelles et de sa membrane.

— La présence de neutrophiles suggère la présence de *Trichomonas,* de levures ou de cervicite.

TABLEAU 5.1 (suite)

Clue cells

Les *clue cells* sont des cellules épithéliales vaginales recouvertes de petits bacilles qui donnent aux cellules une apparence granulaire et font perdre les contours de la cellule. Un minimum de 20 % des cellules épithéliales doivent présenter ce caractère pour que l'on considère cette observation significative.

***Whiff test* (examen au KOH)**

— Le contact avec le milieu de transport peut nuire à la réalisation de ce test.

— Étaler le spécimen sur une lame et ajouter une goutte de KOH 10 %.

— S'il y a l'odeur de «poisson» caractéristique, l'examen est positif et constitue un des critères de vaginose bactérienne. Cette odeur provient de la libération d'amines volatiles produites par les anaérobies.

Recherche de levures

Après avoir mis la goutte de KOH, ajouter la lamelle et faire l'examen microscopique après quelques minutes (5 minutes).

Rechercher la présence de blastospores (levures bourgeonnantes) et de pseudohyphes (structures tubulaires présentant des étranglements).

TABLEAU 5.2

COLORATION DES SÉCRÉTIONS URÉTRALES (OU CERVICALES)

Frottis coloré de Gram (ou bleu de méthylène)

Matériel requis

— Microscope (objectif 100 × et oculaire 10 ×)
— Lames
— Solutions colorantes:

Bleu de méthylène ou
- Violet de cristal
- Lugol
- Alcool 95 %
- Safranine

- Lampe à alcool ou alcool à 95 %
- Huile à immersion
- Source d'eau (robinet ou flacon laveur)

Préparation de la lame

— Étalement
- Tourner doucement l'écouvillon (toujours dans le même sens) 3 à 4 fois sur une partie de la lame
- Laisser sécher la lame

— Fixation

Fixer la lame séchée à la chaleur en la passant 3 ou 4 fois au-dessus de la flamme. La lame peut aussi être fixée à l'alcool. Couvrir simplement la lame d'alcool à 95 % pour quelques minutes.

Coloration de Gram

— Couvrir la lame de violet de cristal × 1 min
— Rincer à l'eau
— Couvrir la lame de lugol × 1 min
— Rincer à l'eau
— Couvrir la lame de safranine × 1 min
— Laver à l'eau
— Sécher

TABLEAU 5.2 (suite)

Bleu de méthylène

— Couvrir la lame de bleu de méthylène × 1 min

— Rincer la lame

— Sécher la lame

Examen au microscope

L'examen préliminaire à faible grossissement (100 ×) permet d'apprécier la qualité du spécimen.

Présence de polynucléaires et, dans le cas des sécrétions du col, plus ou moins grande proportion de contamination vaginale (présence de cellules squameuses).

Procéder par la suite à l'examen sous huile à 1 000 ×.

Rechercher la présence de diplocoques à l'intérieur de polynucléaires (rouge au Gram et bleu foncé au bleu de méthylène).

L'observation de cocci Gram négatif intraleucocytaires présente une sensibilité et une spécificité de > 95 % sur un prélèvement urétral.

TABLEAU 5.3

SÉQUENCE DES PRÉLÈVEMENTS GÉNITAUX CHEZ LA FEMME

Selon les épreuves diagnostiques indiquées, elles doivent se dérouler dans l'ordre suivant:

1. Prélèvements vaginaux: pH (avant l'insertion du spéculum, lubrifié ou mouillé ou tout autre lubrifiant), état frais, culture des sécrétions vaginales.

2. Prélèvements de l'endocol:

— épreuve(s) diagnostique(s) pour la recherche du gonocoque;
— cytologie cervicale;
— épreuve(s) diagnostique(s) pour la recherche de *Chlamydia*.

Tableau 5.4.1 Sécrétions vaginales

Les causes de vaginite infectieuse les plus fréquentes sont la *Candida albicans* et le *Trichomonas vaginalis*. La vaginose bactérienne probablement causée par des anaérobies de type Mobiluncus et Bacteroïdes n'est pas une vaginite. La *Gardnerella vaginalis* n'est plus reconnue comme une cause de vaginite.

Les autres agents pathogènes possibles au niveau du vagin sont, chez la femme enceinte, la *Listeria monocytogenes* de même que le streptocoque du groupe B dans certaines conditions, le *Staphylococcus aureus* impliqué dans le syndrome de choc toxique et les oxyures impliqués chez la jeune fille prépubère. Chez la fille prépubère, il est possible aussi de prélever au niveau vaginal pour la *Neisseria gonorrhoeae* et la *Chlamydia trachomatis*, en présence d'abus sexuel potentiel.

Il est toujours important d'éliminer une cervicite chez les patientes avec vaginite, par l'examen au spéculum. **Pour les trois types d'infection vaginale les plus courantes, l'état frais, le pH et le *whiff test* demeurent les analyses les plus susceptibles d'arriver immédiatement au diagnostic et peuvent être réalisées au bureau du médecin (voir tableaux 5.1 et 5.3 pour la réalisation de ces tests)**. Dans des conditions particulières où les critères de diagnostic ne sont pas atteints, le laboratoire peut vous aider avec les procédures suivantes et vous devrez préciser l'agent que vous recherchez.

SITE	PATHOGÈNES RECHERCHÉS	PRÉLÈVEMENT	MILIEU DE TRANSPORT	CONDITIONS DE TRANSPORT	COLORATION	ENSEMENCEMENT
Cul-de-sac postérieur et/ou paroi latérale	1) *Candida albicans*	Écouvillon Dacron avec tige de plastique.	Amies ou Stuart.	• 20-25 ° C; • moins de 6 h au labo; • si > 6 h, garder à 4 ° C pour délai maximal de 24 h.	1) État frais au KOH à l'arrivée du spécimen (se référer au tableau 5.1). 2) Calcofluor; technique nouvelle impliquant l'utilisation d'un microscope à immunofluorescence (I. F.).	• Gélose Sabouraud-Chloramphénicol • Incuber à 35 °C. • Lecture die × 2-3 jours.
	2) *Trichomonas vaginalis*	Idem.	Amies ou Sutart → ou Diamond modifié → (20 min. à la T° de la pièce avant inoculation.)	20-25 °C, moins de 6 h; 20-25 °C, maximum 48 h.	1) État frais soit à l'arrivée du spécimen sur écouvillon ou à partir du Diamond modifié. 2) Immunofluorescence, EIA, agglutination au latex, orange acridine.	• Milieu de Diamond modifié. • Incuber à 35 °C. • Lecture à 2-4-7 jours.

Tableau 5.4.1 Sécrétions vaginales (*suite*)

SITE	PATHOGÈNES RECHERCHÉS	PRÉLÈVEMENT	MILIEU DE TRANSPORT	CONDITIONS DE TRANSPORT	COLORATION	ENSEMENCEMENT
Cul-de-sac postérieur et paroi latérale.	3) Vaginose bactérienne (agent non établi).	Écouvillon Dacron avec tige de plastique.	1) Amies ou Stuart. 2) Sans milieu de transport; écouvillon sec pour examen pH, KOH 10 %.	20-25 °C, moins de 6 h. Analyse immédiate à faire sur milieu non tamponné.	1) Gram; se référer au tableau 5.2. 2) État frais → recherche de *clue cells* (plus difficile, se référer au tableau). 1) pH. 2) KOH 10 % (voir appendice).	Inutile Inutile
	4) Streptocoque ß-hémolytique du groupe B (chez la femme enceinte).	1) Écouvillon Dacron avec tige de plastique. 2) Trousse de dépistage d'antigènes par agglutination (moins sensible et rôle clinique à prouver).	Amies ou Stuart. Amies ou Stuart.	20-25 °C, moins de 6 h. 20-25 °C, moins de 6 h si nécessité d'un diagnostic rapide.	Inutile Inutile	Gélose sang; incubation à 35 °C × 2 jours. Ne s'applique pas
	5) *Staphylococcus aureus* (syndrome de choc toxique).	Écouvillon Dacron avec tige de plastique.	Amies ou Stuart.	20-25 °C, moins de 6 h.	Inutile	Gélose sang; incubation à 35 °C × 2 jours.
Chez la prépubère, le vestibule vaginal est le site de prélèvement.	1) Mêmes pathogènes que chez la femme adulte.	N.B. Ne pas utiliser de spéculum. Voir spécimen col utérin.				
	2) *Neisseria gonorrhoeae*					
	3) *Chlamydia trachomatis*					
	4) Oxyures	Aviser le laboratoire au préalable.				

Tableau 5.4.2 Urètre

Les pathogènes recherchés dans l'urètre chez l'homme et chez la femme hystérectomisée sont la *Neisseria gonorrhoeae* et la *Chlamydia trachomatis* surtout. D'autres agents peuvent être recherchés dans des circonstances particulières comme l'*Ureaplasma*, l'*Herpes simplex hominis*, le *Trichomonas vaginalis*.

SITE	PATHOGÈNES RECHERCHÉS	PRÉLÈVEMENT	MILIEU DE TRANSPORT	CONDITIONS DE TRANSPORT	COLORATION	ENSEMENCEMENT
Méat urinaire, en présence d'écoulement ou intra-urétral en absence d'écoulement (urine de 1er jet (15-20 ml) est possible, intérêt controversé).	1) *Neisseria gonorrhoeae*	Écouvillon avec Dacron ou alginate de calcium sur tige métallique, pour prélèvement intra-utéral. Écouvillon Dacron avec tige de plastique; possible si écoulement purulent.	Plusieurs possibilités: 1) De choix : ensemencement direct sur milieu Thayer-Martin modifié. 2) Si délai < 6 h, Amies ou Stuart possible, mais charbon de bois préférable avec délai < 24 h. 3) Si délai > 24 h, système Jembec ou Transgrow, Go Slide, etc. (nécessite incubation à 35 °C).	Possibilité de garder 2 h en jarre avec chandelle; sinon, transport immédiat au labo à 20-25 °C. Conserver à 20-25 °C; surtout, ne pas réfrigérer. Conserver à 35 °C jusqu'à 48 h; envoyer au labo à 20-25 °C.	Gram: à partir d'un écouvillon envoyé immédiatement au labo; impossible sur milieu au charbon de bois; • à partir d'une lame, envoyer la lame préparée en roulant l'écouvillon sur la lame; laisser sécher ensuite, puis fixer à la chaleur ou au méthanol.	Milieu Thayer-Martin modifié (à 20 °C × 20 min). Choix possibles: • NYC; • GCLect; • TM; • etc. Incubation à 35 °C en atmosphère 5-10 % de CO_2 pour 72 h.
		N.B. Autres possibilités: EIA sur spécimen urétral (Gonozyme); moins sensible et moins spécifique. Ne permet pas de faire la ß-lactamase et les épreuves de sensibilité, et n'est pas recommandé dans les cas d'abus sexuel potentiel.				
	2) *Chlamydia trachomatis* (intra-urétral)	• Si EIA ou IFA : trousse de prélèvement fournie par la compagnie (N.B. IFA : laisser sécher 15 minutes avant de fixer). • Si culture : écouvillon de Dacron ou de coton sur tige métallique, introduit 2-3cm dans urètre et mouvement de rotation pour 5-10 sec.	• milieu de la trousse. • Milieu 2 SP; agiter, essorer et rejeter l'écouvillon.	Maximum 5 jours à le temp. de la pièce ou 4 °C. Si > 5 jours, congeler à -70 °C. Conserver à 4 ° C pour un maximun de 48 h; ensuite congeler à -70 °C; transport à 4 °C sur glace humide.	N.B. Si EIA +, préférable de confirmer par I. F. ou blocage.	Ne s'applique pas Culture cellulaire
	3) *Ureaplasma*	Écouvillon de coton ou Dacron ou alginate de calcium.	Milieu 2 SP; agiter, essorer et rejeter l'écouvillon.	Identique à culture Chlamydia.		Gélose A7, bouillon U9 et MA 35 °C × 7 jours en anaérobie.
	4) *Trichomonas vaginalis*	Voir protocole « Sécrétions vaginales » pour culture.				
	5) *Herpes simplex*	Voir protocole « Ulcères génitaux ».				

Tableau 5.4.3 Col utérin

Le col utérin est le site de cervicite dont les agents étiologiques sont différents de ceux retrouvés dans la vaginite. Ce prélèvement doit être clairement identifié parce qu'il ne sera pas analysé de la même façon que le spécimen vaginal.

Les causes les plus communes de cervicite sont la *Neisseria gonorrhoeae* et la *Chlamydia trachomatis*. Il est possible aussi de rechercher l'*Herpes simplex*. Le rôle du Mycoplasma/Ureaplasma n'est pas clair dans la cervicite.

SITE	PATHOGÈNES RECHERCHÉS	PRÉLÈVEMENT	MILIEU DE TRANSPORT	CONDITIONS DE TRANSPORT	COLORATION	ENSEMENCEMENT
Col utérin, canal endocervical.	1) *Neisseria gonorrhoeae*	À faire dans un premier temps avant de prélever pour *Chiamydia trachomatis*.	Voir «Urètre».			
	2) *Chlamydia trachomatis*	À faire en 2e. Si mucus, préférable de nettoyer au préalable. Cytobrosse préférable, mais contre-indiqué chez la femme enceinte.	Voir «Urètre».			
	3) Herpes simplex	Voir «Ulcères génitaux».	Voir «Ulcères génitaux».			

Tableau 5.4.4 Glande de Bartholin

La glande de Bartholin peut être infectée avec la *Neisseria gonorrhoeae*, la *Chlamydia trachomatis*, les entérobactéries, les anaérobies, l'*Ureaplasma urealyticum*. Plus rarement, on pourra retrouver des *Staphylococcus aureus* et même de l'*Herpes simplex*.

SITE	PATHOGÈNES RECHERCHÉS	PRÉLÈVEMENT	MILIEU DE TRANSPORT	CONDITIONS DE TRANSPORT	COLORATION	ENSEMENCEMENT
Glande de Bartholin.	1) *Neisseria gonorrhoeae*, Entérobactérie, *Staphylococcus aureus*, anaérobie.	• De choix: aspiration avec aiguille et seringue. • De valeur moindre: écouvillon de coton.	Enlever l'air dans les seringues. Amies ou Stuart.	Transport immédiat à 20-25 °C, au labo. 20-25 °C, moins de 6 h ➤ sous-optimal.	Gram: étaler 1 goutte de sécrétion sur lame; laisser sécher à l'air; fixer à la chaleur ou au méthanol; colorer.	• Gélose sang. • Gélose Thayer-Martin modifié en CO_2, à 35 °C × 4 jours. • Gélose sang anaérobie × 5 jours. • Bouillon d'ensemencement × 5 jours.
	2) Sur demande spéciale:					
	a) *Chlamydia trachomatis*	Voir «Urètre».				
	b) *Ureaplasma*	Voir «Urètre».				
	c) *Herpes simplex*	Voir «Ulcères génitaux».				

STÉRILET

Le stérilet peut être un spécimen adéquat pour la recherche de la *Neisseria gonorrhoeae* et de la *Chlamydia trachomatis*. Il est préférable de faire un prélèvement au niveau du col, au même moment.

SITE	PATHOGÈNES RECHERCHÉS	PRÉLÈVEMENT	MILIEU DE TRANSPORT	CONDITIONS DE TRANSPORT	COLORATION	ENSEMENCEMENT
Retirer le stérilet en tentant de le contaminer le moins possible par les sécrétions vaginales.	1) Neisseria gonorrhoeae	Stérilet dans un contenant stérile.	Entre compresses imbibées de NaCl physiologique non bactériostatique.	• 20-25 °C. • Immédiat au labo.	Ne s'applique pas	Milieu Thayer-Martin modifié; incuber 5-10 % CO_2 × 3 jours.
	2) Sur demande spéciale:					
	a) *Chlamydia trachomatis*	Stérilet.	Milieu 2 SP	Voir «Urètre».		
	b) *Actinomyces sp.*	Stérilet.	Idem à gono.	Idem à gono.	Ne s'applique pas	Gélose sang anaérobie anaérobiose à 35 °C × 5 jours.

Tableau 5.4.6 Trompe, abcès tubo-ovarien

La salpingite, la MIP et l'abcès tubo-ovarien sont une cause importante d'infertilité. Les agents en cause sont la *Chlamydia trachomatis*, la *Neisseria gonorrhoeae*, le *Mycoplasma hominis*, les entérobactéries et les anaérobies.

SITE	PATHOGÈNES RECHERCHÉS	PRÉLÈVEMENT	MILIEU DE TRANSPORT	CONDITIONS DE TRANSPORT	COLORATION	ENSEMENCEMENT
Par laparoscopie ou laparotomie.	1) *Neisseria gonorrhoeae*	Aspiration aiguille ou biopsie.	Seringue ou contenant de transport avec compresse humidifiée avec NaCl physiologique non bactériostatique.	Immédiat au labo. 20-25 °C.	Gram: voir «Urètre».	Idem à «Urètre».
	2) *Chlamydia trachomatis*	Idem.	Idem.	Idem.	Ne s'applique pas	Voir culture pour Chlamydia, « Urètre ».
	3) *Mycoplasma hominis*	Idem.	Idem.	Idem.	Ne s'applique pas	Voir Uréaplasma/ Mycoplasma, « Urètre ».
	4) Entérobactérie, anaérobie	Idem.	Idem.	Idem.	Gram.	Gélose sang, gélose chocolat, gélose sang anaérobie, bouillon d'ensemencement × 5 jours, à 35 °.

Tableau 5.4.7 Gorge

La gorge peut être le site de MTS, telles la gonococcie, la syphilis, l'herpès. L'examen au fond noir est impossible sur un ulcère présent dans la gorge, à cause de la présence dans la bouche de spirochètes faisant partie de la flore. L'immunofluorescence pourra éventuellement résoudre ce problème.

SITE	PATHOGÈNES RECHERCHÉS	PRÉLÈVEMENT	MILIEU DE TRANSPORT	CONDITIONS DE TRANSPORT	COLORATION	ENSEMENCEMENT
Loge amygdalienne ou pharynx.	1) *Neisseria gonorrhoeae*	Idem à «Urètre».				
	2) *Herpes simplex*	Idem à « Ulcères génitaux ».				
	3) *Chlamydia trachomatis* (rôle à déterminer)					

Tableau 5.4.8 Conjonctive

SITE	PATHOGÈNES RECHERCHÉS	PRÉLÈVEMENT	MILIEU DE TRANSPORT	CONDITIONS DE TRANSPORT	COLORATION	ENSEMENCEMENT
Cul-de-sac conjonctival.	1) *Chlamydia trachomatis*	Idem à « Urètre » → culture ou I. F. surtout.				
	2) *Neisseria gonorrhoeae*	Idem à « Urètre ».				

Tableau 5.4.9 Anus

Les causes d'anite-rectite dans un contexte de MTS sont la *Neisseria gonorrhoeae*, l'*Herpes simplex*, la *Chlamydia trachomatis*, la syphilis. L'examen au fond noir est inutile sur un ulcère anal.

Plus rarement, nous retrouvons de l'*Haemophilus ducreyi* et du *Calymmatobacterium granulomatis*. D'autres agents peuvent aussi être retrouvés, tels l'*Entamoeba histolytica*, le *Campylobacter*, le *Shigella*, le *Clostridium* qu'il faudra rechercher dans les selles.

SITE	PATHOGÈNES RECHERCHÉS	PRÉLÈVEMENT	MILIEU DE TRANSPORT	CONDITIONS DE TRANSPORT	COLORATION	ENSEMENCEMENT
Anus, soit par écouvillon ou anuscopie (préférable si symptomatique).	1) *Neisseria gonorrhoeae*	Voir protocole « Urètre ».				
	2) *Chlamydia trachomatis*	Voir protocole « Urètre ».				
	3) *Herpes simplex*	Voir « Ulcères génitaux ».				
	N. B. Tenter le plus possible de ne pas contaminer l'écouvillon par des selles, lors du prélèvement.					

Tableau 5.4.10 Ulcères génitaux

Les agents retrouvés dans cette atteinte sont le virus *Herpes simplex*, le *Treponema pallidum* (syphilis) et l'*Haemophilus ducreyi* (chancre mou). Plus rarement, le lymphogranulome vénérien (*Chlamydia trachomatis* sérovar L) peut aussi au début se présenter sous forme de petite ulcération.

SITE	PATHOGÈNES RECHERCHÉS	PRÉLÈVEMENT	MILIEU DE TRANSPORT	CONDITIONS DE TRANSPORT	COLORATION	ENSEMENCEMENT
	1) *Herpes simplex II > I*	Écouvillon de Dracon ou coton avec tige de plastique, en frottant le fond de l'ulcère.	Milieu de Hanks (inoculer un milieu avec l'écouvillon; bien l'essorer sur les parois du tube et le jeter parce qu'il est toxique pour le virus). Système Culturette virale.	• 4 °C pour maximum de 72 h, incluant le transport sur glace humide. • Si délai > 72 h, congeler à -70 °C.	Ne s'applique pas	Culture cellulaire.
	2) *Treponema pallidum*	• Aviser le laboratoire au préalable, pour entente sur modalité de prélèvement et examen; idéalement, à faire par personne expérimentée. • Nettoyer l'ulcère avec de la saline et éponger; gratter la lésion jusqu'à exsudation et appliquer sur une lame propre, recouvrir d'une lamelle; examen en microscopie à fond noir. • À ne pas faire sur lésions buccales ou anales.				
		N. B. Sérologie importante à faire et si négatif, répéter 1 à 3 mois plus tard.				
	3) *Haemophilus ducreyi*	Aviser le microbiologiste. Écouvillon de coton ou Dacron humidifié dans NaCl physiologique non bactériologique.	Ensemencement direct sur gélose décrite plus loin est primordial.	Ne s'applique pas	Gram: à faire → aspect en banc de poissons de cocco bacille Gram -.	Gélose chocolat + 1 % à 2 % d'hémoglobine, 5 % sérum de veau foetal + 10 % CVA (Gibco), vancomycine 3mg/ml (réf. 1, 10). Incuber à 35 °C, 5-10 % CO_2 × 9 jours.
	4) *Chlamydia trachomatis* serovar L (culture)	Idem à *Chlamydia* pour culture (voir «Urètre»).				
		N.B. Sérologie pour seroval L peut mener au diagnostic.				

Tableau 5.4.11 Bubon (adénopathie inguinale)

Les MTS impliquées dans le bubon sont le *Treponema pallidum* (syphilis), l'*Herpes simplex*, l'*Haemophilus ducreyi* (chancre mou), la *Chlamydia trachomatis* sérovar L (lymphogranulome vénérien) et le *Calymmatobacterium granulomatis* (granulome inguinal).

Les autres agents retrouvés sont multiples et rares : maladie des griffes du chat, *Staphylococcus aureus*, *Streptococcus* groupe A, tularémie, peste, etc.

N. B. Le diagnostic est souvent difficile à poser.

SITE	PATHOGÈNES RECHERCHÉS	PRÉLÈVEMENT	MILIEU DE TRANSPORT	CONDITIONS DE TRANSPORT	COLORATION	ENSEMENCEMENT
	1) *Treponema pallidum*	Sérologie VDRL. Fond noir (voir « Ulcères »)				
	2) *Haemophilus ducreyi*	Aspiration à la seringue ou biopsie.	Aviser le laboratoire pour ensemencement direct sur milieu adéquat.	Idem à « Ulcères génitaux ».		
	3) *Chlamydia trachomatis* serovar L	Aspiration à l'aiguille ou biopsie.	Idem à *Chlamydia*; pour culture, voir « Urètre ».			
		N.B. Sérologie pour serovar L préférable.				
	4) *Calymmatobacterium granulomatis*	Biopsie.	Milieu de transport pour histologie en pathologie.	Contacter votre laboratoire de pathologie.		

6

INTERPRÉTATION DES RÉSULTATS DE LABORATOIRE

Pierre L. Turgeon et Fernand Turgeon

Le diagnostic médical repose sur le questionnaire et l'examen du patient. Pour certains patients on prescrira aussi des épreuves de laboratoire. Ces analyses peuvent être utilisées à trois fins différentes: pour le dépistage (appliqué aux personnes subjectivement et cliniquement asymptomatiques), pour le diagnostic (appliqué aux personnes subjectivement et /ou cliniquement symptomatiques) ou pour vérifier l'efficacité thérapeutique.

Le clinicien doit d'abord se soucier d'interpréter correctement un résultat d'analyse de laboratoire. Pour ce faire, il a besoin de connaître la valeur prédictive des résultats obtenus. Il pourra ainsi déterminer si la personne est atteinte de la maladie ou pas.

Cette valeur prédictive dépend à la fois de la sensibilité, de la spécificité et de la prévalence par rapport à la maladie à diagnostiquer. Une épreuve est sensible si elle est positive en présence de la maladie; elle est spécifique si elle est négative en l'absence de la maladie; enfin, la prévalence représente le nombre de personnes atteintes à un moment donné. Malheureusement, aucune épreuve de laboratoire n'a une sensibilité ou une spécificité de 100 %.

Pour mieux comprendre ces notions fort importantes, prenons un exemple hypothétique. Supposons que l'on veuille évaluer la prévalence de la chlamydiase cervicale auprès de 1 000 femmes à l'aide d'une nouvelle analyse de détection de la chlamydiase. Les résultats obtenus permettraient d'établir une grille. On y retrouverait dans le sens vertical les personnes saines ou atteintes de cervicite à *C. trachomatis* tel que prouvée par le test de référence. Dans le sens horizontal, on aurait les résultats obtenus avec la nouvelle analyse (positif ou négatif). Le tableau 6.1 permet d'évaluer cette nouvelle analyse.

Tableau 6.1

	CHLAMYDIASE CERVICALE		
TEST	PRÉSENCE	ABSENCE	TOTAL
positif	90 (VP)	27 (FP)	117
négatif	10 (FN)	873 (VN)	883
TOTAL	100	900	1 000

Dans l'exemple choisi, des 100 femmes qui étaient atteintes de cervicite à *Chlamydia*, 90 ont eu une épreuve positive (les vraies positives ou VP), tandis que 10 femmes atteintes n'ont pas été détectées (les fausses négatives ou FN).

Par ailleurs, sur les 900 femmes exemptes de chlamydiase, 873 avaient une épreuve négative (les vraies négatives ou VN), tandis que, pour 27 d'entre elles, l'épreuve les déclarait faussement atteintes (les fausses positives ou FP).

L'analyse des résultats nous permet à l'aide de formules établies de déterminer la sensibilité et la spécificité de ce nouveau test.

Le degré de sensibilité de cette épreuve correspond à la proportion des résultats vraiment positifs (VP) au sein de la population infectée:

$$\frac{VP}{VP + FN} \times 100 = \frac{90}{90 + 10} \times 100 = 90\ \%$$

La spécificité correspond à la proportion des résultats vraiment négatifs (VN) au sein de la population non infectée:

$$\frac{VN}{VN + FP} \times 100 = \frac{873}{873 + 27} \times 100 = 97\ \%$$

Si une épreuve était sensible à 100 %, tous les patients atteints de la maladie seraient détectés. D'autre part, une épreuve ayant une spécificité de 100 % pour une maladie donnée montrerait un résultat négatif chez tous les sujets n'ayant pas la maladie. Malheureusement, aucune analyse n'est sensible ou spécifique à 100 %. En pratique, aucune épreuve n'est parfaite et il y a, à l'occasion, des résultats faussement négatifs (FN) ou faussement positifs (FP).

La valeur prédictive d'une épreuve positive (VPP) est une donnée importante pour le clinicien. Elle se définit comme le pourcentage de résultats vraiment positifs au sein de la population qui a une épreuve de laboratoire positive. Ainsi, dans l'exemple choisi parmi les patientes ayant un résultat positif, près des trois quarts (76,9 %) souffraient réellement d'une cervicite à *Chlamydia*.

$$VPP = \frac{VP}{VP + FP} - 100 = \frac{90}{90 + 27} \times 100 = 76{,}9\ \%$$

La valeur prédictive d'une épreuve négative (VPN) est utile pour déterminer la proportion de personnes n'ayant pas la maladie au sein de la population dont l'épreuve s'est avérée négative (VN et FN). Dans l'exemple choisi, la valeur prédictive VPN s'exprime ainsi:

$$VPN = \frac{VN}{VN + FN} \times 100 = \frac{873}{873 + 10} \times 100 = 98{,}9\ \%$$

La prévalence de la maladie est un paramètre très important dans la détermination de la valeur prédictive d'un résultat positif (VPP). Dans l'exemple choisi, la prévalence de la chlamydiase dans la population étudiée était de 10 %. Reprenons le même exemple au sein d'une population chez qui la prévalence ne serait que de 2 % (tableau 6.2).

Tableau 6.2

	CHLAMYDIASE CERVICALE		
TEST	PRÉSENCE	ABSENCE	TOTAL
positif	18 (VP)	29 (FP)	47
négatif	2 (FN)	951 (VN)	953
TOTAL	20	980	1 000

La valeur prédictive d'un résultat positif ne sera que de 38,3 %:

$$\frac{18}{18 + 29} \times 100 = 38{,}3\ \%$$

À l'inverse, la valeur prédictive d'un résultat négatif sera de 99,8 %.

$$\frac{951}{951 + 2} \times 100 = 99\ \%$$

Autrement dit, si la prévalence de la maladie n'est que de 2 %, même avec une spécificité très élevée (97 %), un test positif sera réellement indicatif de la maladie chez moins de 40 % des sujets. Inversement, plus de 60 % des résultats positifs se rapporteront à des personnes non affectées par la maladie recherchée. Par ailleurs, un test négatif exclut pratiquement la maladie (VPN à 99,8 %).

En pratique, il est important de ne pas procéder sans discernement à des épreuves de dépistage auprès de toute la population avec un test dont la spécificité n'est pas proche de 100 %. En effet, si la prévalence de la maladie est très faible, il pourra en résulter une quantité élevée de résultats faux-positifs et la décision clinique qui en découlera sera d'autant plus difficile à justifier.

Cependant, on peut augmenter la valeur prédictive d'un test positif si on effectue l'analyse au sein d'une population chez qui la fréquence de la maladie est plus élevée en la sélectionnant au préalable selon certains critères comme les facteurs de risque (entre 18 et 24 ans), nombre de partenaires récents, signes cliniques compatibles avec une cervicite, etc.). Ainsi, au sein de cette population, un résultat positif signifie une probabilité plus élevée de présence de la maladie et facilite la démarche clinique.

Les épreuves de laboratoire viennent souvent compléter l'histoire et l'examen physique des bénéficiaires. La pertinence des tests de laboratoire est la pierre angulaire de leur utilité dans le dépistage des maladies infectieuses. Cependant, la qualité de l'interprétation des résultats repose sur la compréhension globale de la valeur d'une épreuve de laboratoire. Pour la *Neisseria gonorrhoeae* par exemple, si le résultat de la culture est négatif, il faut s'assurer, pour bien interpréter ce résultat, que le prélèvement a été adéquat, qu'il a été transporté rapidement au laboratoire dans un milieu approprié et que le patient ne recevait pas d'antibiotiques capables d'inhiber la croissance de ce germe. Dans le cas d'un résultat négatif pour la recherche de *Chlamydia trachomatis*, il faut s'assurer que le prélèvement contenait bien des cellules du tiers distal de l'urètre ou du col, et pas seulement du pus provenant de l'écoulement urétral ou du col, que la personne ne prenait pas d'antibiotiques et que l'échantillon soumis n'a pas été prélevé pendant la période d'incubation de la maladie (la période d'incubation de *C. trachomatis* est beaucoup plus longue que celle de *N. gonorrhoeae*).

L'épreuve de laboratoire est objective: lorsqu'elle est positive, elle augmente la probabilité d'une maladie et peut déboucher sur une conduite thérapeutique; lorsqu'elle est négative, elle diminue la probabilité de la maladie. Il faut cependant connaître les paramètres de sensibilité et de spécificité de l'épreuve de laboratoire, et surtout connaître la prévalence de la maladie que l'on veut détecter, pour mieux apprécier la valeur d'un résultat positif ou négatif.

L'interprétation d'une épreuve de laboratoire déborde largement la dimension purement analytique. En effet, la prise d'antibiotiques et les circonstances du prélèvement (procédure, site, nature et transport) peuvent influencer considérablement les résultats.

Les analyses de laboratoire sont des outils précieux. Encore faut-il savoir les utiliser à bon escient et de façon pertinente; il faut aussi en connaître les limites.

BIBLIOGRAPHIE

1. GADDIS, G.M. et GADDIS, M.L. «Introduction to biostatistics. Part 3: Sensitivity, specificity, predictive value, and hypothesis testing». *Ann Emerg Med* 1990, chap. 19, p. 591-597.

2. ILLSTRUP, D.M. «Statistical methods in microbiology». *Clin Microbiol Rev*, Vol. 3, 1990, chap. 3, p. 219-226.

DEUXIÈME PARTIE

LES PRINCIPALES MTS AU QUÉBEC

7

LES CHLAMYDIASES

Anne-Marie Bourgault et Pierre René

7.1 DÉFINITION

Le genre *Chlamydia* comprend trois espèces: *C. trachomatis, C. psittaci* et *C. pneumoniae.* L'espèce *C. trachomatis* comprend deux variantes biologiques: la première, responsable du lymphogranulome vénérien (LGV), MTS rare en Amérique du Nord, et la deuxième, responsable du trachome et des infections génitales. Le développement récent de méthodes diagnostiques spécifiques a permis de définir le spectre clinique des infections à *C. trachomatis* transmises sexuellement (voir tableau 7.1, p. 116) et l'importance de ces infections tant symptomatiques qu'asymptomatiques pour la santé publique.

7.2 L'AGENT ÉTIOLOGIQUE

Les *Chlamydiae* sont des bactéries immobiles à Gram négatif et des parasites intracellulaires obligatoires. Elles se multiplient à l'intérieur du cytoplasme des cellules de l'hôte, formant des inclusions intracellulaires caractéristiques. Elles se distinguent des virus par leur contenu en ADN et ARN, par leur paroi cellulaire semblable en structure à celle des bactéries Gram négatifs et par leur sensibilité à certains antibactériens tels les tétracyclines et l'érythromycine.

7.2.1 Le cycle de reproduction

Après s'être attachés aux récepteurs spécifiques à la surface des cellules, les corps élémentaires – c'est le nom donné aux bactéries à ce stade – pénètrent dans la cellule par endocytose et sont contenus dans une vacuole. Une fois à l'intérieur de la cellule, le corps élémentaire se réorganise en corps réticulé à l'intérieur d'une inclusion. Ce dernier se divise par fission binaire et se transforme ensuite à nouveau en corps élémentaire qui sera libéré de la cellule. Le corps élémentaire est la forme infectieuse de *C. trachomatis* adaptée pour la survie extracellulaire.

7.2.2 La structure antigénique

Les *Chlamydiae* ont des antigènes spécifiques du genre, de l'espèce ou des types. On reconnaît quinze sérotypes (serovars) de *C. trachomatis*, qui sont à l'origine d'une variété de maladies.

Sérotypes A-C: trachome

Sérotypes D-K: urétrite, cervicite, endométrite, salpingite, périhépatite, épididymite, proctite, conjonctivite, syndrome de Reiter conjonctivite et pneumonie du nouveau-né

Sérotypes L1-3: lymphogranulome vénérien

7.3 L'ÉPIDÉMIOLOGIE

Les infections causées par *C. trachomatis* sont parmi les plus fréquentes MTS. Au Canada, on estimait la fréquence annuelle à 100 000 cas en 1989. Hommes, femmes et enfants sont atteints, mais les conséquences sont plus sérieuses chez les femmes en raison de deux complications majeures: les grossesses ectopiques et l'infertilité.

Chez l'homme, *C. trachomatis* est responsable de 30 à 50 % des cas d'urétrite non gonococcique, de 50 à 80 % des cas d'urétrite postgonococcique et d'environ 50 % des cas d'épididymite.

Les infections chez les femmes sont encore plus importantes. La plupart de ces infections sont asymptomatiques, mais *C. trachomatis* joue un rôle important dans la cervicite muco-purulente (de 30 à 50 %), la maladie inflammatoire pelvienne (de 25 à 50 %) et les infections maternelles et néonatales, durant la grossesse (de 3 à 12 %) comme après l'accouchement. Grossesses ectopiques et infertilité peuvent compliquer les infections tubaires symptomatiques et asymptomatiques. De plus, *C. trachomatis* est associée au syndrome urétral (dysurie-pyurie) (de 20 à 30 %) et à la périhépatite (syndrome de Fitz-Hugh-Curtis).

Le nouveau-né qui contracte *C. trachomatis* à la naissance court le risque de développer une conjonctivite à inclusion et une pneumonie.

7.3.1 Les facteurs de risque

Les facteurs de risque pour des infections à *C. trachomatis* sont: le jeune âge (de 15 à 24 ans), le nombre de partenaires sexuels, la préférence hétérosexuelle, le contact avec un partenaire atteint de MTS, la coexistence d'une autre MTS, la non-utilisation d'une méthode de contraception de type barrière mécanique ou chimique. La prévalence des infections urétrales chez les homosexuels masculins est d'environ un tiers de celle chez les hétérosexuels; cependant, de 4 à 8 % des homosexuels dans les cliniques de MTS ont une infection rectale à *C. trachomatis*.

On ne saurait trop insister sur le fait que la plupart des femmes avec infection cervicale, comme la plupart des homosexuels avec infection rectale et 30 % des hétérosexuels avec infection urétrale, sont peu ou pas symptomatiques.

7.4 LA PRÉSENTATION CLINIQUE

Le spectre clinique des MTS associées à *C. trachomatis* est résumé dans le tableau 7.1 (voir p. 116).

7.4.1 Les infections autres que le lymphogranulome vénérien

7.4.1.1 Les infections rencontrées chez la femme

Trois syndromes sont bien caractérisés chez la femme: la cervicite muco-purulente, le syndrome urétral et la maladie inflammatoire pelvienne.

7.4.1.1.1 La cervicite muco-purulente

Voici des éléments qui amènent un diagnostic de cervicite muco-purulente: la présence de sécrétions muco-purulentes de l'endocol, habituellement jaunâtres ou verdâtres sur la tige montée, plus de dix polynucléaires par champ à l'immersion sur une coloration de Gram des sécrétions endocervicales, la présence d'une cervicite démontrée par la friabilité du col au premier prélèvement (saignement) ou par une zone d'érythème ou d'œdème dans une zone d'ectopie cervicale.

7.4.1.1.2 La maladie inflammatoire pelvienne (MIP)

La MIP représente la complication la plus sérieuse des infections à *C. trachomatis*, puisqu'elle est suivie une fois sur quatre de complications à long terme comme l'infertilité tubaire, la grossesse ectopique ou la douleur pelvienne chronique.

Les MIP aiguës se manifestent par une douleur au bas de l'abdomen, une douleur annexielle et une douleur induite par le mouvement latéral du col utérin. Cependant, les infections tubaires évoluent souvent sans signe apparent. La plupart du temps, on ne retrouve pas d'histoire de MIP.

7.4.1.1.3 Le syndrome urétral

Le syndrome urétral aigu se définit par la présence de symptômes d'infection urinaire basse, principalement la dysurie, la présence de pyurie à l'analyse d'urine et une culture d'urine négative.

7.4.1.1.4 La grossesse

L'impact de l'infection à *C. trachomatis* chez la femme enceinte est encore controversé. Certaines études suggèrent que cette infection augmenterait le risque d'accouchement prématuré, de rupture prématurée des membranes et d'endométrite post-partum. La transmission verticale de *C. trachomatis* conduit à la conjonctivite néonatale (de 25 à 50 % des cas) et à la pneumonie (10 %).

L'endométrite post-partum à *C. trachomatis* survient de 2 à 3 semaines après l'accouchement. Les symptômes sont habituellement peu sévères et se caractérisent par un saignement ou des pertes vaginales anormales, une légère fièvre et une douleur abdominale ou pelvienne basse.

7.4.1.2 Les infections rencontrées chez l'homme

7.4.1.2.1 L'urétrite

Après une période d'incubation variant de 1 à 3 semaines, apparaissent écoulement urétral, prurit ou dysurie. La présence de 4 polymorphonucléaire (PMN) par champ microscopique à l'immersion et de plus de 15 PMN par champ à l'examen microscopique (400 ×) du sédiment urinaire est consistante avec le diagnostic d'urétrite. Il est à noter que plus de 20 % des infections urétrales sont asymptomatiques.

7.4.1.2.2 L'épididymite

Cette complication survient dans environ 3 % des cas d'urétrite à *C. trachomatis*. Cependant, *C. trachomatis* est responsable de la majorité des cas d'épididymites chez les moins de 35 ans.

7.4.1.2.3 La proctite

La proctite se caractérise par la présence des symptômes suivants: douleur anale, écoulement anal, ténesme et constipation. La muqueuse rectale est érythémateuse et on observe un infiltrat polymorphonucléaire de la *lamina propria* à l'examen histologique.

7.4.1.2.4 Le syndrome de Reiter

Le syndrome de Reiter, une condition d'étiologie incertaine qui se manifeste classiquement par une urétrite, une arthrite, une conjonctivite et une dermatite, complique une faible proportion des cas d'urétrite à *C. trachomatis*. Les symptômes ne sont pas nécessairement tous présents ni simultanés. Les individus porteurs de l'haplotype HLA-B27 pourraient être davantage sujets à cette complication.

Il n'y a pas d'évidence convaincante associant la prostatite ni l'infertilité masculine à *C. trachomatis*.

7.4.1.3 Les infections rencontrées chez le nouveau-né

7.4.1.3.1 La pneumonie

C. trachomatis cause une pneumonie interstitielle afébrile de 3 à 6 semaines après la naissance chez 10 % des bébés nés de mères infectées.

7.4.1.3.2 La conjonctivite

C. trachomatis est actuellement la première cause d'ophtalmie néonatale en dépit de l'utilisation d'une prophylaxie adéquate à la naissance.

7.4.2 Le lymphogranulome vénérien (LGV)

Le lymphogranulome vénérien est une infection à transmission sexuelle causée par les sérotypes L1, L2 et L3 de *C. trachomatis*. Le LGV est plus fréquent dans les régions tropicales. Dans les pays occidentaux, la maladie est rare et survient généralement chez les voyageurs et chez les homosexuels.

Les manifestations cliniques du LGV sont nombreuses et polymorphes. Le LGV évolue en trois stades successifs: le stade primaire, cutanéo-muqueux et transitoire; le stade secondaire, ganglionnaire; le stade tertiaire, tardif, avec des lésions destructrices fibrotiques et des troubles du drainage lymphatique.

7.4.2.1 Le stade primaire

Après une période d'incubation variant de 3 à 30 jours apparaît une petite ulcération indolore et non indurée, guérissant en quelques jours au site d'inoculation.

7.4.2.2 Le stade secondaire

Les manifestations secondaires comportent un syndrome ganglionnaire localisé et des signes systémiques. Elles surviennent entre quelques jours et quelques semaines après la phase primaire, et en moyenne, de 6 à 10 semaines après l'infection. Chez l'homme, on trouve des ganglions inguinaux douloureux entourés d'une périadénite, qui peuvent se transformer en bubon inguinal fistulisant souvent à la peau. L'atteinte est unilatérale dans plus de 60 % des cas. Chez la femme, les ganglions affectés peuvent être inguinaux, pelviens, rétropéritonéaux et périanaux, suivant le site primaire d'inoculation.

Les manifestations systémiques sont fréquentes et comportent de la fièvre, des frissons, des myalgies, des arthralgies et parfois un érythème noueux.

7.4.2.3 Le stade tertiaire

À ce stade, les manifestations résultent de lésions secondaires non traitées: cicatrice fibreuse et troubles du drainage lymphatique avec lymphœdème et éléphantiasisme. Une dégénérescence néoplasique est possible au niveau anorectal et vulvaire.

7.5 L'ÉVALUATION BIOLOGIQUE

7.5.1 La détection de *C. trachomatis*

L'absence d'épreuve simple, peu coûteuse et fiable pour le diagnostic des infections à *C. trachomatis* a jusqu'à maintenant limité les efforts. Les caractéristiques des trois tests disponibles sont résumées au tableau 7.2 (voir p. 117).

7.5.1.1 La culture cellulaire

La culture cellulaire est une méthode de référence: elle exige des organismes viables et un système de culture cellulaire avec colorant pour identifier les inclusions intracellulaires. La lignée cellulaire de choix est McCoy. La culture a comme principal avantage sa spécificité: de plus, elle s'applique à tous les types de prélèvement. Par contre, il a jusqu'à maintenant été impossible d'en déterminer la sensibilité puisqu'il s'agit de la méthode de référence. On estime que la culture a une sensibilité de 80 à 100 % et une spécificité de 100 %. Il faut retenir qu'un mauvais prélèvement, l'utilisation d'un écouvillon toxique, un milieu de transport inapproprié, le délai et les mauvaises conditions de transport ainsi que la contamination du spécimen peuvent donner des résultats faussement négatifs. Le coût peut devenir prohibitif.

7.5.1.2. La détection d'antigènes à l'aide d'anticorps monoclonaux conjugués à la fluorescéine

Cette méthode consiste à détecter la présence de corps élémentaires extracellulaires grâce à des anticorps monoclonaux fluorescents. Elle est très utile dans les populations à risque pour les spécimens provenant du col, de l'urètre et du rectum chez l'adulte, ainsi que pour les spécimens provenant de la conjonctivite chez l'adulte et chez l'enfant.

7.5.1.3 La détection d'antigènes à l'aide d'épreuve immuno-enzymatique (EIA)

Cette méthode est plus sensible pour les spécimens du col chez la femme que pour les spécimens urétraux chez l'homme. Chez l'adulte, elle peut être appliquée à ces deux types de spécimens ainsi qu'à ceux de l'urine chez l'homme.

Les facteurs qui influencent la valeur diagnostique et le choix des tests de détection d'antigènes sont: le sexe (tests plus sensibles chez les femmes que chez les hommes), la symptomatologie (tests plus fiables dans les populations symptomatiques), le site de l'infection, le type de population (à risque ou non), et la technique de laboratoire elle-même (sensibilité, spécificité, valeur prédictive positive ou négative), la facilité d'exécution, la quantité de tests qu'on peut faire avec une main-d'œuvre donnée et le coût. Certains facteurs relèvent des laboratoires de microbiologie. La valeur des tests dépend principalement de la prévalence de la maladie dans la population testée: ainsi, la valeur prédictive positive d'un test sera plus basse pour une population à faible risque que pour une population à prévalence élevée, même si le test est hautement sensible et spécifique. Par exemple, dans une population où la prévalence est de 5 %, un test ayant un degré de sensibilité et de spécificité de 95 % a une valeur prédictive positive de seulement 50 %.

On ne saurait trop insister par ailleurs sur l'importance de la qualité des spécimens et des programmes de contrôle de qualité en laboratoire.

7.5.2 La sérologie

Deux tests sérologiques standardisés sont disponibles pour le diagnostic des infections à *C. trachomatis*: la fixation du complément (FC) et la micro-immunofluorescence (MIF). Ni l'un ni l'autre n'est utile pour l'évaluation systématique des infections génitales à *C. trachomatis* autres que le lymphogranulome vénérien. La réaction du test de MIF est plus sensible et plus spécifique que celle du test de FC. La première permet également de distinguer les IgM des IgG et de déterminer le sérotype de *C. trachomatis* responsable de l'infection.

La plupart des individus infectés par *C. trachomatis* développent éventuellement des anticorps IgG détectables par un test sérologique de micro-immunofluorescence. De plus, presque toutes les femmes et la majorité des hommes ont une sérologie positive IgG au moment d'une culture positive. Malgré cette excellente sensibilité, la sérologie est peu utile dans le diagnostic des infections à *C. trachomatis* chez l'adulte. Ceci est dû en partie au fait que la majorité des individus à risque (plus de 60 %) ont déjà été exposés à *C. trachomatis* et qu'ils ont des IgG détectables dans le sang; de plus, une montée des IgG ou IgM positifs est rarement détectée chez les patients avec infection génitale non compliquée. Il pourrait y avoir de rares circonstances ou la sérologie serait utile, en particulier la possibilité d'éliminer toute infection à *C. trachomatis*.

Un seul test positif permet rarement le diagnostic d'une infection active à *C. trachomatis*.

Le diagnostic sérologique du LGV repose sur la fixation du complément et la réaction de micro-immunofluorescence indirecte. La réaction de fixation du complément utilise un antigène commun à toutes les espèces de *C. trachomatis*. Sa sensibilité est de 70 à 80 %. Comme cette méthode détecte également des anticorps au sein des autres infections à *C. trachomatis*, seul un titre supérieur ou égal à 1/64 est considéré spécifique du LGV.

En résumé, il peut être plus ou moins important, suivant la situation clinique, d'obtenir des analyses microbiologiques spécifiques.

Il est nécessaire de faire une culture dans les cas de victimes d'agression sexuelle puisque la culture est une méthode qui a une valeur médico-légale.

Il est très souhaitable d'obtenir l'un des trois tests spécifiques (culture, EIA ou immunofluorescence) dans les cas suivants: le dépistage des infections asymptomatiques, l'évaluation des cervicites et des pelvipéritonites, le diagnostic incertain, la persistance des symptômes et autres signes post-traitement, et le traitement des partenaires sexuels asymptomatiques d'une personne présentant un syndrome de MTS.

7.6 LA THÉRAPIE

La conduite initiale varie suivant qu'il est possible d'obtenir des résultats d'épreuves diagnostiques dès la première visite ou pas. En présence de symptômes compatibles avec une infection à *C. trachomatis*, il faut traiter sans délai.

7.6.1 Les infections à *C. trachomatis* autres que le LGV

Le traitement recommandé, tant par le LLCM que par les *Centers for disease control* est la doxycycline 100 mg PO, deux fois par jour pendant sept jours pour les infections non compliquées chez les hommes et chez les femmes qui ne sont pas enceintes. Il est à noter que la durée de traitement à la doxycycline proposée dans les guides gouvernementaux diffère de celle mentionnée dans la monographie du produit qui est de dix jours. L'avantage de la doxycycline est sa fréquence (deux fois par jour), ce qui peut améliorer la compliance et réduire les échecs thérapeutiques, mais elle coûte plus cher. Une thérapie alternative pour les femmes enceintes et les personnes intolérantes aux tétracyclines est l'érythromycine, 500 mg PO, quatre fois par jour pendant sept jours. Si une intolérance digestive survient avec l'érythromycine à 500 mg PO, quatre fois par jour, on peut lui substituer l'érythromycine 250 mg, quatre fois par jour pendant quatorze jours. L'utilisation de l'ofloxacine pour le traitement des infections à *C. trachomatis* n'est pas recommandée à l'heure actuelle, mais est autorisée par la DGPS pour les infections non compliquées à une dose de 300 mg deux fois par jour pour sept jours.

Le traitement de l'épididymite se poursuit de 10 à 14 jours. Dans les cas de maladie inflammatoire pelvienne (MIP), plusieurs préfèrent la doxycycline pour 10 à 14 jours en raison de son administration deux fois par jour et de son activité supérieure sur certaines anaérobies.

Lorsque ces traitements sont administrés tels qu'il sont prescrits, leur efficacité est supérieure à 95 %. En présence d'une telle efficacité, des épreuves microbiologiques de contrôle post-traitement ne sont pas indiquées sauf en cas d'échec. À l'heure actuelle, seule la culture s'est avérée valide.

L'échec du traitement est lié à la non-fiabilité ou à l'absence de traitement des partenaires sexuels, et non à la résistance aux antibiotiques. Par conséquent, en présence d'une infection prouvée à *C. trachomatis*, s'il y a échec thérapeutique, on doit simplement répéter le même traitement.

Toutes les personnes avec qui l'individu infecté a eu des rapports sexuels durant les 30 jours précédant l'évaluation clinique ou le début des symptômes devraient subir un examen de détection de MTS. S'il y a lieu, elles devraient être traités immédiatement avec un des régimes énumérés précédemment afin de diminuer les risques de réinfection et de complications.

En présence d'une infection gonococcique, il faut toujours traiter le *C. trachomatis*.

7.6.2 Le LGV

Les traitements éprouvés pour le traitement du LGV sont: la doxycycline 100 mg PO, deux fois par jour pendant 21 jours ou le sulfaméthoxazole (ou sulfisoxazole) 1 g PO, deux fois par jour pendant 21 jours. Il n'y a pas de corrélation entre la guérison et la chute des taux d'anticorps sériques.

7.7 LA PRÉVENTION ET LE COUNSELLING

Il faut informer le patient sur sa maladie, sur les dangers qu'elle comporte pour sa propre santé et pour celle des autres, ainsi que sur les modes de prévention, de transmission et de traitement. Il est bon de saisir cette occasion pour promouvoir l'utilisation des préservatifs dans toute situation à risque de MTS.

7.8 LES CONSIDÉRATIONS DE SANTÉ PUBLIQUE

Plusieurs individus infectés, en particulier les femmes, sont asymptomatiques, même si des complications sérieuses surviennent. Étant donné le fait que les infections à *C. trachomatis* sont très fréquentes, un dépistage en règle des populations à risque est très désirable en vue de contrôler ces infections. Cependant, le coût relativement élevé des tests diagnostiques et leur sensibilité souvent sub-optimale obligent à établir des priorités pour le dépistage (voir le chapitre sur la prévention).

Il est rentable d'offrir le dépistage à toutes les femmes jeunes et sexuellement actives, pour identifier les individus infectés et procéder à un traitement avant que des séquelles ne se développent.

Bien qu'il n'y ait pas de ligne directrice officielle à ce jour, la prévalence observée de l'infection suggère aussi d'appliquer le dépistage systématique aux hommes hétérosexuels jeunes qui ont des antécédents de relations non exclusives. Il s'agit d'une maladie à déclaration obligatoire.

7.9 LE SUIVI

Dans le cas de pelvipéritonite, toutes les malades doivent être réexaminées de 48 à 72 heures après le début du traitement afin d'évaluer leur réponse et, au besoin, de réévaluer le diagnostic. Il faudrait également les réexaminer à la fin du traitement et au moins une fois plusieurs semaines après la fin du traitement. Les examens de suivi sont aussi fortement recommandés dans tous les cas de MTS au cours d'une grossesse.

Lors des examens de suivi, il faut demander au malade s'il observe le traitement, s'il a des réactions indésirables, s'il présente des symptômes, si son partenaire a été traité et s'il a repris ses activités sexuelles. Dans ce cas, il faut demander s'il a des relations avec un nouveau partenaire ou avec son ancien partenaire et s'il utilise une méthode de contraception dite de barrière ou un spermicide.

Dans les cas exceptionnels où une épreuve de contrôle est indiquée, elle doit être faite de 3 à 4 semaines après le traitement. Il ne faut pas appliquer les techniques de détection des antigènes (Chlamydiazyme, Microtrak) dans les vérifications de l'efficacité du traitement; dans cette situation, une culture s'impose.

BIBLIOGRAPHIE

1. Santé et Bien-être social Canada. Lignes directrices canadiennes pour la prévention, le diagnostic, la prise en charge et le traitement des maladies transmises sexuellement chez les nouveau-nés, les enfants, les adolescents et les adultes. *RHMC*, Vol. 18S1, avril 1992.

2. US Department of Health and Human Services Center for Disease Control. «Chlamydia trachomatis infections». Policy guidelines for prevention and control, *MMWR*, 34:53S, 1985.

3. BELL, T.A. «Chlamydia trachomatis infections in adolescents». *Medical Clinics of North America*, 74:5, 1990.

4. VINCELETTE, J., BARIL, J.-G. et ALLARD, R. «Predictors of chlamydial infection and gonorrhea among patients seen by private practitioners». *Can Med Assoc J*, Vol. 144, p. 713-721.

Tableau 7.1 Spectre clinique des MTS associées à *Chlamydia trachomatis*

HOMMES	FEMMES	NOUVEAU-NÉS
Infections	***Infections***	***Infections***
Urétrite	Cervicite	Conjonctivite
Proctite	Urétrite	Pneumonie
Conjonctivite	Proctite	
Infection asymptomatique	Conjonctivite	
LGV	Infection asymptomatique	
	LGV	
Complications	***Complications***	
Épididymite	Salpingite	
Syndrome de Reiter	Endométrite	
	Périhépatite	
	Grossesse ectopique	
	Infertilité	

Tableau 7.2 Caractéristiques de différentes analyses de laboratoire pour le diagnostic des infections à *Chlamydia trachomatis*

Caractéristique	**Culture cellulaire**	**Immunofluorescence**	**EIA**
Sites	Tous	Col, urètre Conjonctive Rectum Nasopharynx*	Col, urètre conjonctive Nasopharynx* Urine (hommes)
Sensibilité	Élevée	Bonne	Bonne
Spécificité	Elevée	Bonne	Bonne
Température de transport	4 °C	Ambiante	Ambiante
Temps maximum jusqu'au labo	24 h	7 jours	48 h
Température de conservation de la trousse de prélèvement	< 5 °C	Ambiante	Ambiante
Temps minimum pour l'obtention du résultat	48 h	30 min	4 h
Vérification de la valeur du spécimen	Non	Oui	Non
Valeur médico-légale	Élevée	Faible	Faible
Interprétation de l'analyse	Subjective	Subjective	Objective

* Nouveau-nés

8

LES INFECTIONS À VIRUS *HERPES SIMPLEX HOMINIS*

Claire Béliveau

8.1 DÉFINITION

L'herpès génital est une maladie transmissible d'étiologie virale. Cette maladie de plus en plus fréquente est incurable, récurrente et peut causer des infections néonatales. Certaines études l'associent à la dysplasie ou au carcinome du col utérin.

8.2 LES AGENTS ÉTIOLOGIQUES

Herpes virus hominis, communément appelé virus de l'herpès simplex, comprend deux sérotypes: le type 1 (VHS 1) et le type 2 (VHS 2).

8.3 L'ÉPIDÉMIOLOGIE

L'infection se transmet par contact direct, à partir d'un individu symptomatique ou non, par les sécrétions orales ou génitales. Le plus souvent, les lésions orales sont associées au VHS 1 et les lésions génitales au VHS 2. Cependant, il existe plusieurs exceptions qui dépendent du type d'inoculation (relation orale-génitale) et de l'immunité sous-jacente du sujet récepteur.

De 30 à 50 % des adultes issus de groupes socio-économiques élevés ont des anticorps vis-à-vis de l'herpès; à l'inverse, la séroprévalence est de 80 à 100 % dans les groupes provenant de milieux défavorisés. Pour ce qui est de la présence d'anticorps spécifiques vis-à-vis de VHS 2, elle passe de 3 % chez les religieuses à 70 % chez les prostituées.

8.4 LA PRÉSENTATION DE CAS

8.4.1 L'histoire

Il existe trois types d'infection génitale herpétique: le premier épisode primaire, le premier épisode non primaire et la récurrence.

Le premier épisode primaire est vraiment une primo-infection et affecte les individus qui ne sont jamais venus en contact avec le virus de l'herpès simplex et qui sont séronégatifs pour les anticorps VHS. En général, ces individus présentent les formes cliniques les plus sévères.

Le premier épisode non primaire se réfère à la première atteinte au niveau génital chez un individu qui a déjà été en contact avec le virus. Ces individus font généralement des infections moins sévères.

Le premier épisode génital, qu'il soit primaire ou non, survient habituellement à l'adolescence ou chez le jeune adulte. Il peut être symptomatique ou non, localisé ou associé à des symptômes extragénitaux (de 10 à 20 % des cas). L'incubation dure de 2 à 7 jours.

Les patients rapportent une histoire de lésions cutanées douloureuses habituellement localisées au niveau du gland ou du corps pénien chez l'homme et de la vulve chez la femme avec des ganglions inguinaux douloureux. Des lésions aux fesses et dans la région périanale peuvent aussi survenir. Une infection au niveau du col peut aussi se manifester par des pertes abondantes. La fièvre, une sensation de malaise général et des brûlements mictionnels accompagnent souvent les signes cutanés. Il arrive plus rarement que le patient se plaigne de rétention urinaire ou de constipation. Les lésions génitales primaires disparaissent en une à trois semaines.

Les récurrences sont causées par une réactivation du virus et surviennent malgré la présence d'anticorps circulants. Leur fréquence, de même que les facteurs déclenchants, varie beaucoup d'un individu à l'autre. Elles semblent plus fréquentes chez les hommes et plus fréquentes aussi lorsque les lésions génitales sont causées par VHS 2. Elles se manifestent souvent par un prodrome sous forme de picotements, de brûlures ou d'engourdissements de 6 à 12 heures avant l'apparition des vésicules; celles-ci disparaissent au bout de 6 à 10 jours.

8.4.2 L'évaluation médicale et les facteurs de risque comportementaux

Le questionnaire des patientes amène régulièrement la mention d'un nouveau partenaire. Il va de soi que la multiplicité des partenaires augmente le risque d'être exposé une première fois au virus.

8.4.3 L'examen physique

Chez l'homme, il faut chercher des lésions vésiculaires ou des ulcérations douloureuses au toucher, sur une base érythémateuse. Chez la femme, les lésions ont tendance à s'ulcérer et à se recouvrir d'un exsudat. La primo-infection s'accompagne habituellement d'adénopathies inguinales sensibles à la palpation.

8.5 LES ASPECTS DE LABORATOIRE

Bien que la présentation clinique suffise souvent à poser un diagnostic présomptif, il est indiqué de documenter un diagnostic étiologique dans les cas où les manifestations cliniques soulèvent la possibilité d'une autre pathologie, lorsque l'infection survient chez la femme enceinte et lorsque l'on songe à administrer une thérapie antivirale.

Comme pour toutes les infections virales, il est préférable de prélever les échantillons le plus tôt possible après l'apparition des lésions. Lorsque la technique diagnostique utilisée est l'isolement du virus par culture cellulaire, on a avantage à faire le prélèvement dans la même institution où l'on procède à l'analyse.

Il est aussi recommandé de procéder à une sérologie pour le diagnostic de la syphilis en phase aiguë et convalescente.

8.5.1 La culture cellulaire

La culture cellulaire demeure la technique de référence. La phase du transport est critique dans la recherche du virus herpès par culture cellulaire. Le virus de l'herpès simplex est un virus ADN entouré d'une membrane. Cette membrane rend le virus fragile et nous oblige à être très minutieux dans la méthode de prélèvement et d'acheminement au laboratoire.

Si l'on prélève des lésions cutanéo-muqueuses par écouvillonnage au stade vésiculaire, il faut retirer à l'aide d'une aiguille stérile le chapeau de la vésicule (cette étape n'est pas nécessaire si les lésions sont ulcérées), frotter la lésion avec un coton-tige qui *n'est pas* en bois, l'essorer vigoureusement, puis le tremper dans le milieu transport viral. Les milieux de transport sont habituellement conservés au réfrigérateur (+ 4 °C) avant leur utilisation. Ils contiennent un tampon et un indicateur pH. Une couleur rosée avant son utilisation et à la réception au laboratoire nous assure que le pH est demeuré dans des limites acceptables. L'acheminement au laboratoire doit se faire sur glace dans les plus brefs délais. Il faut éviter de cultiver les lésions croûtées qui contiennent peu ou pas de virus.

Une fois l'épreuve du transport franchie, l'isolement du virus en soi est relativement facile. La multiplication virale des deux sérotypes sur des lignées cellulaires est rapide. Un effet cytopathique (ECP) évocateur est obtenu en moins de trois jours dans la majorité des cas, mais il faut attendre jusqu'à quatorze jours avant de conclure à un résultat négatif. Il reste ensuite à typer le virus par immunofluorescence.

8.5.2 Les techniques de diagnostic rapide

8.5.2.1 La coloration de Tzanck

Cette technique consiste à rechercher des cellules géantes multinucléées dans un échantillon de la lésion obtenu par grattage, fixé puis coloré. Son avantage est sa grande accessibilité (laboratoire de pathologie, microscope optique), mais elle ne permet pas de distinguer si la lésion est causée par VHS 1, VHS 2 ou le virus de la varicelle. De plus la sensibilité de la technique (environ 60 % de celle de la culture cellulaire) varie avec le stade de la lésion (vésicule > pustule > croûte) et l'expérience du cytologiste.

8.5.2.2 La recherche d'antigène viral par immunofluorescence

Après avoir déposé en deux endroits sur une lame des cellules obtenues par grattage de la lésion, et avoir fixé la lame à l'acétone (ne pas déposer de Cytospray), on peut procéder à la recherche spécifique d'antigènes du virus de l'herpès simplex 1 ou 2, qu'il soit vivant ou non, en appliquant des anticorps monoclonaux liés à de la fluorescéine.

En plus de ne pas souffrir des aléas du transport, de permettre d'évaluer la qualité de l'échantillon par un décompte de cellules présentes sur la lame, cette méthode permet d'obtenir un résultat rapidement (la procédure comme telle prend 45 minutes). Elle exige cependant un microscope à fluorescence. La sensibilité et la spécificité sont respectivement de 75 % et 85 % par rapport à la culture cellulaire. Cette technique est d'autant plus sensible que les prélèvements sont faits précocement. Elle ne devrait pas être la seule procédure utilisée en particulier pour les prélèvements au niveau du col.

8.5.2.3 La recherche d'antigène viral par (EIA)

Cette épreuve immuno-enzymatique (EIA) est extrêmement attrayante tant par sa sensibilité et sa spécificité (de 95 à 100 %) qui sont indépendantes du stade de la lésion que par sa simplicité et sa rapidité d'exécution (quatre heures). Au surplus elle ne soulève pas de problème de transport (la trousse de prélèvement étant fournie par la compagnie). Par contre, elle ne permet pas de distinguer le sérotype 1 du sérotype 2, elle n'a pas été adéquatement évaluée dans les prélèvements au niveau du col, et elle exige un appareillage et des réactifs onéreux.

8.5.2.4 La recherche d'antigène viral par agglutination au latex

Malgré la simplicité de cette technique (peu de matériel requis, exécution en dix minutes), les résultats variables rapportés (sensibilité de 20 à 75 %) nous obligent à beaucoup de réserve face à cette nouvelle méthodologie.

8.5.3 La sérologie

La sérologie a un rôle restreint dans le diagnostic des infections à herpès simplex. On peut documenter une primo-infection lorsqu'il y a absence d'anticorps en phase aiguë avec apparition subséquente d'anticorps en phase convalescente. Dans les cas de réactivation du virus, moins de 5 % des patients montrent une augmentation significative du taux d'anticorps. De plus, les techniques sérologiques usuelles ne permettent pas de distinguer les anticorps à l'un ou l'autre sérotype (réaction croisée).

Dans un article récent sur l'analyse des facteurs de risque d'infection néonatale à herpès simplex, l'auteur soulève la possibilité de se servir du statut sérologique des parents pour évaluer le risque de transmission à l'enfant. Ainsi, il faut informer les femmes enceintes séronégatives, ou celles qui ont des anticorps anti-VHS 1 seulement et qui ont un partenaire séropositif pour VHS 2, sur l'importance d'avoir des relations sexuelles protégées dans la dernière moitié de la grossesse.

8.6 LA THÉRAPIE CURATIVE ET LA THÉRAPIE PALLIATIVE

Alors que la forme topique d'acyclovir modifie peu l'évolution naturelle de la maladie, plusieurs études ont démontré l'efficacité et l'innocuité de l'acyclovir, administré par voie systémique, dans le traitement et la prévention de l'herpès génital. Les craintes soulevées par certains sur l'apparition éventuelle de souches résistantes n'ont pas eu à ce jour de répercussion clinique chez l'immunocompétent.

8.6.1 L'infection primaire

- Indication: Premier épisode symptomatique d'une infection génitale à herpès simplex.
- Posologie: 200 mg, PO, cinq fois par jour pendant dix jours.
- Effets: Amélioration des symptômes, diminution du nombre de jours d'excrétion du virus, disparition plus rapide des lésions.

8.6.2 L'infection récurrente

- Indication: Traitement épisodique d'infection caractérisée soit par une longue période prodromique des symptômes incapacitants ou prolongés ou par des complications secondaires à l'infection herpétique tel l'érythème polymorphe ou la pustulose vaginale.
- Posologie: 200 mg, PO, cinq fois par jour pendant cinq jours.

8.6.3 La prophylaxie

- Indication: Récidives fréquentes (≥ 6 années) ou incapacitantes avec diagnostic étiologique prouvé.
- Posologie: 200 mg, PO, deux, trois ou quatre fois par jour ou 400 mg, PO, deux fois par jour.

L'indication du traitement suppressif devrait être réévaluée après un an.

Mise en garde: L'innocuité de l'acyclovir n'ayant pas été établie chez la femme enceinte, ce médicament ne devrait lui être prescrit que si les avantages potentiels sont supérieurs aux risques. Les mêmes réserves s'appliquent chez la femme qui allaite.

8.7 LA PRÉVENTION ET LE COUNSELLING

L'existence de l'excrétion asymptomatique rend difficile la prévention de la transmission hormis le port systématique de condom lors des relations sexuelles quoique ne protégeant pas si les lésions sont vulvaires ou scrotales.

Le patient qui a déjà fait une infection herpétique génitale devrait aviser ses futurs partenaires de ses antécédents. Il faut aussi l'informer qu'il ne peut transmettre l'infection à une personne déjà immune pour le même sérotype.

8.8 LES CONSIDÉRATIONS DE SANTÉ PUBLIQUE

Avec la libéralisation des mœurs, on doit s'attendre à une augmentation du nombre de patients touchés par cette affection, en particulier dans les classes socio-économiques élevées. Par ailleurs, seul l'herpès néonatal est une maladie à déclaration obligatoire.

8.9 LE SUIVI

Quand un patient consulte pour herpès génital, on a l'occasion de procéder au dépistage d'autres maladies transmissibles sexuellement. Bien que l'herpès génital soit le plus souvent une maladie bénigne, il importe d'assurer aux malades un support à la fois médical et psychologique.

BIBLIOGRAPHIE

1. BROWN, Z.A. et al. «Neonatal herpes simplex virus infection in relation to asymptomatic maternal infection at the time of labor». *N Engl J Med*, 1991, Vol. 324, p. 1247-1252

2. HIRSCH, M. «Herpes simplex virus». In: Mandel, G.L. *Principles and Practice of Infectious Diseases*, New York, Churchill Livingstone, 1990, p. 1144-1153.

3. KAPLOWITZ, L.G. et al. «Prolonge continuous acyclovir treatment of normal adults with frequently recurring genital herpes simplex virus infection». *JAMA*, 1991, Vol. 265, p. 747-751.

4. SACKS, S.L. «The role of oral acyclovir in the management of genital herpes simplex». *CMAJ*, 1987, Vol. 136, p. 701-707.

5. SOLOMON, A.R. «New diagnostic tests for herpes simplex and varicella zoster infections». *J Am Acad Dermatol* 1988, 18:218-221.

9

LES INFECTIONS ANO-GÉNITALES PAR LE VIRUS DES PAPILLOMES HUMAINS

Christian Jean et Marc Steben

9.1 DÉFINITION

Il s'agit d'infections virales causant des lésions végétantes des muqueuses et de la peau, habituellement contagieuses mais rarement précancéreuses ou cancéreuses chez l'homme. Une verrue est une tumeur épidermique bénigne. Un condylome acuminé est une verrue avec un aspect clinique pointu particulier et n'est pas synonyme de verrue ano-génitale.

9.2 LES AGENTS ÉTIOLOGIQUES

Les virus des papillomes humains (VPH) sont la cause d'infections. Plus de 50 génotypes de VPH sont connus. Un génotype nouveau est attribué à un VPH dont plus de *50 % du bagage génétique* diffère des autres VPH. Les principaux génotypes ano-génitaux sont les 6, 11 (rarement associées à une transformation néoplastique),16, 18, 31, 33. Les génotypes d'infections autres qu'ano-génitaux sont rarement en cause dans les infections ano-génitales. De nouveaux génotypes sont régulièrement ajoutés à cette liste.

9.3 L'ÉPIDÉMIOLOGIE

La prévalence du VPH est peu connue chez les hommes. Une étude allemande a démontré la présence de VPH 6, 11, 16, 18 dans 5,8 % des frottis effectués sur le gland d'hommes en bonne santé de 16 à 79 ans. Huit pour cent des hommes qui ont des verrues péniennes en ont à l'anus. L'incidence de cette infection est en hausse rapide. Au Royaume-Uni, en 1985, 15 % de toutes les MTS traitées étaient reliées au VPH contre 10 % en 1980. De plus, le nombre de cas avait augmenté de 85 % durant cette période. L'incidence serait double aux États-Unis. Les infections ano-génitales par le VPH constituent la MTS virale la plus fréquente, trois fois plus que l'herpès génital.

Chez les femmes, l'incidence et la prévalence au Québec sont difficiles à estimer, mais on croit que 1 % des femmes seraient porteuses de lésions cliniques, que 2 % auraient des lésions sous-cliniques et qu'environ 10 % seraient porteuses de l'ADN du VPH.

9.4 LA PRÉSENTATION DE CAS

9.4.1 L'histoire

L'infection par le VPH est pléomorphique chez l'homme. Certains hommes sont infectés de façon silencieuse: le génome s'incorpore aux cellules humaines mais reste inactif. La présentation clinique la plus fréquente est la végétation exophytique. Cette lésion est mollasse, vasculaire, non douloureuse et quelquefois prurigineuse. Les zones affectées sont habituellement sensibles à des microtraumas durant les relations permettant l'entrée du VPH au niveau du frein, du sillon balano-prépucial, du gland et de la surface interne du prépuce. À l'occasion, on peut retrouver de telles lésions sur le corps du pénis ou le scrotum. Une forme papulaire peut être rencontrée sur le corps du pénis, les aines et le scrotum. La fosse naviculaire et l'urètre peuvent être infectés. Des condylomes plans peuvent être plus discrets et n'être découverts qu'après application de vinaigre domestique et observation à la loupe ou au colposcope.

L'infection anale se présente sous forme de condylomes acuminés. Plus de 20 % des hommes qui ont des condylomes anaux en ont au niveau rectal et quelquefois au-dessus de la ligne pectinée.

L'infection par le VPH chez la femme est habituellement asymptomatique. À la vulve, elle se présente sous forme de lésion verruqueuse, plus précisément de condylome acuminé. Par contre, elle peut prendre d'autres formes et causer des lésions planes détectables uniquement par colposcopie pouvant mener à la néoplasie de la vulve. Au niveau du vagin, les lésions habituellement de nature condylomateuse, acuminées, sont le plus souvent, planes avec des aspérités. Au col, la majorité des lésions sons détectables seulement par colposcopie; ce sont des condylomes plans ou des lésions précancéreuses.

L'évolution naturelle de la maladie fait qu'en général les lésions s'étendent de plus en plus au tractus génital inférieur. La période d'incubation varie de quelques semaines à plusieurs années. On peut également suspecter des lésions en présense de saignement et de démangeaison après les relations sexuelles.

9.4.2 L'évaluation médicale et les facteurs de risque comportementaux

La transmission du VPH se fait par contact direct d'une muqueuse ou d'une peau infectée. L'incubation moyenne dure de deux à trois mois, bien que dans certains cas elle ait été plus longue. La présence de verrues à l'anus n'est pas nécessairement reliée à une pénétration de l'anus.

9.4.3 L'examen physique

Comme les lésions associées au VPH sont pléomorphiques, il faut leur porter une grande attention. Les lésions apparaissant à la surface de la peau ou d'une muqueuse et qui demeurent à la surface lorsqu'on tend la peau sont des végétations, vraisemblablement des condylomes. L'application de vinaigre domestique nous permet de découvrir des lésions sous-cliniques, mais ce test est non spécifique (balanite ou cicatrices peuvent donner des faux positifs). Les papules perlées, les glandes de Tyson (symétriques au frein du gland) ainsi que les glandes sébacées sont des appendices cutanés normaux qui ne doivent pas être traités.

Chez la femme, la meilleure façon de détecter l'ensemble des lésions, consiste à pratiquer un examen colposcopique de la vulve, du vagin et du col. Toutefois, la colposcopie n'est pas pratiquable chez toutes les patientes. Le médecin de famille peut alors, à l'aide du test à l'acide acétique et d'une loupe, entreprendre un premier dépistage et un premier traitement. La colposcopie est indiquée dans les cas suivants:

1. une maladie résistant au traitement;
2. des lésions vaginales;
3. un «pap test» anormal.

L'examen physique peut comporter l'observation à la loupe de la vulve et de l'anus en cas de lésions ou d'incertitude. L'examen colposcopique est nécessaire pour apprécier l'état du vagin et du col. L'application d'acide acétique sur le tractus génital inférieur (vulve, vagin, col, anus) aide à préciser le diagnostic.

9.5 L'ÉVALUATION BIOLOGIQUE

Un diagnostic présomptif suffit dans la plupart des cas. En présence de lésions atypiques ou qui ne répondent pas rapidement à la thérapie, une biopsie de la lésion peut permettre un diagnostic étiologique d'infection par le VPH ou de néoplasie. Un VDRL peut aussi être demandé pour éliminer le condylome plat de la syphilis secondaire.

Chez la femme, pour ce qui est des lésions du col, en particulier les lésions précancéreuses, la cytologie cervico-vaginale est le meilleur moyen de détection. Elle est d'ailleurs indiquée chez l'ensemble des patientes qui sont porteuses de lésions condylomateuses prénéoplasiques. Les cellules habituellement retrouvées à la cytologie peuvent soit présenter des anomalies compatibles avec des condylomes (koïlocytose, binucléation) ou de la dysplasie (anomalie nucléaire, anomalie du rapport nucléo-cytoplasmique). Le diagnostic de certitude de la majorité des lésions du col, du vagin et parfois de la vulve est fait habituellement par biopsie.

9.6 LA THÉRAPIE CURATIVE ET LA THÉRAPIE PALLIATIVE

Il n'y a aucun traitement curatif du VPH. En effet, une fois infectée par le VPH, une personne en demeurerait porteuse à vie. Le traitement doit viser à éliminer les lésions actives cliniques ou sous-cliniques pour éviter la contagion ou la cancérisation. La possibilité de transmission une fois les lésions cliniques ou sous-cliniques éliminées est assez faible.

Plusieurs traitements existent pour les infections par le VPH (tableau 9.1, p. 133). Peu importe le choix du traitement, la résistance et la récidive précoce représentent un problème sérieux: aucune des modalités thérapeutiques n'est associée à un taux d'échec de moins de 20 % et, si le suivi est maintenu plus de six mois, un taux de récidive d'au moins 20 % est observé.

Parmi les méthodes cytodestructrices, la cryothérapie par l'azote liquide représente un des traitements de choix parce qu'elle peut être utilisée chez la femme enceinte ainsi que sur tous les sites anatomiques sans effet systémique. Une tige montée dont on a étiré un peu le coton pour faire une petite boule est ensuite trempée dans l'azote liquide. L'application blanchit la lésion. On devrait attendre qu'un halo de 1 à 2 mm dépasse la lésion avant d'enlever la tige montée. Le traitement peut être répété deux fois par semaine. L'application de lidocaïne en crème, trente minutes avant le traitement, est recommandée pour les personnes plus sensibles à la douleur.

La cautérisation électrique permet une destruction plus profonde causant des cicatrices douloureuses et parfois persistantes surtout au frein du pénis et à la couronne du gland, au clitoris et à la fourchette postérieure. Le laser doit être réservé aux lésions extensives, car il nécessite souvent une anesthésie générale; ce sont des lésions douloureuses qui mettent plus de temps à se cicatriser. On peut utiliser l'anse diathermique qui permet, en plus d'enlever les lésions, de recueillir les tissus pour les soumettre à une analyse pathologique. L'anesthésie sous-lésionnelle se fait avec de la lidocaïne 2 % avec épinéphrine, sauf dans la région du pénis et du clitoris où on n'utilisera pas d'épinéphrine.

Parmi les traitements cytotoxiques, un seul peut être utilisé par le patient à son domicile, soit la podophyllotoxine vendue au Canada sous le nom de Condyline. Il s'agit d'un extrait purifié de podophyllotoxine. L'application se fait deux fois par jour, pendant trois jours consécutifs, suivis de quatre jours sans traitement, pour un total de quatre cycles. Le patient ressent occasionnellement de l'irritation et de la douleur légère. Le suivi par le médecin est très important, car la personne peut oublier de traiter certaines verrues. Un traitement concomitant par cryothérapie chaque semaine peut accélérer la guérison. La podophylline est plus toxique, mal standardisée et ne devrait plus être utilisée. Lors de lésions extensives, l'utilisation de 5-FU peut brûler la majorité des lésions, mais elle peut produire des plaies suintantes et douloureuses. Souvent la surface adjacente ou qui frotte sur la région traitée se trouve brûlée aussi. Le 5-FU peut être lavé de quatre à huit heures après l'application. Le 5-FU ne doit jamais être prescrit à des femmes mal protégées contre la grossesse: des malformations congénitales telle la fissure palatine ont été rapportées. L'acide trichloracétique dans une solution de 25 à 80 % peut être appliqué deux fois par semaine. Les plaies sont souvent douloureuses. Seules les lésions doivent être touchées par la solution qui se trouve neutralisée dès l'application. Le lavage après application n'est pas nécessaire. Les traitements topiques autres que l'azote et que l'acide trichloracétique ne devraient pas être utilisés en intrarectal.

Les immunomodulateurs tel l'interféron ont été prouvés efficaces dans les cas de verrues aiguës, récidivantes ou rebelles, en combinaison avec une méthode cytodestructrice. En injection sous-lésionnelle ou sous-cutanée, ce traitement a des effets secondaires systémiques indéniables, surtout au début, et il est coûteux. Son emploi est mieux indiqué dans les cas rebelles ou récalcitrants.

En général, la combinaison de traitement cytodestructeur au bureau avec traitement cytotoxique à domicile permet un traitement plus rapide qui demande moins de déplacements, avec un minimum de morbidité.

9.7 LA PRÉVENTION ET LE COUNSELLING

L'utilisation de condoms réduit le risque de transmission, mais n'empêche pas les verrues du pubis ou du scrotum. Pendant le traitement des verrues, le condom évite la contagion aux partenaires. Les relations orales-génitales sont rarement accompagnées de lésions oro-pharyngées et peuvent être permises. L'apparition clinique du VPH ou à la cytologie cervicale dans un couple stable et monogame depuis plus d'un an serait une réaction du VPH et non une nouvelle infection: dans les couples, les taux d'échec sont identiques, qu'on utilise le condom ou pas. En conséquence, l'utilisation du condom n'est plus recommandée pour ces couples.

9.8 LES CONSIDÉRATIONS DE SANTÉ PUBLIQUE

Les infections par VPH ne sont pas à déclaration obligatoire. Les partenaires sexuels devraient subir un examen à la loupe ou par colposcopie avant et après application de vinaigre domestique.

9.9 LE SUIVI

Le suivi varie en fonction de la zone lésée et de l'étendue de la maladie au moment de la première visite. Il peut se faire toutes les semaines dans le cas de lésions péniennes ou vulvaires assez étendues qui nécessitent une seconde application et même plusieurs autres applications de l'agent de traitement.

Lorsque les lésions du col sont guéries, les femmes sont suivies avec des «pap tests» tous les 4 à 6 mois pendant 1 à 2 ans et tous les ans par la suite. Les femmes présentant des lésions condylomateuses vaginales ou vulvaires doivent subir un examen clinique tous les quatre mois pendant un an et, par la suite, elles sont revues annuellement. On conseille aux patientes de consulter immédiatement si de nouvelles lésions apparaissent.

Après la guérison, les hommes devraient subir un examen de contrôle tous les quatre mois pendant un an. Après trois examens négatifs consécutifs, la possibilité de récidive est limitée, mais on ne doit jamais garantir la guérison étant donné le risque de récidive ou de réinfection.

Tableau 9.1
Traitement du VPH

1) cytodestructeur:
   - cryothérapie
   - cautérisation
   - laser
   - anse diathermique
2) cytokératolytique:
   - podophyllotoxine
   - podophylline
   - 5-FU
   - acide trichloracétique
3) immunomodulateur:
   - interféron
4) combinaison

Tableau 9.2
Traitement applicable selon le lieu de la lésion chez la femme

---

A) Lésions du col:
1. Cryothérapie;
2. Vaporisation au laser;
3. Anse diathermique.

B) Lésions du vagin:
1. Application d'acide trichloroacétique (50-80 %);
2. Vaporisation au laser;
3. Excision chirurgicale;
4. Cryothérapie;
5. Anse diathermique.

C) Lésions de la vulve:
1. Podophyllotoxine;
2. Résine de podophyllum: application une fois par semaine sur la lésion en protégeant les zones saines. Lavage de la région après six heures de traitement. Ce traitement est contre-indiqué chez la femme enceinte ou en cas de forte inflammation. On ne devrait pas l'appliquer sur les muqueuses.
3. Cryothérapie (azote liquide): appliquer jusqu'à l'apparition d'un cerne blanc de 1 à 2 mm au pourtour de la lésion;
4. Chirurgie au laser;
5. Excision chirurgicale;
6. Anse diathermique (peu utilisée);
7. Acide trichloroacétique (50-85 %).

N.B.: Trois semaines après l'ouverture du contenant, la podophylline n'a plus qu'une efficacité très réduite, alors que l'acide trichloroacétique est stable pour au moins un an.

D) Lésions de l'unus:
1. Podophyllotoxine;
2. Podophylline (excluant la muqueuse);
3. Acide trichloroacétique (50-80 %);
4. Laser;
5. Excision simple;
6. Anse diathermique;
7. Cryothérapie.

BIBLIOGRAPHIE

1. COOB, M.W. «Human papillomavirus infection». *Journal of the American Academy of Dermatology*, Vol. 22, no 4, avril 1990, p. 547-566.

2. MMWR. Sexually Transmitted Diseases Treatment Guidelines, Sept. 1, 1989, vol. 38, No. S8, 43 pages.

3. WRIGHT, T.C., RICHART, R.M., FERENCZY, A. *Electrosurgery for HPV-Related Diseases of the Lower Genital Tract*. Biovision, Anjou (Québec), 1992, 272 pages.

10

LES GONOCOCCIES

Harold Bernatchez et Pierre L. Turgeon

10.1 DÉFINITION

Les gonococcies sont des infections transmises presque exclusivement par contact sexuel ou, chez le nouveau-né, au moment de l'accouchement.

10.2 L'AGENT ÉTIOLOGIQUE

L'agent étiologique, la *Neisseria gonorrhoeae*, est un coccus à Gram négatif en forme de rein et disposé par paires.

10.3 L'ÉPIDÉMIOLOGIE

Peu de pays ont un système de déclaration adéquat permettant d'estimer l'incidence réelle de la gonococcie.

Aux États-Unis, l'incidence de la gonococcie, qui était en hausse depuis les années 1950, a atteint un point culminant en 1975 (468 cas par 100 000 de population); par comparaison, le Québec a atteint ce point en 1984 (108 cas par 100 000 de population). Depuis, l'incidence de la gonococcie connaît une diminution relativement continue.

Cette incidence varie avec l'âge; elle est maximale dans le groupe des 15 à 25 ans, atteignant entre 1 à 1,5 % de cette population tant en Amérique du Nord qu'en Europe. Même si l'on déclare plus de cas de gonococcie chez l'homme que chez la femme, on croit que cela révèle simplement qu'une plus grande proportion de cas demeurent non diagnostiqués chez la femme.

La gonococcie semble en diminution actuellement tant dans les groupes hétérosexuels qu'homosexuels. On croit que l'apparition du sida a contribué à modifier le comportement sexuel; peut-être aussi existe-t-il un meilleur dépistage des contacts?

Depuis 1976, on a assisté à l'apparition de *Neisseria gonorrhoeae* productrices de pénicillinase (NGPP). Ces souches ont eu un impact épidémiologique après 1980. Au Québec, ce phénomène a pris de l'ampleur à compter de 1987. En 1991, 8,8 % des souches analysées au laboratoire de Santé publique du Québec (LSPQ) étaient des NGPP. Bien qu'il s'agisse de souches endémiques, elles semblent concentrées dans les régions urbaines. Lorsque les NGPP représentent de 1 à 3 % des souches isolées dans un même endroit, on parle de région endémique; lorsqu'elles atteignent plus de 3 %, on parle de région hyperendémique. Les choix de traitement doivent tenir compte de ces informations.

Enfin, au cours des années 1980, on a également assisté à l'apparition de souches de gonocoques résistantes à la pénicilline par un mécanisme autre que la pénicillinase (résistance d'origine chromosomique) et de souches résistantes à la tétracycline. On a aussi trouvé quelques souches résistantes à la spectinomycine.

10.4 PRÉSENTATION DE CAS

10.4.1 Histoire et examen physique

L'infection gonococcique peut être symptomatique ou asymptomatique. L'infection asymptomatique peut siéger à l'urètre, au pharynx ou à l'anus. De plus, la majorité des femmes qui présentent une infection de l'endocol n'ont aucun symptôme. Cette absence de symptômes est responsable de la majorité des cas de gonococcie chez les partenaires.

10.4.1.1 Les infections rencontrées chez la femme

Chez la femme, les syndromes cliniques les plus fréquents sont la cervicite muco-purulente, le syndrome urétral et la maladie inflammatoire pelvienne.

10.4.1.1.1 La cervicite muco-purulente

En présence d'une endocervicite, les sécrétions de l'endocol sont souvent jaunâtres, épaisses et purulentes. Le col est friable et saigne facilement au moment du premier prélèvement. La coloration de Gram révèle d'ordinaire au moins dix polymorphonucléaires par champ microscopique (1000 ×) à l'examen à l'immersion du frottis.

10.4.1.1.2 La maladie inflammatoire pelvienne

L'inflammation pelvienne aiguë représente une complication de l'endocervicite. Elle survient davantage pendant ou à la fin des menstruations. Le port du stérilet et le fait d'avoir plus d'un partenaire sont des facteurs favorisant cette entité clinique. Les symptômes classiques comprennent des douleurs abdominales basses, des pertes génitales et des problèmes de saignements intermenstruels. L'intensité des symptômes est variable d'une personne à l'autre. L'examen permet de retrouver cliniquement des signes d'endocervicite et révèle une mobilisation douloureuse du col de l'utérus.

L'inflammation des trompes (salpingite) peut se compliquer par la formation d'un abcès tubo-ovarien. À long terme, l'inflammation pelvienne peut entraîner de l'infertilité, des risques de grossesse ectopique et des douleurs abdominales chroniques.

10.4.1.1.3 Le syndrome urétral

Le syndrome urétral se définit par des problèmes de dysurie et la présence de pyurie (≥ 8 leucocytes/mm^3 dans une urine non centrifugée) à l'analyse d'urine. La culture d'urine de routine est négative. Le syndrome urétral peut être causé par une multitude de bactéries dont la *Neisseria gonorrhoeae*. Il est rare de rencontrer un syndrome urétral à *Neisseria gonorrhoeae* sans endocervicite à moins que la patiente n'ait subi une hystérectomie.

10.4.1.1.4 Les abcès de la glande de Bartholin

L'inflammation de la glande de Bartholin (bartholinite) peut se compliquer par la formation d'un abcès.

10.4.1.2 Les infections rencontrées chez l'homme

Chez l'homme, il existe essentiellement deux infections: l'urétrite et l'épididymite.

10.4.1.2.1 L'urétrite

L'urétrite se manifeste par de la dysurie et un écoulement urétral survenant de deux à cinq jours après le contact infectieux. L'écoulement urétral peut être discret, mais le plus souvent il est franchement purulent et jaunâtre. Chez le patient symptomatique, la sensibilité de la coloration de Gram pour la détection de gonocoques avoisine 95 %.

10.4.1.2.2 L'épididymite

L'épididymite aiguë est une complication rare de l'urétrite gonococcique.

10.4.1.3 Les infections rencontrées chez l'homme ou la femme

10.4.1.3.1 La proctite

La proctite, qui se rencontre plus fréquemment chez l'homme homosexuel, se manifeste surtout par des douleurs rectales, particulièrement au moment de la défécation et du ténesme. L'émission de selles est souvent accompagnée de sang, de mucus et de pus. Il faut cependant noter que la très grande majorité des gens chez qui on trouve la *Neisseria gonorrhoeae* à la culture au niveau anal n'accusent aucun symptôme.

10.4.1.3.2 L'infection du pharynx

L'infection de la cavité oropharyngée est rarement symptomatique (moins de 1 %). Le mode de transmission est davantage la fellation que le cunnilinctus. De plus, au cours d'une fellation, la personne porteuse de *Neisseria gonorrhoeae* au niveau du pharynx peut le transmettre à l'urètre du partenaire.

10.4.1.3.3 La gonococcémie

L'infection gonococcique disséminée est une entité rare qui se rencontre davantage chez la femme que chez l'homme. Les personnes atteintes de ce syndrome présentent généralement des malaises généralisés, une légère élévation de la température, des polyarthralgies ou une polyarthrite migratrice, une ténosynovite et quelques lésions vésiculo-pustuleuses ou bullo-hémorragiques aux extrémités. Les menstruations, la grossesse et un manque de certaines fractions du complément (C_5, C_6, C_7 ou C_8) sont des facteurs reconnus de prédisposition à l'infection. La grande majorité des souches en cause dans les infections disséminées présentent des caractéristiques communes: elles sont résistantes à l'activité bactéricide du sérum, elles exigent de l'ornithine, de l'uracile et de l'hypoxanthine pour croître. De plus, elles appartiennent à un sérogroupe particulier et sont très sensibles à la pénicilline. Si les cultures de la gorge, de l'urètre ou de l'endocol sont souvent positives pour *N. gonorrhoeae*, les cultures des sites tels que le sang, les lésions cutanées ou le liquide articulaire permettent rarement l'isolement de l'agent étiologique.

10.4.1.4 L'infection rencontrée chez le nouveau-né

10.4.1.4.1 L'ophtalmie

L'ophtalmie néonatale gonococcique résulte de la transmission du gonocoque de la mère à l'enfant au moment de l'accouchement. L'enfant infecté présente une conjonctivite purulente de deux à cinq jours après la naissance. Cependant, depuis l'application topique d'érythromycine, de tétracycline ou de nitrate d'argent aux conjonctives des deux yeux à la naissance, l'incidence de cette maladie a considérablement diminué.

10.5 L'ÉVALUATION MÉDICALE ET LES FACTEURS DE RISQUE COMPORTEMENTAUX

Les taux rapportés de gonococcie sont de 8 à 10 fois plus élevés chez les personnes qui ne sont pas de race blanche. Parmi les autres facteurs de risque élevé associés à la gonococcie, on peut citer: être issu d'un milieu socio-économique faible, être peu instruit, résider en milieu urbain ou n'être pas marié. La toxicomanie et la prostitution représentent également des facteurs de risque. Pour des raisons inconnues, l'incidence de la gonococcie semble fluctuer selon les saisons, avec plus de cas déclarés entre juillet et septembre et une baisse entre janvier et avril.

La transmission de la gonococcie paraît dépendre des sites anatomiques infectés et exposés, ainsi que du nombre d'expositions. Le risque de transmission d'une femme infectée à son partenaire est d'environ 20 % par épisode de relations vaginales et il augmente jusqu'à 60 à 80 % après quatre expositions ou plus. Le risque de transmission d'un homme infecté à sa partenaire est probablement de 50 % par contact sexuel et il augmente à plus de 90 % après plusieurs expositions. Les relations anorectales favorisent aussi la transmission, mais la fellation ou le cunnilinctus s'y prêtent beaucoup moins.

Les femmes qui prennent des anovulants présentent-elles un risque plus élevé de gonococcie? Les données sont contradictoires sur cette question, mais elles révèlent que celles qui prennent des anovulants réduisent le risque de salpingite gonococcique aiguë.

La plupart du temps, la gonococcie est transmise par des personnes infectées qui ne présentent pas de symptômes, qui ne portent pas attention à leurs symptômes ou encore qui en ignorent la signification.

Les personnes atteintes de gonococcie ont un taux élevé d'infection concomitante à *Chlamydia trachomatis* (de 30 à 70 % des cas).

10.6 LES ASPECTS DE LABORATOIRE

10.6.1 Culture

La méthode diagnostique standard consiste à isoler le germe et elle devrait être utilisée dans la mesure du possible. Elle permet aussi de vérifier la résistance de la souche bactérienne aux antibiotiques. La sensibilité de la culture (80 % à 95 %) dépend du site prélevé, de la qualité des milieux utilisés et de la qualité du prélèvement effectué. Les prélèvements uro-génitaux ou pharyngés sont ensemencés sur un milieu sélectif (Thayer-Martin); les prélèvements dans des sites habituellement stériles (liquide synovial, sang, liquide céphalo-rachidien), sur un milieu non sélectif comme une gélose chocolatée.

En culture, le méningocoque s'apparente étrangement au germe du gonocoque. Il faut donc effectuer des tests de confirmation pour distinguer les deux espèces, surtout pour les cultures des sites pharyngés et anaux. Une épreuve de détection, de bêta-lactamase (pénicillinase) se fait sur chacune des souches isolées au laboratoire.

Le choix des sites anatomiques de culture dépend des sites exposés à l'histoire, des manifestations cliniques et de l'orientation sexuelle. Chez l'homme hétérosexuel, on doit faire une culture de l'urètre. Chez la femme, on doit faire des prélèvements à la fois endocervical et anal, qu'il y ait eu relation anale ou non; la plupart des cas de gonococcie anale chez la femme résultent d'une contamination à partir du périné et des sécrétions cervico-vaginales. Quoique l'urètre soit souvent infecté chez la femme atteinte de gonorrhée, la culture urétrale n'augmente pas les chances diagnostiques de façon significative, exception faite des femmes hystérectomisées, ou de celles se présentant avec un exsudat purulent au niveau de l'urètre. Des cultures pharyngées sont indiquées lorsqu'il y a eu exposition. Chez l'homme homosexuel, il faut faire des prélèvements aux sites symptomatiques et à la région anale.

10.6.2 L'examen direct (coloration de Gram)

La sensibilité de cet examen varie selon le site du prélèvement et selon la présence ou l'absence de symptômes chez la personne infectée. La sensibilité est de

95 à 100 % au niveau urétral chez l'homme symptomatique. Elle est de 50 à 70 % au même site chez l'homme asymptomatique, de 40 à 60 % au niveau de l'endocol et de 40 à 60 % dans les prélèvements anaux obtenus à l'aveuglette. La spécificité de l'examen de Gram dans les spécimens uro-génitaux est de 95 à 100 %.

De façon générale, l'examen direct par le Gram est recommandé chez tout patient symptomatique, homme ou femme. Toutefois, il doit être complété par une culture, surtout chez la femme. Un résultat positif permet un traitement immédiat pour la gonorrhée.

Le Gram permet de diagnostiquer une gonococcie lorsque l'on voit des diplocoques Gram négatif ayant la morphologie typique retrouvée à l'intérieur des polynucléaires. Lorsque les diplocoques Gram négatif ne sont retrouvés qu'à l'extérieur des polynucléaires, le résultat est équivoque et lorsqu'on ne voit aucun diplocoque Gram négatif, le résultat est négatif.

10.6.3 Les autres méthodes

Plusieurs autres méthodes ont été suggérées pour le diagnostic de la gonococcie, notamment les détections antigéniques par immunofluorescence ou immuno-enzyme et les sondes génétiques. Cependant, aucune n'est meilleure que la culture et plusieurs ne valent pas l'examen de Gram. Actuellement, aucune n'est recommandée systématiquement. Les tests sérologiques dans le diagnostic de la gonococcie sont inutiles.

10.6.4 La collecte des échantillons et le transport

Le matériel utilisé pour les prélèvements (les tiges à bout de coton, de dacron, de rayonne ou d'alginate de calcium) démontrant sporadiquement une toxicité envers le gonocoque, il est recommandé d'ensemencer immédiatement les prélèvements sur les milieux gélosés. Cela prévient également la perte de microorganismes par dessiccation. Les géloses doivent être réchauffées à la température de la pièce avant l'utilisation; une fois ensemencées, elles doivent être déposées dans un environnement riche en CO_2 et incubées.

Sans ces conditions, il vaut mieux utiliser des milieux de transport non nutritifs (Amies, Stuart) ou nutritifs (Transgrow, Jembec, Bio-Bag, GonoPak); le transport doit être fait sans réfrigération et les échantillons doivent être inoculés sur gélose dans les six heures suivant le prélèvement.

Chez l'homme, on obtient le prélèvement en faisant pénétrer la tige dans l'urètre sur une longueur de 2 à 4 cm. On peut aussi recueillir les premiers millilitres de la miction (10 à 20 ml). La collecte de l'urine permet d'éviter l'écouvillonnage de l'urètre. Cependant, elle exige un peu plus de temps; le patient doit être capable de fournir un bon spécimen, et on doit procéder immédiatement à l'examen puisque dans certains cas l'urine est rapidement bactéricide pour le gonocoque.

Dans le cas de l'échantillon endocervical chez la femme, il faut d'abord nettoyer le col, puis insérer la tige dans la partie externe du col sur une longueur de 1 à 2 cm. Il faut ensuite faire une rotation pendant une dizaine de secondes. À moins d'être absolument nécessaire, un prélèvement du cul-de-sac vaginal n'est pas recommandé, puisqu'il diminue la sensibilité en culture et réduit beaucoup la sensibilité de l'examen de Gram. Pour l'écouvillonnage anal, la tige doit pénétrer dans le canal anal sur une longueur de 2 à 3 cm, en faisant une pression latérale pour éviter d'exposer l'écouvillon aux selles. Si les patients sont symptomatiques, l'anuscopie permet d'obtenir un prélèvement sous vision directe augmentant ainsi la sensibilité de l'examen direct. Les spécimens pharyngés sont obtenus au niveau du pharynx postérieur incluant la région amygdalienne.

10.7 LA THÉRAPIE CURATIVE ET LA THÉRAPIE PALLIATIVE

Les recommandations thérapeutiques actuelles reflètent l'augmentation de la fréquence des souches de *Neisseria gonorrhoeae* résistantes à la pénicilline et à la tétracycline.

Chez une personne non allergique à la pénicilline, la ceftriaxone, du groupe des céphalosporines de la troisième génération, s'inscrit comme un antibiotique de premier choix dans le traitement d'une gonococcie urétrale, endocervicale, pharyngée ou rectale.

Cet antibiotique présente en effet plusieurs avantages. Il s'administre facilement dans le deltoïde en une dose, il s'administre à faible dose (250 mg) et il est efficace contre toutes les souches de gonocoques. De plus, il diffuse bien dans tous les sites potentiellement infectés et il peut être efficace pour enrayer une syphilis déjà en incubation. Le meilleur diluant pour la ceftriaxone est la lidocaïne à 1 % sans épinéphrine. Le seul inconvénient, c'est qu'elle s'administre par voie intramusculaire et requiert alors du personnel médical ou paramédical. Cependant, on peut opter pour la céfixime (800 mg) par voie orale en dose unique.

Chez une personne allergique à la pénicilline, l'administration orale en dose unique de quinolone (ciprofloxacine 500 mg ou ofloxacine 400 mg) constitue une excellente solution dans la gonococcie non compliquée. Cependant chez les femmes enceintes, les mères qui allaitent ou les adolescents de moins de dix-huit ans, on ne doit jamais utiliser de quinolone.

La femme enceinte allergique à la pénicilline peut recevoir de l'érythromycine à raison de 500 mg quatre fois par jour pour une semaine. S'il y a une intolérance digestive, la posologie quotidienne peut être réduite de moitié, mais la durée totale du traitement est alors de deux semaines. Cependant, l'estolate d'érythromycine est contre-indiquée pendant la grossesse.

Si les résultats de culture et d'antibiogramme sont connus avant l'indication de la thérapie et que la souche est sensible à la pénicilline, l'amoxicilline (3 g) en une dose administrée par voie orale et le probénécide (1 g) deviennent la thérapie de choix chez une personne non allergique à la pénicilline.

Le traitement d'une gonococcie compliquée (épididymite, infection disséminée, arthrite, endocardite, méningite) exige une thérapie prolongée (de 10 à 14 jours) initiée par voie endoveineuse. Dans les infections sévères, la souche est habituellement isolée et la sensibilité à la pénicilline connue. En présence d'une souche sensible à la pénicilline chez une personne non allergique à cet antibiotique, la pénicilline G administrée par voie endoveineuse constitue le premier choix.

L'infection concomitante par *Chlamydia trachomatis* est fréquente. Actuellement, aucun traitement à dose unique n'est efficace contre ce germe. Par conséquent, tous les cas de gonococcie devraient recevoir automatiquement un traitement efficace contre *C. trachomatis*. La plupart du temps, l'échec du traitement est lié à la non-fiabilité, à l'absence de traitement des partenaires sexuels ou à l'utilisation de la pénicilline dans le traitement d'une souche résistante à cet antibiotique.

10.8 LA PRÉVENTION ET LE COUNSELLING

Les condoms assurent un haut degré de protection contre cette infection et sa transmission. Le diaphragme pourrait diminuer ce risque au site endocervical de même que l'emploi de spermicides topiques ou d'agents bactéricides au niveau vaginal. Aucune étude ne confirme que le fait d'uriner, de se laver ou de se doucher après une relation réduit l'infection ou la prévient. L'emploi d'antibiotiques prophylactiques peu de temps avant l'exposition sexuelle diminue le risque de façon significative. Cependant, cette pratique peut favoriser la résistance aux antibiotiques. De plus, à moins d'une situation à risque très élevé, cet emploi prophylactique n'entraîne pas un rapport coût-bénéfice acceptable.

Les patients atteints de gonococcie doivent éviter les relations sexuelles tant qu'eux-mêmes et leurs partenaires n'ont pas reçu un traitement adéquat. Ils doivent s'assurer de la disparition de l'infection par une culture de contrôle après le traitement. Avant le traitement, il faut compléter l'investigation et rechercher d'autres maladies transmises sexuellement, notamment la Chlamydia et la syphilis, et offrir la sérologie pour l'infection au VIH.

La plupart des autorités recommandent un traitement épidémiologique pour tous les contacts récents des patients atteints de gonococcie, peu importe les résultats de cultures. On veut ainsi prévenir les complications et couper le cycle de transmission. La définition de contact récent inclut habituellement les partenaires du dernier mois précédant le début des symptômes du patient, ou le résultat de laboratoire positif pour la gonorrhée, si le patient est asymptomatique.

10.9 LES CONSIDÉRATIONS DE SANTÉ PUBLIQUE

La gonorrhée est une maladie vénérienne à déclaration obligatoire au Québec.

La présence d'un cas positif doit entraîner la relance des contacts, principalement les contacts récents, pour une culture et un traitement épidémiologique. Même quand on traite les contacts sur simple présomption, on doit leur faire les tests diagnostiques de dépistage afin de poursuivre la relance à d'autres partenaires qui seraient infectés.

10.10 LE SUIVI

Lors du suivi, on s'assure de la disparition des symptômes et des signes cliniques. Dans tous les cas de gonococcie, on recommande des cultures de contrôle pour prouver la guérison. Ces cultures de contrôle doivent être faites au moins 4 à 5 jours après la dernière dose d'antibiotiques. Tous les sites infectés connus doivent être cultivés de nouveau. De plus, chez la femme, les cultures de contrôle doivent toujours inclure le site anorectal. Peu importe qu'il y ait eu dépistage ou non à cet endroit antérieurement, au moins 30 % des insuccès thérapeutiques sont détectés à ce site.

BIBLIOGRAPHIE

1. HANDSFIELD, H.H. «Neisseria gonorrhoeae». In: *Principles and Practice of Infectious Diseases*. 3rd Ed. by MANDELL, G.L, DOUGLAS J.R. R.C. and BENNETT, J.E. Churchill Livingston, 1990, chap. 190, p. 1613-631.

2. MORELLO, J.A, JANDS, W.M et DOEIN, GV. «Neisseria and Branhmella». *Manual of Clinical Microbiology*. 5th Ed, BALOWS, A, et al, Am. Soc. Microb., Washington, USA, 1991, chap. 30, p. 258-276.

3. TURGEON, P.L., JOLIVET GRANGER, M. «Auxotypes of Neisseria gonorrhoeae isolated from localized and disseminated infections in Montreal». *Can Med Ass J*, 1980, Vol. 123, p. 381-384.

4. ALLARD, R., ROBERT, J., TURGEON, P., LEPAGE, Y. «Predictors of asymptomatic gonorrhea among patients seen by private practitioners». *Can Med Assoc J*,1985, Vol. 133, p. 1135-1140.

5. JACQUES, M., TURGEON, P.L., DE REPENTIGNY, J. et MATHIEU, L.G. «Antibiotic susceptibilities and auxotypes of Neisseria gonorrhoeae strains from women with pelvic inflammatory disease or uncomplicated infections». *Antimicrobial Agents and Chemother.*, Vol. 24, No. 3, Dec. 1983, p. 952-954.

6. Centers for Disease Control. «Sexually transmitted diseases treatment guidelines». *MMWR*, Sup. Vol. 38, No. 5-8, 1989, p. 1-43.

7. Division de la lutte contre les maladies transmises sexuellement, Laboratoire de lutte contre la maladie. «Lignes directrices provisoires pour le traitement des gonococcies non compliquées». *Can Med Assoc J* 1992; Vol. 146, p.1591-1592.

8. Rapport hebdomadaire des maladies du Canada. «Lignes directrices canadiennes pour le diagnostic et la prise en charge des maladies transmises sexuellement, par syndrome, chez les enfants, les adolescents et les adultes», supplément, vol. 15 S1, mars 1989.

9. «Surveillance des souches de *Neisseria gonorrhoeae* résistantes aux antibiotiques». Document d'information du Laboratoire de Santé publique du Québec, 6 mars 1992.

10. EHRET, JOSEPHINE M. «Sexually transmitted diseases – Gonorrhea». In: *Clinics in Laboratory Medicine*. W.B. Saunders, Vol. 9, no. 3, septembre 1989, p. 445-480.

11

LES MYCOPLASMOSES GÉNITALES

Jean-Guy Baril et André Dascal

11.1 DÉFINITION

En 1937, on a isolé pour la première fois un mycoplasme chez l'humain. Depuis, on sait que ces microorganismes peuvent se retrouver dans les voies respiratoires et génitales et être la cause de maladies. Toutefois, le rôle des mycoplasmes dans les maladies transmissibles sexuellement demeure un sujet controversé.

11.2 LES AGENTS ÉTIOLOGIQUES

L'absence de paroi cellulaire permet de différencier les mycoplasmes des autres bactéries. Cette caractéristique les rend insensibles aux antibiotiques de type bêtalactamines. Les ureaplasmas font partie de la famille des mycoplasmes.

Comme ils produisent de petites colonies en milieu de culture, ils ont d'abord été classifiés comme *Mycoplasma t.* (pour *tiny*). Depuis 1974, ils ont été reclassifiés sous le genre *Ureaplasma* en raison de leur capacité d'hydrolyser l'urée. On isole sept espèces de mycoplasmes au niveau du tractus génital humain. Parmi ceux-ci, *Mycoplasma hominis* et *Ureaplasma urealyticum* sont les plus fréquents et ceux dont le rôle pathogène a été le plus étudié.

11.3 L'ÉPIDÉMIOLOGIE

Mycoplasma hominis et *Ureaplasma urealyticum* se transmettent de la mère à l'enfant à l'accouchement lors du passage dans la voie vaginale. Jusqu'à un tiers des nouveau-nés de sexe féminin sont colonisés par *U. urealyticum*. Le taux de colonisation par *U. urealyticum* et par *M. hominis* est moindre chez les nouveau-nés de sexe masculin. Cette colonisation habituellement temporaire peut persister jusqu'à l'adolescence. Durant la vie sexuelle active, les mycoplasmes génitaux s'acquièrent par transmission sexuelle. Leur prévalence augmente avec le nombre de partenaires sexuels et de façon plus marquée chez les femmes laissant présumer une plus grande réceptivité à ces microorganismes. Chez les femmes ayant eu six partenaires ou plus, les prévalences de *U. urealyticum* et de *M. hominis* sont de 77,5 % et de 31 %. Chez les hommes, les prévalences observées sont respectivement de 45 % et de 14 % (tableau 11.1).

Tableau 11.1 Colonisation chez les femmes et les hommes asymptomatiques

	M. hominis		U. urealyticum	
	femmes (%)	hommes (%)	femmes (%)	hommes (%)
femmes enceintes[1]	39,7		75	
nbre partenaires[2]				
= 0	0	0	8,5	3
= 1	4,2	0	34,6	19
= 2	12,2	4	72,2	26
= 3-5	18,5	14	68	41
≤ 6	31	14	77,5	45

1. Source: Embil et al.
2. Source: McCormack et al.

11.4 LES MANIFESTATIONS CLINIQUES

Il est difficile de démontrer le rôle pathogène de *M. hominis* et de *U. urealyticum*. Ces deux microorganismes sont fortement prévalents aussi bien chez les individus symptomatiques que chez les personnes asymptomatiques. On les retrouve associés entre eux ou associés aux autres agents responsables de maladies transmissibles sexuellement, notamment *Chlamydia trachomatis* et *Neisseria gonorrhoeae*.

Pour être reconnus comme agent causal d'un syndrome clinique donné, *Mycoplasma hominis* et *Ureaplasma urealyticum* doivent satisfaire aux quatre conditions suivantes:

1. leur prévalence doit être plus grande chez les individus malades que chez les individus sains;
2. une réponse sérologique spécifique doit être démontrée;
3. leur élimination par antibiothérapie doit résulter en une guérison clinique;
4. leur inoculation chez l'humain ou chez l'animal doit reproduire la maladie.

11.4.1 L'association causale

En considérant ces postulats, une association causale a été démontrée dans l'urétrite non gonococcique, la maladie inflammatoire pelvienne, la fièvre post-avortement et post-partum et la pyélonéphrite aiguë.

11.4.1.1 L'urétrite non gonococcique

Dans la plupart des études, la fréquence observée de *U. urealyticum* est plus grande chez les hommes atteints d'urétrite non gonococcique que chez les témoins asymptomatiques. On a démontré une réponse sérologique IgM dans les cas d'urétrite non gonococcique. La tétracycline a éliminé *U. urealyticum* et guéri les symptômes cliniques, sauf dans les cas où il y avait preuve d'une résistance à la tétracycline de la souche *U. urealyticum*. L'inoculation à des volontaires a reproduit les symptômes d'urétrite. Les quatre postulats ont donc démontré une association entre *U. urealyticum* et l'urétrite non gonococcique. Cependant, une grande proportion des hommes asymptomatiques sont porteurs de *U. urealyticum* et l'isolement de ce microorganisme lors d'une urétrite ne signifie pas qu'il en est nécessairement la cause.

11.4.1.2 La maladie inflammatoire pelvienne

On isole plus fréquemment *M. hominis* au niveau du col et du vagin chez les femmes présentant une maladie inflammatoire pelvienne (entre 50 et 70 %) comparativement aux femmes asymptomatiques (entre 10 et 20 %). *M. hominis* a été retrouvé au niveau des trompes dans environ 10 % des cas de salpingite. Une augmentation du titre des anticorps antimycoplasmes a été notée dans la maladie inflammatoire pelvienne. L'inoculation de *M. hominis* à des singes a provoqué des salpingites et des paramétrites. *M. hominis* serait un agent causal dans environ 10 % des maladies inflammatoires pelviennes. Le rôle de *U. urealyticum* dans la salpingite est moins bien documenté, mais on a pu l'isoler au niveau des trompes dans quelques cas.

11.4.1.3 La fièvre post-avortement et post-partum

M. hominis a été isolé par hémoculture chez environ 10 % des femmes présentant une fièvre post-avortement contre 0 % chez les témoins afébriles. Une réponse sérologique antimycoplasmique a aussi été documentée. En post-partum, une bactériémie transitoire peut survenir sans signification clinique, mais lorsqu'on isole *M. hominis* par hémoculture plus de 24 heures après l'accouchement, ce phénomène est associé à une fièvre post-partum et à une réponse sérologique. *M. hominis* cause des fièvres post-partum et post-avortement, habituellement légères et guérissant spontanément sans antibiothérapie.

11.4.1.4 La pyélonéphrite aiguë

Dans une étude, *M. hominis* a été isolé en culture pure au niveau de l'arbre urinaire supérieur dans près de 10 % des cas de pyélonéphrite aiguë. Une réponse sérologique a été démontrée. Il semble que *M. hominis* cause un petit nombre de pyélonéphrites aiguës, particulièrement lorsque les cultures d'urine sont négatives pour les autres agents, que les symptômes sont peu intenses et qu'il y a absence de symptômes urinaires bas.

11.4.2 L'association sans relation causale démontrée

Il existe une association entre les mycoplasmes et différents syndromes cliniques sans qu'il y ait suffisamment d'évidence pour pouvoir établir une relation causale.

Mycoplasma hominis pourrait jouer un rôle dans la vaginose bactérienne en interagissant avec les autres agents microbiens en cause dans ce syndrome. On isole plus fréquemment *M. hominis* chez les femmes porteuses de vaginose, mais un traitement à la tétracycline ne guérit pas les symptômes même lorsque cet agent est supprimé. *Ureaplasma urealyticum* et, à un moindre degré, *Mycoplasma hominis* ont été associés à des cas de prostatite chronique, mais leur rôle pathogène n'a pas été établi. *U. urealyticum*, en raison de sa capacité de lyser l'urée, a été associé à la formation de calculs de struvite dans l'arbre urinaire chez le rat et chez l'humain. Son rôle pathogène dans le syndrome urétral aigu chez la femme est aussi suggéré par certaines études de fréquence.

Dans les problèmes liés à la reproduction, *U. urealyticum* est associé à l'infertilité à facteur mâle puisqu'il diminue la quantité et la mobilité des spermatozoïdes. *U. urealyticum* a aussi été associé à l'avortement spontané et au petit poids à la naissance en raison de sa capacité d'engendrer une chorioamnionite et de nuire à l'alimentation transplacentale. On isole plus fréquemment *U. urealyticum* dans le placenta des bébés prématurés ou de petit poids, mais il semble toutefois que la colonisation du vagin par cet agent ne représente pas un facteur de risque de complications obstétricales. Des essais thérapeutiques ont favorisé la grossesse chez des femmes infectées ayant eu des avortements spontanés répétés. Dans d'autres essais, on a constaté une augmentation du poids à la naissance de nouveau-nés dans le groupe traité. Cependant ces données sont incomplètes. L'état actuel de nos connaissances ne permet pas de formuler de recommandations quant au traitement des mycoplasmes durant la grossesse.

11.4.3 Rapports anecdotiques

Lors de rapports anecdotiques (*case reports*), *U. urealyticum* a été impliqué dans la pathogenèse de l'épididymite et de maladies respiratoires du nouveau-né. *M. hominis* a été isolé dans un cas de bartholinite. Des cas d'arthrites en post-partum ou chez les immunosupprimés ainsi que des cas de méningites néonatales, d'ostéomyélites et d'infections de plaies ont été attribués à *M. hominis*.

11.5 L'ÉVALUATION BIOLOGIQUE

Chez la femme, les prélèvements vaginaux pour la recherche de mycoplasmes produisent de meilleurs résultats que les prélèvements endocervicaux. Chez l'homme circoncis, l'urètre représente le meilleur site d'écouvillonnage. Chez l'homme non circoncis, le prélèvement au niveau du sillon coronal semble offrir une meilleure sensibilité, notamment pour la détection de *M. hominis*.

Tableau 11.2

ENTITÉ CLINIQUE	AGENT	ÉTUDES DE FRÉQUENCE	RÉPONSE SÉROLOGIQUE	ESSAIS THÉRAPEUTIQUES	MODÈLE ANIMAL OU HUMAIN	ASSOCIATION
Urétrite	U. urealyticum M. hominis	+ -	+ -	+ -	+	causale nulle
Prostatite chronique	U. urealyticum M. hominis	+ +	+ +	+		forte faible
Épididymite	U. urealyticum M.hominis	R. A. -	+	+		faible nulle
Vaginite Vaginose	U. urealyticum M. hominis	- +	 +	 -		nulle faible
Bartholinite	U. urealyticum M. hominis	- R. A.				nulle faible
Salpingite	U. urealyticum M. hominis	R. A. +	+ +	 +	 +	faible causale
Syndrome urétral	U. urealyticum M. hominis	+ -				faible nulle
Calcul urinaire	U. urealyticum M. hominis	+ -		+	+	faible nulle
Pyélonéphrite	U. urealyticum M. hominis	- +	 +	 +		nulle causale
Infertilité à facteur mâle	U. urealyticum M. hominis	+ et -		+ et -		faible nulle
Avortement spontané	U. urealyticum M. hominis	+		+		faible nulle
Petit poids à la naissance	U. urealyticum M. hominis	+ et - + et -	+	+		forte nulle
Fièvre post-avortement	U. urealyticum M. hominis	- +	 +			nulle causale
Fièvre post-partum	U. urealyticum M. hominis	+ +	 +			faible causale

Légende: + argument favorable
- argument défavorable
R. A. rapport anecdotique

Le prélèvement doit être immédiatement placé dans un milieu de transport adéquat (2-SP, Stuart ou TSB supplémenté d'albumine et de pénicilline) à une température de 4 °C, puis acheminé au laboratoire dans les 24 heures. Si le transport dans la même journée est impossible, le prélèvement doit être conservé à une température de −70 °C.

Au laboratoire, le prélèvement doit être ensemencé dans des milieux liquides contenant un détecteur de pH ainsi que de l'urée ou de l'arginine. *U. urealyticum,* comme son nom l'indique, métabolise l'urée, tandis que *M. hominis* métabolise l'arginine. Le détecteur de pH distingue les produits de ces réactions par la coloration du tube. Ces transformations métaboliques notées, l'analyse du milieu liquide est complétée en transférant une partie aliquote du milieu liquide sur de la gélose solide incubée de façon anaérobie à 37 °C. *U. urealyticum,* en présence d'urée et de chlorure de calcium, forme après un jour ou deux des colonies de couleur brun foncé, tandis que *M. hominis* forme après une semaine des colonies qui ont l'apparence d'œufs au plat. Il s'agit dans les deux cas de petites colonies qui nécessitent l'observation au microscope à dissection.

Enfin, les méthodes EIA et les sondes ADN-ARN ne sont pas suffisamment fiables pour la détection de ces agents. Par contre, la méthode par réaction en chaîne par polymérase est très prometteuse.

11.6 LA THÉRAPIE

Les cultures pour mycoplasmes sont en pratique peu disponibles. Les syndromes cliniques où les mycoplasmes constituent des agents étiologiques reconnus doivent être traités avec une antibiothérapie efficace. Les mycoplasmes sont habituellement sensibles aux tétracyclines telles que la doxycycline à raison de 100 mg deux fois par jour pendant dix jours. Environ 10 % des ureaplasmas sont résistants aux tétracyclines. Dans ces cas, on peut utiliser de l'érythromycine 500 mg quatre fois par jour pendant dix jours. *M. hominis* peut aussi développer une résistance à la tétracycline. Dans ces cas, puisque l'érythromycine est inefficace contre *M. hominis,* un traitement à la clindamycine peut être considéré. Une nouvelle quinolone, l'ofloxacine, s'est avérée efficace *in vitro* et dans quelques essais cliniques pour le traitement de l'infection par *U. urealyticum.*

Dans les cas où une association causale n'est pas prouvée, comme l'infertilité, les avortements spontanés répétés ou les calculs urinaires, l'indication de traiter dépend du jugement du clinicien.

Dans l'état actuel de nos connaissances, il n'y a pas d'indication de traiter les personnes asymptomatiques porteuses de *M. hominis* ou *U. urealyticum.*

11.7 LA PRÉVENTION ET LE SUIVI

L'utilisation du condom est efficace pour prévenir la colonisation par les mycoplasmes. L'usage du diaphragme avec spermicides aurait aussi un effet protecteur supposément par l'effet bactéricide des spermicides. De plus, la réduction du nombre de partenaires diminue le risque d'être infecté. Lorsqu'un patient doit être traité, il n'est pas nécessaire de rechercher les contacts, sauf si cela prévient la réinfection.

BIBLIOGRAPHIE

1. BATTEIGER, B.E., JONES, R.B., WHITE, A. «Efficacy and safety of ofloxacin in the treatment of nongonococcal sexually transmitted diseases». *Am J Med*, 87 (6S) 1989, p. 755-775.

2. EMBIL, J.A., PEREIRA, L.H. «Prevalence of Chlamydia trachomatis and genital mycoplasmas in asymptomatic women». *Can Med Assoc J*, Vol. 133, July 1985, p. 34-35.

3. MARDH, P.A. «Mycoplasmal P.I.D.: A review of natural and experimental infections». *Yale Jour Bio Med*, Vol. 56, 1983, p. 259-536.

4. ORIEL, J.D. «Role of genital mycoplasmas in nongonococcal uretritis and prostatitis». *Sex Trans Dis*, Oct. 1983, p. 263-270.

5. RISI, G.F., SANDERS, C.V. «The genital mycoplasmas». *Obstet Gynecol Clin North Am*, 16 (3), Sept. 1989, p. 611-626.

6. ROBERTO, R., MAZOR, M. et al., «Is genital colonisation with Mycoplasma hominis or Ureaplasma urealyticum associated with prematurity/low birth weight?» *Obstet Gynecol*, 73 (3), March, 1989, p. 532-536.

7. TAYLOR ROBINSON D., McCORMACK, W.M. «The genital mycoplasmas». *New Eng J of Med*, 302 (19), May 1980, p. 1063-1067.

12

LES TRÉPONÉMATOSES VÉNÉRIENNES

Fernand Turgeon et Pierre L. Turgeon

12.1 DÉFINITION

Les tréponématoses sont des infections causées par des bactéries appartenant au genre *Treponema*. Elles peuvent être non vénériennes comme le yaws, la pinta et le béjel ou vénériennes, comme la syphilis. Cette dernière retiendra notre attention.

12.2 L'AGENT ÉTIOLOGIQUE

L'agent étiologique de la syphilis est le *Treponema pallidum*.

12.3 L'ÉPIDÉMIOLOGIE

Au cours des cinq dernières années, le taux de syphilis infectieuse (primaire et secondaire) a nettement augmenté aux États-Unis. Cependant, le Québec a connu une augmentation nettement inférieure avec une incidence de 1,5 par 100 000 de population, soit environ dix fois moins qu'aux États-Unis.

Cette incidence est plus importante chez l'homme que chez la femme et elle est en grande partie associée aux relations entre les hommes.

12.4 PRÉSENTATION DE CAS

La syphilis non traitée est une maladie chronique caractérisée par des périodes d'activité clinique suivies de périodes d'accalmie sans aucune évidence clinique d'infection.

12.4.1 La syphilis primaire

La syphilis primaire débute par un chancre accompagné d'une adénopathie satellite. Il apparaît au site d'inoculation après une incubation de 3 à 90 jours et dure en moyenne 21 jours. Il est souvent unique et se situe habituellement au niveau des organes génitaux. Il prend la forme d'un ulcère indolore, induré ou cartonné à contour bien délimité et à fond rouge charnu. Il peut parfois y avoir plus d'un chancre, surtout chez les personnes atteintes par le virus de l'immunodéficience humaine (VIH).

Comme le chancre apparaît au site d'inoculation, on peut le retrouver notamment à la région périanale, au canal anal, à la bouche et aux lèvres. L'adénopathie se situe au niveau du territoire tributaire; les ganglions sont fermes, mobiles et indolores.

Le chancre guérit en 3 à 6 semaines, mais la résolution de l'adénopathie est beaucoup plus lente.

Le chancre peut être inexistant ou méconnu surtout au niveau rectal ou vaginal.

La syphilis primaire doit se différencier des infections herpétiques, des lésions traumatiques surinfectées et du chancre mou.

12.4.2 La syphilis secondaire

La syphilis secondaire est le stade le plus manifeste de cette maladie. Elle survient généralement de 2 à 8 semaines après l'apparition du chancre. Les rechutes en phase de latence précoce se présentent le plus souvent sous la forme clinique d'une syphilis secondaire. Les manifestations cliniques de la syphilis secondaire sont nombreuses, et les lésions cutanéo-muqueuses sont les plus fréquentes. Les lésions cutanées peuvent être maculaires, maculo-papulaires, papulaires ou parfois pustuleuses. Elles débutent généralement au tronc, mais peuvent s'étendre à toute la surface corporelle pour atteindre la paume des mains et la plante des pieds. Sans être des signes pathognomoniques, des régions palmaires et plantaires affectées suggèrent fortement le diagnostic. Les plaques muqueuses sont indolores, érosives et souvent recouvertes d'un enduit grisâtre. Elles se localisent aux muqueuses buccales ou génitales. Cette phase est accompagnée de symptômes généraux tels que de la fièvre, des malaises, de l'asthénie, de l'anorexie, une perte de poids, des arthralgies et, souvent, une adénopathie généralisée.

D'autres lésions cutanées peuvent également se rencontrer comme les condylomes plats, lésions surélevées, érosives, de couleur brun-rouge ou grisâtre que l'on retrouve principalement à l'anus, au scrotum et à la vulve. Il peut y avoir une folliculite du cuir chevelu qui entraîne des plaques d'alopécie.

À la phase secondaire, le système nerveux central peut être atteint, donnant des signes cliniques de méningisme, voire même, dans de rares cas, de méningite. L'œil peut également être touché et être atteint de cécité. L'atteinte oculaire se rencontre fréquemment chez les personnes infectées par le VIH. On peut également trouver des atteintes hépatiques, rénales, intestinales et ostéo-articulaires.

12.4.3 La syphilis latente

Comme il s'agit d'une phase cliniquement silencieuse, elle est asymptomatique. Seules les épreuves sérologiques positives nous permettent d'en soupçonner l'existence. Cependant, la maladie peut continuer à progresser et il existe des risques de transmission, soit congénitale, soit par échange de matériel d'injection contaminé.

Cette phase peut s'échelonner sur une période de plus de vingt ans. Dans ce cas, on l'appelle précoce la première année et tardive par la suite. C'est durant la phase précoce que surviennent les rechutes qui se présentent surtout sous forme cutanéo-muqueuse.

12.4.4 La syphilis tertiaire

La syphilis tertiaire présente les manifestations cliniques des lésions métastatiques qui se sont produites à la phase primaire ou secondaire et qui ont évolué lentement. Tous les organes peuvent être affectés et les manifestations cliniques dépendent des organes atteints. On distingue la neurosyphilis, la syphilis cardiovasculaire et les gommes syphilitiques.

12.4.4.1 La neurosyphilis

La neurosyphilis peut être asymptomatique ou symptomatique.

La forme asymptomatique se caractérise par la présence d'anomalies dans le liquide céphalo-rachidien (LCR). Ces anomalies incluent une pléiocytose, la présence de protéines, une diminution de la concentration du glucose ou une sérologie positive pour la syphilis.

Il peut exister des cas de neurosyphilis asymptomatique ou symptomatique avec une sérologie négative du LCR.

La forme symptomatique peut être méningo-vasculaire et parenchymateuse. La syphilis méningo-vasculaire est due à une endartérite oblitérante des petits vaisseaux des méninges, du cerveau et de la mœlle. Elle résulte en infarctus dont la symptomatologie dépend de la région atteinte.

La neurosyphilis parenchymateuse provient d'une destruction des cellules nerveuses, principalement du cortex cérébral. Elle peut prendre la forme clinique de paralysie générale avec une détérioration psychomotrice importante ou encore de tabès avec une atteinte des cordons postérieurs de la mœlle.

12.4.4.2 La syphilis cardiovasculaire

La syphilis cardiovasculaire atteint surtout l'aorte, et le problème principal est causé par une endartérite oblitérante des *vasa vasorum* avec nécrose et destruction du tissu élastique entraînant des anévrismes. L'atteinte de l'aorte ascendante, particulièrement au niveau de l'anneau aortique explique une part de l'insuffisance aortique et une occlusion des ostia coronariens.

12.4.4.3 Les gommes syphilitiques

Les gommes syphilitiques sont des lésions granulomateuses résultant d'une réaction inflammatoire chronique. Presque toujours cliniquement silencieuses, ces lésions peuvent se retrouver sur la peau, les os, les testicules et le foie.

12.4.5 La syphilis congénitale

La syphilis congénitale résulte de la transmission de la maladie *in utero* au fœtus par une mère infectée et non traitée. Même si cela se produit généralement au cours d'une syphilis récente, cette maladie peut également se transmettre au début de la phase de latence. À la période périnatale, les lésions cutanéo-muqueuses et osseuses dominent le tableau. Contrairement aux lésions cutanées chez l'adulte à la période périnatale, il se forme, chez l'enfant, des vésicules et des bulles. Tous les os peuvent être atteints et les lésions les plus caractéristiques sont le nez en «selle» et les tibias en lame de sabre. Tous les organes peuvent être touchés et souvent l'enfant décède de problèmes hépatiques ou pulmonaires. Si l'enfant non traité survit, il entre dans une phase de latence. Les formes cardiovasculaires tardives sont rares tandis que les formes neurologiques ressemblent à celles des adultes. Il est fréquent que l'enfant développe une kératite interstitielle. Il existe d'autres stigmates caractéristiques comme les dents de Hutchinson, l'arthropathie bilatérale des genoux, les bosses frontales et un hypodéveloppement du maxillaire inférieur. (Voir chapitre «Néonatalogie et MTS».)

12.4.6 La syphilis et le VIH

Chez les personnes infectées par le VIH, la syphilis peut présenter une évolution clinique accélérée qui s'accompagne souvent d'une atteinte neurologique prédominante. Ces personnes ont tendance aux rechutes malgré les schémas thérapeutiques habituels. Toute personne atteinte par le VIH devrait avoir une sérologie pour la syphilis et vice versa.

12.4.7 Le patient avec sérologie positive

Ce patient se présente parce qu'il a appris le résultat positif de sa sérologie pour la syphilis. Cette positivité peut avoir été détectée lors d'un don de sang, d'un examen préemploi, d'une analyse de routine, etc.

Cette sérologie se réfère habituellement à la mise en évidence de réagines (ART, VDRL, TRUST) et le titre est généralement bas. Le patient n'accuse aucun symptôme et l'examen physique est normal. Il faut d'abord s'assurer qu'il ne s'agit pas d'une épreuve faussement positive en prescrivant la recherche d'anticorps antitréponémiques (MHATP, FTA-abs).

Si les résultats de cette épreuve sont positifs, il faut interroger le patient pour savoir s'il a déjà fait une syphilis et à quand remonte l'infection. Il faut surtout déterminer s'il a été traité adéquatement, car même après une thérapie adéquate, la présence de réagines persiste chez un certain nombre de patients pendant plus de 24 mois.

S'il est établi que le patient a été traité, il faut le rassurer et bien l'informer de sa situation sérologique. Cependant, lorsque le doute subsiste, il faut administrer un traitement de syphilis latente précoce ou tardive (voir tableau 12.2, p. 165).

La syphilis est une maladie essentiellement vénérienne qui se contracte le plus souvent par contact sexuel. Il existe une forme congénitale transmise de la mère au fœtus par le passage des tréponèmes à travers le placenta. Enfin, cette maladie peut se transmettre exceptionnellement par les baisers, par les transfusions, une inoculation accidentelle ou l'échange de seringues chez les utilisateurs de drogues intraveineuses.

Comme pour toutes les maladies transmissibles sexuellement, l'évaluation médicale est très importante. L'anamnèse complète est nécessaire surtout en présence des phases plus tardives de la syphilis, car les présentations cliniques ressemblent beaucoup à celles d'autres pathologies.

L'examen physique doit être complet et les signes recherchés varient naturellement avec le stade de la maladie.

12.5 L'ÉVALUATION BIOLOGIQUE

12.5.1 Le diagnostic étiologique

Le *Treponema pallidum* est une bactérie spiralée dont la régularité des spires et la mobilité typique permettent de la différencier microscopiquement des autres bactéries spiralées non pathogènes qui colonisent parfois le tractus génital et la bouche.

Le *Treponema pallidum* ne se colore pas au Gram et ne se cultive pas sur les milieux artificiels. Il est donc difficile de le mettre en évidence, mais il peut être détecté par la microscopie à fond noir ou encore par l'imprégnation à l'argent ou les techniques d'immunofluorescence directe.

Le diagnostic étiologique définitif de la syphilis repose sur la mise en évidence au microscope du *Treponema pallidum*, et la technique la plus utilisée est la microscopie à fond noir. Elle se pratique dans plusieurs centres hospitaliers: il suffit de prendre rendez-vous. Il faut aviser le patient de n'appliquer aucun onguent sur les lésions. Si c'est déjà fait, il doit cesser immédiatement et se laver avec de l'eau et du savon régulièrement jusqu'au rendez-vous.

La recherche de *Treponema pallidum* au niveau des lésions se pratique surtout à la phase du primaire, c'est-à-dire le chancre. Cependant, les lésions cutanéo-muqueuses de la phase secondaire contiennent beaucoup de *Treponema pallidum* et, par conséquent, un diagnostic étiologique pourrait être aussi posé durant cette phase.

12.5.2 Le diagnostic présomptif

Le diagnostic présomptif de la syphilis repose sur la sérologie. Or, cette sérologie prête à confusion en grande partie parce qu'elle fait appel à deux types différents d'anticorps: les réagines et les anticorps antitréponémaux.

12.5.2.1 Les réagines

Les réagines sont des anticorps qui ne sont pas dirigés contre le *Treponema pallidum*; ils sont dits non tréponémiques ou encore non spécifiques.

Les réagines apparaissent au cours de la syphilis, mais aussi au cours de beaucoup d'autres infections comme la tuberculose, la lèpre, la malaria, la scarlatine, certaines infections virales, etc. Elles peuvent également être présentes chez les utilisateurs de drogues intraveineuses, les patients atteints de collagénose, les femmes enceintes, les personnes âgées, les malades souffrant d'hépatite chronique, etc. Ces épreuves sont sensibles mais non spécifiques. Elles sont donc positives en présence de la maladie, mais les résultats peuvent être faussement positifs en raison d'autres pathologies.

Ces épreuves sont utilisées pour le dépistage de la maladie. Elles ont l'avantage d'être simples, rapides, faciles à standardiser et peu coûteuses. Elles sont également très utiles pour le suivi de la maladie puisqu'elles sont quantitatives (elles donnent, le titre du sérum, par exemple: 1/4, 1/32, etc.). Au Québec, les épreuves les plus utilisées pour rechercher les réagines sont: le VDRL (*Venereal Disease Research Laboratory*), l'ART (*Automated Reagin Test*), le RPR (*Rapid Plasma Reagin*) et le TRUST (*Toluidine Red Unheated Serum Test*).

12.5.2.2 Les anticorps antitréponémiques

Les anticorps antitréponémiques sont dirigés contre le *Treponema pallidum*; ils sont donc spécifiques de la maladie. Ces anticorps n'apparaissent qu'au cours de la syphilis. Les épreuves qui les recherchent sont des épreuves de confirmation de la maladie.

Au Québec, les épreuves utilisées à cette fin sont le , MHATP (*Treponema pallidum micro Hemagglutination Assay*) ou le FTA-abs (*Fluorescent Treponema Antibody Absorption*). Ces épreuves ne sont que qualitatives puisqu'elles donnent un résultat positif ou négatif sans titre du sérum.

12.6 L'ÉVOLUTION DE LA SÉROLOGIE

Le tableau suivant résume l'évolution de la sérologie au cours de la maladie. Il est important de signaler que:

— les épreuves non tréponémiques peuvent demeurer négatives jusqu'à dix jours après l'apparition du chancre;

Tableau 12.1 Évolution de la sérologie

Phase de la maladie	Réagines VDRL ou ART	Anticorps antitréponémaux MHATP ou FTA-abs
Primaire	Positive à 80 % de 4 à 7 jours après l'apparition du chancre. Positive à presque 100 % 3 semaines après l'apparition du chancre	Positif
Secondaire	Positive à presque 100 % (titre élevé)	Positif
Latente	Précoce: positive (titre décroissant). Tardive: positive de 50 à 70 %	Positif
Tertiaire	Positive de 50 à 70 %	Positif

- les épreuves tréponémiques sont positives beaucoup plus tôt au cours de la syphilis primaire;
- le traitement n'influence pas le résultat négatif des épreuves tréponémiques, tandis que les épreuves non tréponémiques donnent des résultats négatifs, généralement entre 3 mois et 24 mois après un traitement adéquat (voir section 12.4.7);
- parfois, les épreuves tréponémiques peuvent être négatives sans nécessairement éliminer la syphilis.
- la recherche d'IgM peut être effectuée tant pour les épreuves non tréponémiques que tréponémiques, et leur présence confirme une infection récente (utile chez le nouveau-né);
- le VDRL sur le liquide céphalo-rachidien est l'épreuve standard pour la neurosyphilis. Lorsque cette épreuve est positive, le diagnostic de neurosyphilis s'impose. Cependant, une épreuve négative n'élimine pas ce diagnostic de façon définitive.

12.7 LA THÉRAPIE CURATIVE ET PALLIATIVE

Le tableau ci-dessous résume le traitement de la syphilis.

Tableau 12.2 Traitement de la syphilis

Type de syphilis	Traitement 1er choix	 Option
Primaire, secondaire ou latente (moins de 1 an)	Benzathine pénicilline G 2,4 millions d'unités IM	Doxycycline 100 mg PO deux fois par jour pendant 14 jours ou Érythromycine 500 mg PO quatre fois par jour pendant 14 jours ou Ceftriaxone 250 mg IM* pendant 10 jours.
Latente, d'une durée supérieure à 1 an incluant la syphilis cardiovasculaire et les gommes	Benzathine pénicilline G 2,4 millions d'unités IM par semaine, pendant 3 semaines consécutives.	Doxycycline 100 mg PO deux fois par jour pendant 28 jours ou Érythromycine 500 mg PO quatre fois par jour pendant 28 jours.
Neurosyphilis	Pénicilline G aqueuse cristalline 3 à 4 millions d'unités IV aux 4 heures. pendant 10 à 14 jours	Pour les patients non hospitalisés: pénicilline G procaïnée 2.4 millions d'unités IM par jour plus probénicide 500 mg PO quatre fois par jour; les deux doivent être administrés pendant 10 à 14 jours. Plusieurs auteurs recommandent qu'à qu'à la fin de ce traitement on administre de la benzathine-pénicilline G 2,4 millions d'unités IM par semaine, pendant 3 semaines consécutives.

Tableau 12.2 Traitement de la syphilis (*suite*)

Type de syphilis	Traitement 1er choix	 Option
Durant la grossesse	La pénicilline devrait être utilisée. La dose, la forme, la voie et la durée dépendront du type de syphilis.	Érythromycine; ne jamais utiliser de doxycycline ni de tétracycline.
Congénitale	Pénicilline G aqueuse cristalline 50 000 unités kg IV aux 8 à 12 heures pendant 10 à 14 jours.	
Chez les personnes infectées par le VIH	La prudence s'impose même si la thérapie conventionnelle est recommandée. Plusieurs autorités utilisent le même traitement que celui de la neurosyphilis.	

* Certaines autorités manifestent des réserves sur cette option.

12.8 LA PRÉVENTION ET LE COUNSELLING

Les règles de prévention et de counselling sont les mêmes que pour les autres infections vénériennes, notamment l'abstention de relations sexuelles jusqu'à la guérison, la recherche et le traitement des partenaires, ainsi que l'utilisation du condom afin de prévenir de futures infections.

Particulièrement, pour la syphillis, il est essentiel de bien expliquer l'importance d'un suivi post-traitement incluant un suivi sérologique. Les malades doivent être informés que la syphilis, comme tous les ulcères génitaux, accroît le risque de contracter le VIH et la sérologie VIH doit être sérieusement considérée.

Les femmes doivent connaître les risques encourus par le fœtus en cas de grossesse avant la guérison.

12.9 LES CONSIDÉRATIONS DE SANTÉ PUBLIQUE

La syphilis est une maladie à déclaration obligatoire. Bien que les laboratoires publics ou privés soient obligés de déclarer les sérologies positives, seul le médecin traitant peut déclarer le stade de la maladie. Le traitement est gratuit.

12.10 LE SUIVI

On a essuyé des échecs thérapeutiques avec chacun des traitements suggérés. C'est pourquoi il est si important d'exercer un suivi de chaque malade. Ce suivi comprend un examen clinique complet ainsi que des épreuves sérologiques quantitatives non tréponémiques (VDRL ou ART).

La fréquence des épreuves sérologiques dépend du type de syphilis. Elle est résumée dans le tableau suivant.

Tableau 12.3 Suivi sérologique

TYPE DE SYPHILIS	FRÉQUENCE DES ÉPREUVES	REMARQUES
Durée de moins de 1 an	3 et 6 mois.	Si après 6 mois le titre n'a pas chuté ou qu'il existe des signes et des symptômes de réinfection, faire une ponction lombaire et retraiter.
Durée de plus de 1 an	6 à 12 mois.	Si le titre augmente ou s'il était ≥ 1/32 et ne décroît pas: faire une ponction lombaire et retraiter.
Neurosyphilis	Sérologie sanguine régulièrement, ponction lombaire aux 6 mois jusqu'au retour à la normale.	Si le décompte cellulaire dans le LCR n'a pas diminué après 6 mois ou n'est pas revenu à la normale en 2 ans, retraiter.

Tableau 12.3 Suivi sérologique (*suite*)

TYPE DE SYPHILIS	FRÉQUENCE DES ÉPREUVES	REMARQUES
Congénitale	1, 2, 3, 6 et 12 mois.	Les anticorps maternels transmis passivement de même que les anticorps fabriqués par l'enfant lors de la syphilis congénitale décroissent rapidement et devraient disparaître en 6 mois. S'il y a persistance ou augmentation des titres, traiter ou retraiter suivant le cas. La recherche d'IgM permet de distinguer entre les anticorps maternels transmis passivement et ceux fabriqués par l'enfant.
Syphilis et VIH	1, 2, 3, 6, 9 et 12 mois.	S'il y a augmentation du titre, faire une ponction lombaire et traiter comme la neurosyphilis. Si le patient consulte en phase de latence, la ponction lombaire s'impose.

BIBLIOGRAPHIE

1. Canada Diseases Weekly Report. *Canadian Guidelines for Diagnosis Management and Treatment of Sexually Transmitted Diseases in Neonates, Children, Adolescents and Adults.* Jan. 1992.

2. La Lettre médicale. Traitement médicamenteux des maladies sexuellement transmissibles. 15: (20) 24 janv. 1992.

3. Relevé des maladies transmissibles au Canada. *Lignes directrices canadiennes pour la prévention, le diagnostic, la prise en charge et le traitement des maladies transmises sexuellement chez les nouveau-nés, les enfants, les adolescents et les adultes,* 18S1, avril 1992.

13

LES HÉPATITES VIRALES

Jean Vincelette et Bernard Willems

13.1 DÉFINITION

Une hépatite virale désigne une infection du foie, aiguë ou chronique, symptomatique ou non, associée à une augmentation des transaminases et causée par un des virus de l'hépatite. Ces virus infectent spécifiquement le foie, par opposition à ceux qui peuvent affecter le foie lors d'une infection systémique, tels le virus d'Epstein-Barr, le cytomégalovirus, les virus de l'herpès simplex ou de la fièvre jaune.

13.2 LES AGENTS ÉTIOLOGIQUES

On distingue présentement cinq agents de l'hépatite virale, soit les virus de l'hépatite A (HAV), de l'hépatite B (HBV), de l'hépatite C (HCV), de l'hépatite

D (HDV) ou delta et de l'hépatite E (HEV) (voir tableau 13.1, p. 171). Ils ne sont pas apparentés.

13.3 L'ÉPIDÉMIOLOGIE

Au Québec, en 1990, le taux d'incidence de l'hépatite A était de 4,5 par 100 000 habitants. En 1991, on a observé dans plusieurs villes nord-américaines une augmentation importante de l'incidence chez les hommes. Ainsi, le taux d'incidence au Québec atteignait-il 9,86 cette même année. Pendant ce temps le taux demeurait stable chez les femmes (3,06 à 3,87) alors qu'il passait de 9,17 à 16,25 chez les hommes. Cette augmentation se concentrait chez les hommes de la région de Montréal où le taux est passé de 13,66 à 41,68.

Au Québec, l'incidence de l'hépatite B aiguë est de 6,4 nouveaux cas par 100 000 habitants par année. Il s'agit évidemment d'une nette sous-estimation de l'incidence réelle, puisque plus de la moitié des cas sont asymptomatiques et que tous les cas ne sont pas diagnostiqués et rapportés. Soixante-quinze pour cent des cas surviennent chez les personnes âgées de 15 à 39 ans. Chez les donneurs de sang, la prévalence de l'HBsAg est de 0,25 % et chez les femmes enceintes, de 0,34 %. Dans la population en général, la prévalence de l'HBsAg se situe entre 0,2 et 0,9 %, celle de l'anti-HBs, entre 4 et 6 %.

L'hépatite C se retrouve chez près de la moitié des utilisateurs de drogues intraveineuses à Montréal. Chez les donneurs de sang, la prévalence d'anticorps anti-HCV est de 0,39 % à Montréal.

La prévalence de l'hépatite D est mal connue au Québec et l'hépatite E n'a pas été rapportée.

13.4 LA PRÉSENTATION CLINIQUE DES HÉPATITES

Quel que soit l'agent causal, le tableau clinique d'une hépatite virale est extrêmement variable. Dans environ la moitié des cas, l'infection est asymptomatique et passe inaperçue. L'autre moitié présente une simple altération de l'état général, une hépatite ictérique classique ou une hépatite fulminante avec insuffisance hépatique.

13.4.1 L'hépatite aiguë

L'hépatite aiguë comprend quatre phases: la période d'incubation, les prodromes, la phase ictérique et la période de convalescence.

Tableau 13.1 Les hépatites virales

	A	B	C	D	E
Agent	HAV	HBV	HCV	HDV	HEV
Antigènes	HAV Ag	HBsAg (HBcAg)[1] HBeAg	5-1-1 C-100-3 C-33c autres	HDV Ag	?
Anticorps	Anti-HAV *IgG+IgM*, Anti-HAV *IgM*	Anti-HBs, Anti-HBc *IgG+IgM*, Anti-HBc *IgM*, Anti-HBe	Anti-HCV	Anti-HDV *IgG+IgM*, Anti-HDV *IgM*	(Anti-HEV)[2]
Trans-mission	Fécale-orale, Sexuelle	Sexuelle, Parentérale, Verticale familiale	Parentérale, Sexuelle?	*Hépatite B requise* Parentérale, Sexuelle	Fécale-orale
Incubation (jours)	15-45	40-180	15-150	30-40	?
Chronicité	jamais	10 %	25-50 %	oui	jamais
Fulminante	oui 0,1 %	oui 1 %	jamais ?	oui	oui 5 %
Vaccin	oui[3]	oui	non	cf. HBV	non

1. Retrouvé dans le foie, non dans le sérum
2. Expérimental
3. En Europe

La période d'incubation

La durée de cette période est variable (voir tableau 13.1).

Les prodromes

Durant quelques jours, on peut observer des symptômes généraux comme une altération plus ou moins sévère de l'état général, de la fatigue, de l'anorexie. On peut observer aussi des problèmes gastro-intestinaux comme l'inappétence, le dégoût alimentaire, les nausées, les vomissements, les diarrhées, une gêne abdominale diffuse ou localisée à l'hypocondre droit (hépatalgie) ou encore des problèmes pseudo-grippaux tels que la fièvre, les céphalées et les arthralgies. On rencontre plus rarement des éruptions, de l'urticaire, une vasculite ou une glomérulonéphrite.

La phase ictérique

Cette phase s'étend de quelques jours à quelques semaines. L'ictère est inconstant et d'intensité variable. Peu après son apparition, les selles sont décolorées, acholiques, («selles mastic», sans pigments biliaires) et les urines brun foncé («urine Coca-Cola»). Dans certains cas, un prurit se manifeste, parfois insupportable. L'ictère coïncide le plus souvent avec une amélioration de l'état général, mais il peut rester très altéré.

La période de convalescence

Cette période marque le retour à la normale. La convalescence peut se faire rapidement ou s'étaler sur plusieurs semaines. Cependant, elle excède rarement une année.

13.4.1.1 L'examen physique

L'examen physique peut être normal, même si l'on note souvent une hépatomégalie avec hépatalgie. On remarque une splénomégalie dans environ 10 % des cas et l'ictère ne se présente que chez environ 25 % des patients infectés. On peut noter des angiomes stellaires, mais ils évoquent plutôt une maladie chronique du foie. L'astérixis, le *foetor hepaticus*, l'ascite, un état léthargique ou le coma signalent une extrême gravité de l'état.

13.4.2 L'hépatite fulminante

Il s'agit d'une nécrose hépatique massive progressant vers l'insuffisance hépatique. La présence d'encéphalopathie hépatique constitue un critère indispensable au diagnostic. Elle progresse, de l'astérixis à la somnolence, de la stupeur au coma hépatique. L'ictère s'aggrave progressivement; les patients présentent une haleine particulière, le *foetor hepaticus*. Le décès survient dans 90 % des cas, souvent provoqué par l'œdème cérébral. Il est à noter que le virus de l'hépatite C ne provoque pas d'hépatite fulminante.

13.4.3 L'hépatite chronique

On parle d'hépatite chronique lorsque l'infection persiste plus de six mois. Les patients sont le plus souvent asymptomatiques pendant des années, même si la maladie progresse vers la cirrhose. Ils peuvent se plaindre d'asthénie, parfois sévère et fluctuante, et de malaise à l'hypocondre droit. Seules les hépatites B, C et D peuvent devenir chroniques.

13.5 LE TRAITEMENT GÉNÉRAL D'UNE HÉPATITE

13.5.1 L'hépatite aiguë

Aucun traitement n'est indiqué, sauf le repos chez les patients symptomatiques. La diète sans restriction sera ajustée en fonction de la tolérance. La contraception orale peut être poursuivie sans risque chez les femmes.

13.5.2 Quand l'hépatite aiguë nécessite-t-elle une hospitalisation?

À cet égard, le niveau des transaminases ou de la bilirubine ne sont pas des bons critères de décision. L'hospitalisation devient nécessaire dans les cas suivants:

- une intolérance alimentaire totale;
- une asthénie majeure et un entourage qui ne peut prendre soin du patient;
- une insuffisance hépatique marquée par la présence d'encéphalopathie hépatique, de coma, d'ascite, d'anomalies des tests de la coagulation, ou d'hypoglycémie.

13.5.3 L'hépatite fulminante

Le malade est hospitalisé pour un traitement de support intensif, la prévention des infections spontanées extrêmement fréquentes et l'évaluation du bien-fondé d'une transplantation hépatique en présence d'un coma ou d'une chute du facteur V au-dessous de 15 %.

13.6 LES CONSIDÉRATIONS DE SANTÉ PUBLIQUE

Une hépatite virale doit être déclarée en deçà de 48 heures suivant le diagnostic. Il faut préciser s'il s'agit d'une hépatite aiguë ou chronique. Il faut évaluer les contacts d'hépatite A ou B afin d'administrer un traitement préventif le cas échéant.

13.6.1 Le personnel soignant

Les hépatites B, C et D peuvent se transmettre au personnel soignant lors d'une exposition parentérale accidentelle ou même sans exposition reconnue. Comme ces infections passent souvent inaperçues, deux mesures s'imposent: la vaccination contre l'hépatite B et l'application des précautions universelles. Tout patient est considéré potentiellement infectieux. Il faut appliquer vigoureusement les mesures de prévention des piqûres et des coupures accidentelles avec des instruments souillés. Les instruments jetables, pointus ou acérés, sont immédiatement placés dans des contenants à l'épreuve des perforations. Il faut porter des gants s'il y a risque de contact avec le sang ou les liquides biologiques et se laver les mains en cas de contact accidentel. Il faut se protéger des éclaboussures et porter un masque et des verres protecteurs s'il y a lieu. Tous les accidents qui exposent un travailleur à des liquides biologiques doivent être rapportés au bureau de santé le plus rapidement possible.

13.7 L'HÉPATITE A

13.7.1 La présentation clinique

L'hépatite A se manifeste comme l'hépatite aiguë déjà décrite. Entre 0,01 % et 0,1 % des patients développeront une hépatite fulminante, mais elle ne conduit jamais à une hépatite chronique. L'état cholostatique persiste rarement plus de douze semaines et se résorbe spontanément.

13.7.2 La transmission

L'hépatite A se transmet par voie fécale-orale. Certaines pratiques sexuelles, comme le contact oral-anal, peuvent ainsi favoriser la transmission. Quelques éclosions ont été rapportées dans des communautés homosexuelles. En 1991, on a signalé une augmentation des cas non reliés à des voyages dans plusieurs villes nord-américaines dont Montréal et Québec.

13.7.3 Les aspects de laboratoire

Le virus de l'hépatite A est un petit virus à ARN monocaténaire de 27 nm, de la famille des *Picornaviridae*, que l'on peut observer dans les selles en microscopie électronique.

13.7.4 Les marqueurs sérologiques

La figure 13.1, p. 187, illustre l'évolution biologique et sérologique d'une hépatite A typique.

13.7.4.1 Les anti-HAV IgM: anticorps IgM contre l'hépatite A

Ils sont présents à l'apparition des symptômes et persistent de trois à six mois. Ils révèlent une hépatite A récente.

13.7.4.2 Les anti-HAV: anticorps totaux (IgG et IgM) contre le virus de l'hépatite A

Les anticorps totaux apparaissent au moment des symptômes. Comme les IgG persistent toute la vie, une réaction positive indique une infection présente ou passée.

13.7.4.3 L'utilisation

Les anti-HAV IgM sont utilisés pour diagnostiquer une hépatite aiguë (voir tableau 13.2, p. 180). Les anti-HAV totaux sont utilisés chez des patients ayant des antécédents d'hépatite aiguë et qui voyagent en zone endémique. Un test positif rend l'immunisation passive inutile.

13.7.5 La prévention et quelques conseils

13.7.5.1 L'immunisation passive

Les immunoglobulines (0,02 mL/kg) sont administrées dès que possible aux contacts familiaux ou sexuels d'un cas confirmé d'hépatite A: l'administration peut retarder d'au plus deux semaines après l'exposition. L'immunisation passive est également recommandée chez les contacts dans les garderies, notamment chez les bébés dans certains cas d'éclosion. Chez les voyageurs se rendant en région endémique, la prévention pré-exposition est indiquée, à raison de 0,06 ml/kg. Son efficacité dure six mois.

Il convient de rappeler au patient les règles d'hygiène en insistant sur le lavage des mains puisque le virus est présent dans les selles.

13.7.5.2 Le vaccin

En 1993, un vaccin efficace contre l'hépatite A a été introduit en Europe. On administre ce vaccin en deux doses dans un intervalle de 2 à 4 semaines. Plus de 95 % des personnes vaccinées développent des anticorps. Il est recommandé chez les personnes demeurant en zones endémiques et chez celles qui voyagent régulièrement dans ces zones. La vaccination des homosexuels, des enfants, des réfugiés, des toxicomanes et du personnel soignant est à envisager.

13.8 L'HÉPATITE B

13.8.1 La présentation clinique

13.8.1.1 L'hépatite B aiguë

Le tableau clinique est variable (voir section 13.4). La majorité des patients récupèrent complètement. Moins de 1 % des cas évoluent vers l'hépatite fulminante. L'évolution vers la chronicité constitue cependant un problème majeur.

13.8.1.2 L'hépatite B chronique

Parmi les enfants infectés dans la période néonatale, 90 % évoluent vers l'hépatite chronique; chez les adultes qui contractent la maladie, de 5 à 10 % développent une hépatite chronique. Dans ces cas, les signes de l'infection virale et les anomalies du bilan hépatique persistent pendant des mois, voire des années. L'évolution est variable. Chez le tiers des malades, la réplication virale se maintient et l'hépatite chronique évolue vers la cirrhose et, éventuellement, vers l'hépatome. La maladie progresse par poussées évolutives avec une exacerbation de l'hépatite et des dommages au parenchyme hépatique. Dans les autres cas, la réplication virale s'arrête au bout de quelques mois ou de quelques années. Sur le plan biologique, l'organisme accuse une séroconversion avec une perte de l'HBeAg avec apparition d'anticorps anti-HBe (séroconversion e / anti-HBe) et une poussée de transaminases, qui retournent ensuite à la normale. La maladie n'évolue plus et le patient reste généralement un «porteur sain» de l'HBsAg.

Certains porteurs sains de l'HBsAg peuvent connaître une réactivation de la réplication virale au cours d'une immunosuppression (infection au VIH ou chimiothérapie). Sur le plan biologique, tant qu'il y a réplication virale active, les transaminases fluctuent, habituellement entre 2 et 10 fois la normale, avec parfois des périodes de normalisation. La bilirubine reste normale, sauf lors des poussées évolutives et au stade avancé d'une cirrhose. Les anomalies des facteurs de coagulation, l'hypoalbuminémie et l'hyperbilirubinémie révèlent une atteinte hépatique sévère dans un contexte de cirrhose.

Annuellement, de 5 à 10 % des porteurs chroniques du HBV passent en phase non réplicative. Elle se caractérise par une nette diminution de la réplication virale (qui persiste cependant à bas bruit). De plus, l'HBeAg et l'HBV DNA deviennent négatifs, les anticorps anti-HBe apparaissent et l'HBsAg reste positif.

13.8.2 La transmission

L'hépatite B se transmet principalement par voie sexuelle. Elle peut aussi se transmettre par voie parentérale (transfusion, utilisation de drogues intraveineuses, tatouage, acupuncture...) et verticale, de la mère à l'enfant, au moment de la naissance ou durant la petite enfance. On peut détecter le HBV dans tous les liquides biologiques, en particulier le sang, le sperme, la salive et le lait maternel. Le tiers des malades ne présentent aucun facteur de risque.

13.8.3 Les aspects de laboratoire

Le virus de l'hépatite B est un virus à ADN de 42 nm. Il est le prototype d'une nouvelle famille, les *Hepadnaviridae*. Il comprend une nucléocapside centrale qui contient l'ADN viral, l'antigène de la nucléocapside ou *core antigen* (HBcAg) (dont l'antigène e [HBeAg] est un fragment soluble) et une polymérase de l'ADN. Une enveloppe entoure la nucléocapside. Elle comprend une protéine appelée antigène de surface (HBsAg). Le virion complet comprend tous ces éléments et constitue la particule de Dane, visible en microscopie électronique (voir figure 13.2, p. 187). En plus du virion, on retrouve en excès dans le sang des sphères de 22 nm et des tubules constitués d'HBsAg non infectieux.

13.8.4 Les marqueurs sérologiques

On trouve trois groupes de marqueurs sérologiques associés à l'hépatite B:

1. l'HBsAg et l'anti-HBs;
2. l'HBeAg et l'anti-HBe;
3. l'anti-HBc IgG et l'anti-HBc IgM (l'HBcAg n'est pas détectable dans le sérum).

Les figures 13.3 et 13.4, p. 188, illustrent l'évolution des marqueurs dans le sérum au cours d'hépatites B aiguës et chroniques typiques.

13.8.4.1 L'HBsAg: antigène de surface de l'hépatite B

L'HBsAg est le premier marqueur sérologique à apparaître dans le sérum. Il devient détectable dès la période d'incubation et disparaît si l'hépatite guérit. Parfois l'HBsAg disparaît avant même le début des symptômes. En général, les tests de fonction hépatique se normalisent avec la disparition de l'HBsAg. Chez les porteurs chroniques, l'HBsAg reste détectable dans le sérum. Sa présence constitue un indicateur de l'état infectieux du patient.

13.8.4.2 L'anti-HBs: anticorps contre l'antigène de surface de l'hépatite B

Habituellement, l'anti-HBs est détecté durant la phase de convalescence lorsque l'HBsAg a disparu. Il marque la guérison et l'immunité. Il apparaît habituellement de un à trois mois après le début des symptômes. Il peut arriver que ni l'HBsAg ni l'anti-HBs ne soit détectable dans une hépatite B aiguë. On parle alors de «fenêtre sérologique»: elle peut s'étendre de quelques semaines à quelques mois. L'anti-HBc IgM permet de poser le diagnostic durant cette fenêtre. La vaccination ne génère que l'anti-HBs. Un taux de 10 unités/L signifie l'immunité. On peut rarement détecter l'HBsAg et l'anti-HBs en concomitance chez le même patient.

13.8.4.3 L'HBeAg: antigène e de l'hépatite B

L'HBeAg est un fragment soluble de l'HBcAg. L'HBeAg apparaît dans le sérum presque simultanément avec l'HBsAg, en même temps que l'ADN viral et la polymérase de l'ADN. C'est un indicateur de réplication active du virus et de forte contagiosité. Dans l'hépatite aiguë, il persiste normalement de trois à six semaines. Par contre, il reste présent dans l'hépatite chronique tant qu'il y a réplication virale active.

13.8.4.4 L'anti-HBe: anticorps contre l'antigène e de l'hépatite B

L'apparition de l'anti-HBe dans une hépatite aiguë annonce la résolution de l'infection. Elle survient habituellement au faîte des manifestations cliniques. L'anti-HBe est associé à une infectiosité réduite, mais tant que l'HBsAg persiste, la personne doit être considérée contagieuse. Dans l'hépatite B chronique, l'apparition d'anti-HBe indique une nette diminution de la réplication virale.

13.8.4.5 L'HBcAg: antigène de la nucléocapside de l'hépatite B

L'HBcAg n'est pas détectable dans le sérum. Il peut être mis en évidence par la biopsie hépatique en cas d'hépatite B chronique s'il y a réplication virale active.

13.8.4.6 Les anti-HBc: anticorps totaux (IgG et IgM) contre l'antigène de la nucléocapside de l'hépatite B

Le test détecte les IgG et les IgM. Il devient positif peu après le début des symptômes, soit environ une à quatre semaines après l'apparition de l'HBsAg. Les IgG anti-HBc persistent normalement la vie entière. Ils ne marquent pas l'immunité. Un test positif indique donc une infection présente ou passée.

13.8.4.7 L'anti-HBc IgM: anticorps IgM contre l'antigène de la nucléocapside de l'hépatite B

L'anti-HBc IgM apparaît au moment où l'anti-HBc est détecté. Il persiste pendant environ six mois, ce qui permet de diagnostiquer une hépatite B aiguë durant la période de l'évaluation d'un traitement antiviral.

13.8.4.8 L'HBV DNA: acide désoxyribonucléique du virus de l'hépatite B

L'HBV DNA dans le sérum constitue un marqueur de la réplication virale. Ce test onéreux est réservé aux cas problématiques, à la recherche et à l'évaluation d'un traitement antiviral.

13.8.5 L'évaluation sérologique

13.8.5.1 L'hépatite aiguë

Lorsqu'un patient se présente avec une hépatite virale dont l'étiologie est indéterminée, trois tests sont effectués: l'HBsAg, l'anti-HBc IgM et l'anti-HAV

soit un taux d'anti-HBs supérieur à 10 UI/L chez plus de 90 % des sujets. Le vaccin doit être administré dans le deltoïde chez l'adulte et l'enfant et dans le muscle antérolatéral de la cuisse chez les bébés. Cependant, l'administration dans la fesse est moins efficace. On peut vacciner la femme enceinte et celle qui allaite. Le vaccin peut être administré dans un site différent en même temps que les immunoglobulines hyperimmunes (HBIG) sans perdre d'efficacité.

La séquence de vaccination la plus fréquente consiste en trois doses intramusculaires; la deuxième dose est administrée un mois après la première, et la troisième, cinq mois plus tard.

La prévention de l'hépatite B prévient également l'hépatite D. La vaccination est recommandée pour les groupes suivants:

1. les personnes qui exercent une profession à risque, notamment les travailleurs de la santé qui peuvent être contaminés par le sang, les policiers, les embaumeurs;
2. les clients et le personnel des établissements pour handicapés mentaux;
3. les patients hémodialysés;
4. les patients qui reçoivent des concentrés de facteurs de coagulation;
5. les personnes vivant sous le même toit que les porteurs du HBV et les partenaires sexuels;
6. les personnes demeurant plus de six mois en zones endémiques;
7. les utilisateurs de drogues intraveineuses;
8. les hommes homosexuels ou bisexuels sexuellement actifs;
9. les personnes hétérosexuelles qui ont souffert de maladies transmises sexuellement ou qui ont eu de multiples partenaires au cours des six derniers mois;
10. les prisonniers.

Le Comité consultatif national sur l'immunisation recommande la vaccination universelle des enfants.

13.8.8.2 L'immunisation passive

Dans certains cas d'exposition d'une personne non immune, il est indiqué d'administrer des immunoglobulines hyperimmunes contre l'hépatite B (HBIG) (voir tableau 13.4).

Tableau 13.4 Immunisation postexposition de l'hépatite B

TYPE D'EXPOSITION	IMMUNISATION
Périnatale: nouveau-né d'une mère positive pour l'HBsAg.	Vaccination + HBIG[1] dans les 12 heures qui suivent la naissance.
Contact sexuel d'un cas d'hépatite B aiguë.	HBIG + vaccination.
Contact sexuel d'un cas d'hépatite chronique.	Vaccination.
Contact domestique d'un porteur chronique.	Vaccination.
Contact domestique d'un cas d'hépatite aiguë.	Aucune.
Enfant de moins de 12 mois si la principale personne qui en prend soin a une hépatite aiguë.	HBIG + vaccination.
Exposition muqueuse ou percutanée accidentelle, piqûre.	Vaccination (+ HBIG si non vacciné ou non répondeur et si source HBsAg+).

1. HBIG: immunoglobuline hyperimmune contre l'hépatite B.

13.8.8.3 Les pratiques sexuelles

Tant que le patient est porteur d'HBsAg, les pratiques sexuelles protégées demeurent de rigueur. Dans un couple monogame exclusif, les relations ne nécessitent pas de protection si le conjoint est immunisé à la suite d'une vaccination efficace ou à cause d'une hépatite B ancienne.

13.9 L'HÉPATITE C

Jusqu'à la découverte de marqueurs spécifiques en 1989, l'hépatite C était incluse dans les hépatites non-A, non-B. Elle est causée par le HCV, un virus à ARN monocaténaire et enveloppé, apparenté aux *Flaviviridae*.

L'hépatite C est le plus souvent asymptomatique. Environ 5 % des patients développent un ictère et jusqu'à 50 % évoluent vers une hépatite chronique. La progression vers l'hépatome est reconnue.

L'hépatite C est transmise essentiellement par voie parentérale. Le HCV est le principal agent responsable des hépatites post-transfusionnelles, anciennement appelées non-A, non-B. Cependant, l'exclusion des donneurs porteurs d'anticorps anti-HCV a grandement réduit leur incidence. La maladie est maintenant principalement reliée à l'utilisation de drogues intraveineuses, mais plus d'un tiers des patients infectés ne présentent pas de facteur de risque reconnu.

13.9.1 Le marqueur sérologique

13.9.1.1 L'anti-HCV: anticorps contre le virus de l'hépatite C

Les tests anti-HCV récents détectent la présence d'anticorps contre plusieurs antigènes viraux. Ils deviennent positifs quelques semaines après le début des symptômes. La majorité des patients qui ont des anti-HCV présentent des évidences d'une infection active. Par conséquent, les anticorps détectés ne sont pas protecteurs. Les tests de deuxième génération détectent des anticorps dirigés contre des antigènes non structuraux comme le c-100-3 et le c-33c et contre des antigènes de la nucléocapside comme le c-22-3. On ne dispose pas de test détectant des antigènes viraux. Des techniques permettant de détecter la présence du virus (HCV DNA) sont en cours de développement.

13.9.2 Le traitement de l'hépatite C

Le traitement à l'interféron alpha est recommandé dans les cas d'hépatite C chronique. Une normalisation des transaminases peut être obtenue chez la moitié des patients traités, mais seulement 20 % d'entre ceux gardent des transaminases normales à l'arrêt de l'interféron, d'où la nécessité d'un traitement à long terme. La dose d'interféron alpha est de trois millions d'unités par voie sous-cutanée, trois fois par semaine pendant au moins six mois. Un monitoring thérapeutique adéquat est indispensable en raison des effets secondaires qui se produisent pendant et après le traitement.

13.9.3 La prévention de l'hépatite C et quelques conseils

Il faut adopter des mesures préventives pour éviter le contact parentéral avec le sang, en particulier, s'abstenir d'échanger des seringues ou, à tout le moins, les désinfecter. Le criblage des dons de sang et d'organes a grandement réduit la propagation de cette infection. Les données actuelles indiquent que le risque de transmission sexuelle est faible. On recommande de n'appliquer que les mesures de prévention des MTS qui s'adressent à la population générale. Dans un couple exclusif, il n'est pas recommandé de modifier le comportement sexuel (ex: usage de condom) si l'un des partenaires est porteur du HCV. Il n'existe pas encore de vaccin contre l'hépatite C.

13.10 L'HÉPATITE D

Le HDV ou agent delta est un virus déficient qui ne peut se répliquer qu'en présence du HBV. Il contient de l'ARN monocaténaire circulaire et présente certaines similarités avec les viroïdes des plantes. L'hépatite D peut évoluer vers la chronicité.

L'hépatite D ou delta se transmet par voie percutanée ou sexuelle en même temps que l'hépatite B (co-infection), ou chez une personne déjà porteuse du HBV (surinfection). La co-infection est associée à une hépatite aiguë plus sévère. L'hépatite D demeure rare au Québec où elle est liée à l'utilisation de drogues intraveineuses. La plus haute incidence se trouve en Italie et dans les populations méditerranéennes.

13.10.1 L'anti-HDV: anticorps contre le virus de l'hépatite D

Il peut être recherché chez les patients qui présentent une réaction positive à l'HBsAg, ou quand le contexte épidémiologique, comme l'origine méditerranéenne et l'injection de drogues, permet de le soupçonner. Sa présence indique alors une infection par le HDV.

13.11 L'HÉPATITE E

L'hépatite E ressemble à l'hépatite A. Elle est transmise par voie fécale-orale. Elle cause des épidémies d'hépatite aiguë dans certains pays en voie de développement. Elle ne semble pas évoluer vers la chronicité, mais elle est responsable d'hépatite fulminante. Un test expérimental de détection d'anticorps bloquants a été élaboré: toutefois, il n'est pas disponible. Les cas d'hépatite E sont diagnostiqués à partir de caractéristiques semblables à celles de l'hépatite A. Ces patients n'ont pas de marqueurs et ils reviennent d'un séjour dans une région endémique.

BIBLIOGRAPHIE

1. Centers for Disease Control. «Protection against viral hepatitis: Recommendations of the Immunization Practices Advisory Committee (ACIP)». *MMWR*, Vol. 39, No. RR-2, 1990, p. 1-26.

2. Centers for Disease Control. «Hepatitis B virus: A comprehensive strategy for eliminating transmission in the United States through universal childhood vaccination: recommendations of the Immunization Practices Advisory Committee (ACIP)». *MMWR*, Vol. 40, No. RR-13, 1991, p 1-25.

3. Editorial. «Hepatitis A: A vaccine at last». *Lancet*, Vol. 339, 1992, p. 1198-1199.

4. HIRSCHMANN, S.Z. «Chronic hepatitis». In: MANDELL, G.L., DOUGLAS, R.G. et BENNETT, J.E. *Principles and Practice of Infectious Diseases*. 3rd Ed. Churchill Livingstone, New York, 1990, p. 1017-1023.

5. HOOFNAGLE, J.H. «Acute viral hepatitis». In: MANDELL, G.L., DOUGLAS, R.G. et BENNETT, J.E. *Principles and Practice of Infectious Diseases*. 3rd Ed. Churchill Livingstone, New York, 1990, p. 1001-1017.

6. KOFF, S.R. «Hepatitis B and hepatitis D». In: GORBACH, S.L., BARTLETT, J.G. et BLACKLOW, N.R. *Infectious Diseases*. WB Saunders, Philadelphie, 1992, p. 709-716.

7. KOFF, S.R. «Non-A, Non-B hepatitis». In: GORBACH, S.L, BARTLETT, J.G. et BLACKLOW, N.R. *Infectious Diseases*. WB Saunders, Philadelphie, 1992, p. 707-721.

8. LEMON, S.M., DAY, S.P. «Type a viral hepatitis». In: GORBACH, S.L., BARTLETT, J.G. et BLACKLOW, N.R. *Infectious Diseases*. WB Saunders, Philadelphie, 1992, p. 705-708.

9. TREPO, C. «Identification du virus de l'hépatite C (VHC): un progrès décisif pour la santé publique». *Médecine/sciences*, Vol. 6, 1990, p. 98-107.

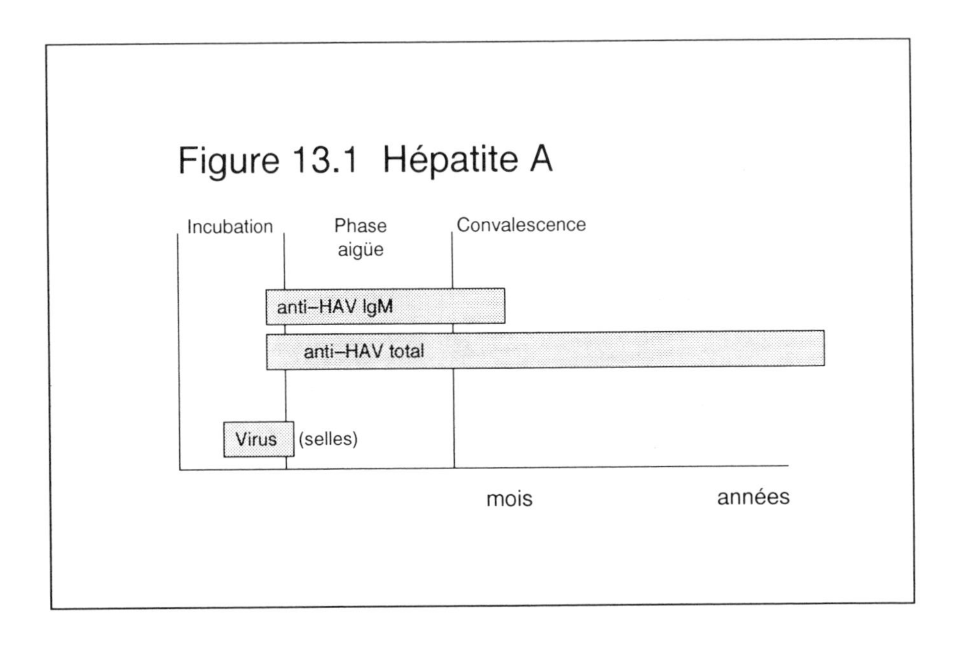
Figure 13.1 Hépatite A
Incubation
Phase aigüe
Convalescence
anti-HAV IgM
anti-HAV total
Virus
(selles)
mois
années

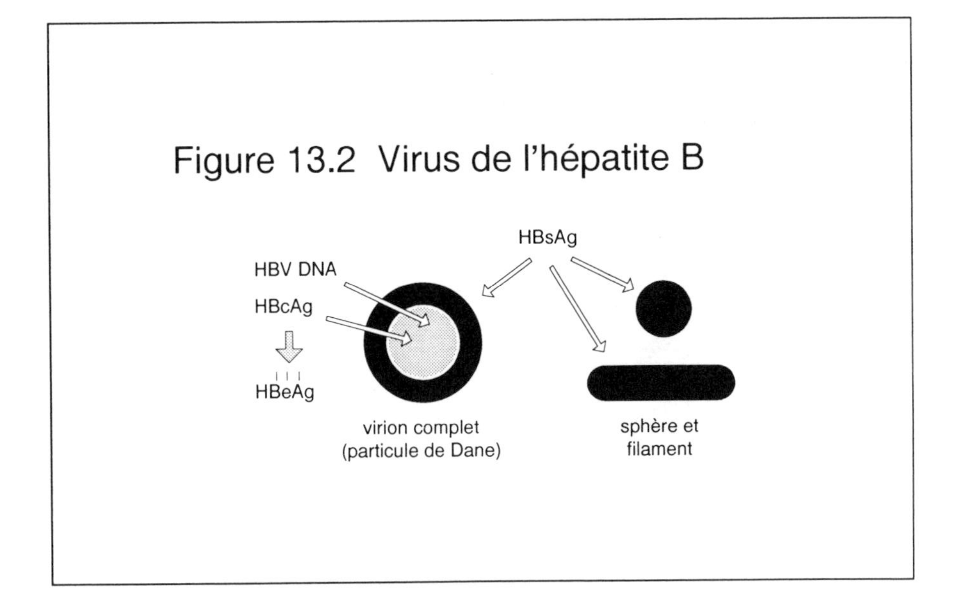
Figure 13.2 Virus de l'hépatite B
HBsAg
HBV DNA
HBcAg
HBeAg
virion complet
(particule de Dane)
sphère et
filament

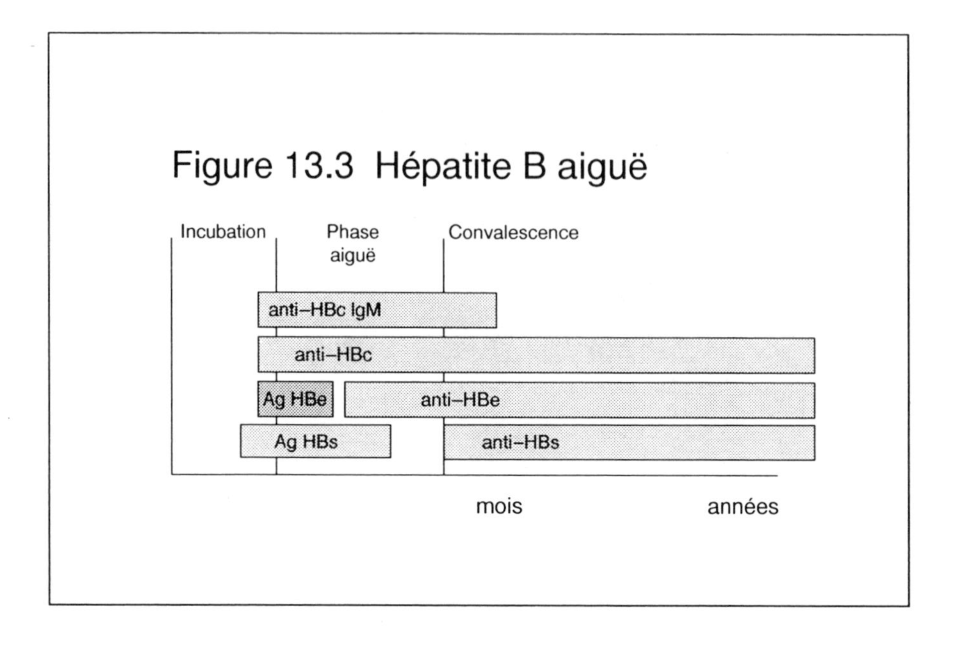
Figure 13.3 Hépatite B aiguë
Incubation
Phase aiguë
Convalescence
anti-HBc IgM
anti-HBc
Ag HBe
anti-HBe
Ag HBs
anti-HBs
mois
années

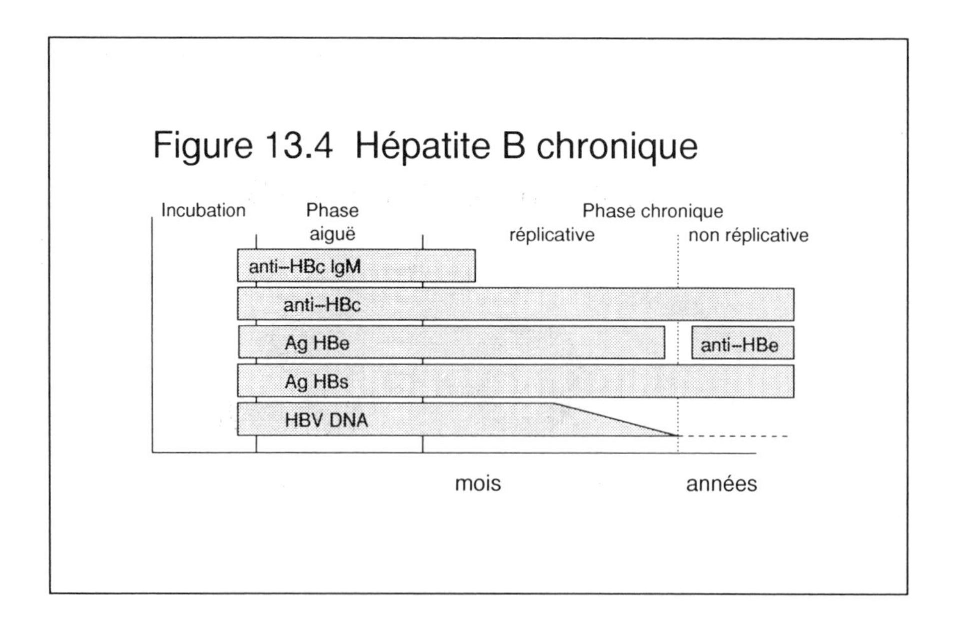
Figure 13.4 Hépatite B chronique
Incubation
Phase aiguë
Phase chronique
réplicative
non réplicative
anti-HBc IgM
anti-HBc
Ag HBe
anti-HBe
Ag HBs
HBV DNA
mois
années

14

LES INFECTIONS PAR LE VIRUS DE L'IMMUNODÉFICIENCE HUMAINE (VIH)

Michel Laverdière, Nancy Haley et Emil Toma

14.1 DÉFINITION

Les virus de l'immunodéficience humaine (VIH) offrent un éventail très varié d'atteintes cliniques allant de l'infection asymptomatique au syndrome de l'immunodéficience acquise (sida). L'intensité de ces atteintes varie selon le degré de destruction du système immunitaire.

14.2 LES AGENTS ÉTIOLOGIQUES

Les VIH appartiennent à la famille des rétrovirus parce qu'ils ont la particularité, une fois entrés dans la cellule hôte, de pouvoir transformer l'ARN de leur génome en ADN. Ils ont une affinité particulière avec les récepteurs cellulaires CD4 + qui se retrouvent en importante quantité sur la membrane des lymphocytes T et des monocytes, entre autres. On reconnaît présentement deux types antigéniques différents de VIH: le VIH 1 et le VIH 2.

14.3 L'ÉPIDÉMIOLOGIE

En 1981, des médecins américains ont fait face pour la première fois à des complications de l'infection au VIH 1. Grâce aux travaux des chercheurs du groupe du professeur Luc Montagnier de l'Institut Pasteur à Paris, le virus fut isolé en 1985.

Quant au VIH 2, il fut rapporté pour la première fois en 1985. Ses modes de transmission sont identiques à ceux du VIH 1, mais selon toute vraisemblance, il causerait moins de ravages. Jusqu'à présent, il a surtout été observé chez les habitants des pays de l'ouest de l'Afrique. C'est pourquoi nous nous intéresserons davantage aux infections causées par le VIH 1.

Les infections au VIH 1 ne connaissent pas de frontières. On estime entre 6 et 8 millions le nombre d'individus infectés dans le monde. Parmi eux, plus de 130 000 souffriraient du sida, complication ultime de l'infection au VIH 1. Des données québécoises récentes sur l'épidémiologie de l'infection au VIH 1 ont déjà été traitées dans un chapitre précédent.

Il existe quatre modes de transmission du virus: la transmission sexuelle, la transmission percutanée avec des aiguilles ou des instruments contaminés par du sang ou certains liquides biologiques, la transmission materno-fœtale et la transmission par transfusions sanguines. La transmission sexuelle tant chez l'homme homosexuel que dans la population hétérosexuelle demeure la plus fréquente; elle est responsable d'environ 75 % des cas de sida. La transmission par contact avec des aiguilles contaminées se retrouve particulièrement chez les utilisateurs de drogues injectables. Jusqu'à ce jour, au Canada, on n'a rapporté aucun cas de travailleur de la santé infecté au VIH après avoir accidentellement touché un instrument pointu ou tranchant contaminé. Les quelques cas rapportés dans le monde permettent d'évaluer ce risque à environ 0,4 %.

La transmission materno-fœtale est particulièrement importante au Québec et elle est la conséquence directe d'une incidence élevée de l'infection au VIH 1 chez les femmes québécoises. De ce fait, 75 % des cas de sida pédiatriques rapportés au Canada se situent au Québec. Dans 92 % de ces cas, il s'agit d'une transmission verticale, c'est-à-dire que le virus passe de la mère infectée à son enfant. Cela se fait au cours de la période périnatale, soit durant la grossesse, soit lors de l'accouchement, ou encore de l'allaitement. Cependant, il semble que, dans la plupart des cas, la transmission s'effectue au cours de la grossesse. En effet, le virus est capable de traverser la barrière placentaire. L'accouchement par voie vaginale ne semble pas augmenter le risque de transmission du VIH à l'enfant. Par contre, l'allaitement maternel est responsable de la transmission du virus chez quelques enfants. Dans la plupart des cas étudiés, la mère avait été infectée après la naissance et avait ensuite transmis le virus en allaitant. Compte tenu de ce risque, on recommande qu'une mère séropositive n'allaite pas lorsqu'elle peut recourir à des substituts adéquats. Toutefois, ces recommandations ne s'appliquent pas dans les pays en voie de développement où la survie du nouveau-né dépend souvent de l'allaitement maternel. Les facteurs qui influencent la transmission du VIH d'une mère séropositive à son enfant sont encore mal connus. Le taux de transmission varie grandement: il se situe entre 12,9 % et 45 % selon les populations étudiées et il dépend de l'état clinique et immunologique de la mère. Plus la mère est cliniquement atteinte, plus elle est susceptible de transmettre le virus à son enfant.

Depuis 1985, année où l'on a introduit le dépistage systématique du sang et des produits sanguins, de même que celui des donneurs d'organes et de sperme, la transmission sanguine est devenue de plus en plus rare chez nous.

14.4 LA PRÉSENTATION CLINIQUE

14.4.1 Le spectre clinique de l'infection au VIH chez l'adulte

Le spectre clinique de l'infection causée par le VIH est très variable. Une fois infectés par le VIH, certains patients peuvent demeurer asymptomatiques, d'autres peuvent souffrir de maladies diverses plus ou moins graves, d'autres encore peuvent développer des maladies caractéristiques du sida. Chez l'adulte, on distingue les manifestations cliniques de l'infection aiguë associées à la première exposition au VIH, puis celles qui surviennent au moment où l'individu devient porteur chronique et où la déficience immunitaire s'accentue.

14.4.2 L'infection aiguë

14.4.2.1 La primo-infection au VIH

La transmission du VIH ne provoque généralement aucune maladie particulière. Cependant, une faible proportion (20 %) des personnes infectées peuvent développer une brève maladie aiguë lors de cette primo-infection. Environ deux à six semaines après avoir contracté le virus, ces personnes manifestent des symptômes semblables à ceux que l'on observe lors d'une mononucléose infectieuse; une fièvre oscillant entre 38° et 40°, des malaises généralisés, une pharyngite, des adénopathies généralisées et une fine éruption cutanée maculo-papulaire atteignant le tronc et les membres. Ces symptômes peu caractéristiques ne permettent habituellement pas de distinguer une infection aiguë au VIH des autres infections virales courantes. Seul un comportement à risque permet de soulever une telle possibilité. En général, ces symptômes durent quelques jours et disparaissent complètement, sans aucun traitement. De trois à six mois plus tard, lorsqu'on décèle la présence d'anticorps anti-VIH, on peut associer les premiers symptômes à une infection aiguë au VIH.

14.4.3 L'infection chronique au VIH

14.4.3.1 L'infection chronique asymptomatique ou la période de latence

Cette période au cours de laquelle les personnes infectées demeurent asymptomatiques dure de quelques mois à plusieurs années. L'infection n'est confirmée que par la présence d'anticorps dans le sérum. On parle alors de «porteurs asymptomatiques». Cependant, il est important de noter que ces porteurs asymptomatiques sont contagieux et peuvent transmettre le virus à une autre personne par l'un ou l'autre des quatre modes de transmission déjà mentionnés.

14.4.3.2 L'infection chronique symptomatique

Cette apparente bonne santé peut cependant se détériorer et des symptômes vagues et peu spécifiques apparaître. Les malades se plaignent de fatigue extrême, d'incapacité à accomplir normalement leur travail, d'un besoin de sommeil accru, de difficultés de concentration. Ces symptômes traduisent une atteinte de l'état général et sont souvent accompagnés de fièvre continue ou intermittente et de sudations nocturnes.

Environ le tiers des malades infectés chroniquement par le VIH souffrent d'adénopathies atteignant au moins deux aires ganglionnaires non contiguës excluant les aines. Il s'agit d'adénopathies fermes, indolores, mesurant au moins 1 cm de diamètre, mais dont la grosseur peut parfois atteindre plusieurs centimètres. Il s'agit de la lymphadénopathie persistante généralisée.

Des entéropathies surviennent parfois durant cette période. Elles sont caractérisées par un amaigrissement involontaire, sans perte d'appétit, par une diarrhée continue ou intermittente, et par une perte de poids qui peut excéder 10 % de la masse initiale.

Le VIH peut également provoquer des atteintes neurologiques périphériques telles une polyneuropathie inflammatoire démyélinisante ressemblant à un syndrome de Guillain et Barré, une myélite transverse provoquant des paresthésies et des paraparésies, et des mononévrites distales. Plusieurs manifestations muco-cutanées peuvent se présenter: zona, herpès sévère, leucoplasie velue de la langue, muguet, séborrhée, condylomes rebelles et vaginites récidivantes.

Ces atteintes cliniques régressent rarement complètement. Elles évoluent plutôt de périodes orageuses en périodes d'accalmie, plus ou moins longues, provoquant ainsi une fluctuation des signes cliniques observés. Cependant, nos connaissances actuelles ne nous permettent pas de certifier que les malades ainsi atteints vont nécessairement développer une infection opportuniste ou une néoplasie associée au sida. Toutefois, on note que les atteintes peuvent devenir de plus en plus sévères et rapprochées dans le temps. Elles reflètent alors une accentuation de la déficience immunitaire qui favorise l'apparition des surinfections opportunistes.

14.4.4 Le sida

14.4.4.1 Les surinfections opportunistes

Ces surinfections sont dites «opportunistes» parce qu'elles ne surviennent que chez des individus dont les mécanismes de défense sont amoindris. Leur seule présence, sans cause évidente d'immunosuppression, suggère fortement le sida. Ces surinfections opportunistes peuvent être parasitaires, fongiques, virales ou bactériennes (voir tableau 14.1, p. 208 et 209). Elles sont fréquemment la cause de décès des sidéens. Elles peuvent atteindre à peu près tous les organes et tous les systèmes de l'organisme humain, provoquant des pneumonies, des abcès cérébraux, des œsophagites, des entérocolites et des ulcérations cutanéo-muqueuses.

Dans plus de 50 % des cas de sida au Québec, l'infection au VIH s'est d'abord manifestée par la pneumonie à *Pneumocystis carinii*. Le malade présente de la fièvre, de la toux et de la dyspnée sans douleur thoracique. La toux est sèche et chronique. À l'examen clinique, l'auscultation pulmonaire est habituellement normale ou aspécifique. L'image radiologique montre un infiltrat réticulonodulaire bilatéral qui peut cependant être asymétrique.

Le *Toxoplasma gondii* se classe au deuxième rang des parasites les plus fréquemment responsables de surinfection parasitaire chez le malade atteint du sida. Il cause des encéphalites et des abcès cérébraux. Les signes et les symptômes neurologiques associés à ces atteintes comprennent notamment des carences neurologiques focales, des convulsions, une perturbation des sens et des hautes fonctions intellectuelles pouvant aller jusqu'aux manifestations psychiatriques et au coma. En général, la tomographie axiale et la scintigraphie renforcent le diagnostic clinique en mettant en évidence des lésions cérébrales extensives. Une biopsie cérébrale s'impose s'il n'y a pas d'amélioration clinique ou radiologique après trois semaines de traitement approprié. La toxoplasmose est rarement disséminée et les atteintes multisystémiques sont peu fréquentes.

Le *Cryptosporidium* est un protozoaire intestinal qui provoque des entérocolites sévères se manifestant par une diarrhée profuse et chronique qui dure plus d'un mois et qui entraîne une importante perte de poids.

Les surinfections au cytomégalovirus sont fréquentes chez les malades infectés au VIH, en particulier parmi la population homosexuelle. Ces virémies peuvent être asymptomatiques ou accompagnées de symptômes peu spécifiques telles la fièvre, l'asthénie ou la perte de poids. Le cytomégalovirus peut se retrouver dans le tractus respiratoire et urinaire sans causer de symptômes. Par ailleurs, il peut causer des choriorétinites, des pneumonies, des hépatites, des encéphalites, des œsophagites et des ulcérations de la muqueuse du tube digestif.

Les surinfections herpétiques restent avec le cytomégalovirus les principales surinfections virales chez les sidéens. Ces surinfections atteignent souvent la peau et les muqueuses de la région génitale, provoquant des atteintes extensives et persistantes (plus d'un mois). L'ulcération périrectale sans évidence de guérison spontanée est également une manifestation fréquente de ces surinfections herpétiques et suggère une immunosuppression au VIH.

Plusieurs champignons peuvent être responsables de surinfections chez les malades infectés au VIH. Le *Candida albicans* est le plus fréquent. Il atteint la muqueuse buccale, le pharynx et l'œsophage. Il cause alors de la dysphagie entraînant parfois de la difficulté à se nourrir. L'œsophagoscopie est indiquée dans les cas de dysphagie ou en l'absence de mucosité buccale. À l'examen, on trouvera des plaques blanchâtres et des ulcérations caractéristiques de cette mycose. En cas de doute, une histologie et une culture viendront confirmer le diagnostic étiologique.

La surinfection fongique à *Cryptococcus neoformans* doit aussi retenir notre attention. Elle cause essentiellement une méningite avec céphalées progressives et signes méningés frustes. Elle peut parfois se disséminer, atteindre les poumons, le foie, la rate ou les reins et causer des abcès multiples.

L'*Histoplasma capsulatum* peut également causer des infections disséminées chez les patients chroniquement infectés par le VIH. Tout comme pour les autres surinfections fongiques, une investigation poussée s'impose si l'on veut contrôler cette surinfection et prescrire l'antibiothérapie appropriée.

En fait, toutes les bactéries sont susceptibles de provoquer des infections chez les individus infectés par un VIH. Les *Salmonella* (non *typhi*), les *Shigella* et les *Campylobacter* amènent souvent des manifestations septiques avec de la fièvre et de la diarrhée. Des pneumonies causées par les germes habituels, notamment le pneumocoque, surviennent plus fréquemment chez les patients VIH positif. Même si les symptômes de ces infections régressent avec une antibiothérapie appropriée, les rechutes sont fréquentes et les guérisons lentes.

Les mycobactéries, particulièrement le *Mycobacterium tuberculosis* et le *Mycobacterium avium-intracellulare*, sont fréquemment responsables des surinfections opportunistes chez les sidéens. Ordinairement, ces bactéries provoquent de la fièvre, des sudations et une détérioration de l'état général. Les atteintes sont souvent multisystémiques. L'investigation doit chercher à mettre en évidence l'étiologie de ces atteintes. Il ne faut pas hésiter à recourir aux ponctions et aux biopsies chirurgicales pour faire des cultures.

14.4.4.2 Les néoplasies

Le déséquilibre immunologique qu'engendre le VIH favorise également le développement de néoplasies, comme le sarcome de Kaposi par exemple. Causée par une prolifération des cellules endothéliales des vaisseaux sanguins, la néoplasie provoque des lésions pigmentées de couleurs variables: elles peuvent être brunâtres ou violacées. Ces lésions peuvent prendre différentes formes de macules, de papules ou de nodules. Elles se trouvent n'importe où sur la peau et les muqueuses, et il faut les chercher avec soin, notamment dans la bouche, dans la paume des mains, sur la plante des pieds et entre les orteils. Leur nombre varie: on peut en trouver une seule ou des centaines. Le sarcome de Kaposi a souvent tendance à se disséminer et à atteindre les viscères. Il peut alors provoquer des complications locales telles que des hémorragies digestives ou des infiltrations pulmonaires qui laissent deviner une pneumonie.

Diverses formes de proliférations lymphomateuses sont également associées à l'infection chronique par le VIH. En effet, parmi les populations infectées, on remarque une forte incidence du lymphome cérébral primaire causant des lésions intracérébrales étendues, des lymphomes mal différenciés disséminés et un lymphome de Burkitt. Toutes ces néoplasies commandent un diagnostic histologique précis afin de bien les différencier.

14.4.4.3 Les atteintes neurologiques

Des maladies neurologiques peuvent également se manifester au cours de cette phase de l'infection chronique au VIH. En effet, on a observé que le VIH possédait des propriétés neurotropes en plus de ses propriétés lymphotropes. Il est évident que le VIH peut provoquer des atteintes neurologiques variées. Dans 10 % des cas, une infection au VIH se manifeste d'abord par une encéphalite subaiguë. Un tableau établi en 1986 sous le nom de *AIDS dementia complex* comporte une variété d'atteintes cognitives, motrices et comportementales. L'idéation lente et imprécise est un signe précoce. Surviennent ensuite des troubles amnésiques et une apathie: l'entourage conclut souvent à un état dépressif. La motricité distale fine est ralentie et l'on observe des tremblements. La démarche devient instable. La dysfonction intellectuelle s'aggrave et peut évoluer jusqu'à la démence en quelques mois. Ces troubles se manifestent quand le VIH a détruit des cellules du système nerveux central. Cette destruction atteint le cerveau de façon diffuse et provoque de l'atrophie.

14.4.5 Le spectre clinique de l'infection causée par le VIH chez le nourrisson et l'enfant

Le spectre clinique de l'infection causée par le VIH en pédiatrie ressemble à celui de l'adulte. Il oscille des infections asymptomatiques aux complications classiques du sida. La transmission verticale du VIH n'augmente pas la morbidité fœtale et néonatale. Les enfants nés d'une mère séropositive naissent souvent avec un poids, une taille et un périmètre crânien normaux, et aucune dysmorphie n'a été associée à l'infection périnatale jusqu'à ce jour.

Ces nouveau-nés infectés restent asymptomatiques pendant une période de latence plus courte que celle observée chez l'adulte, puisque c'est en moyenne à dix-sept mois que l'on pose un diagnostic de sida chez les enfants infectés par une transmission verticale.

Chez l'enfant comme chez l'adulte, les premières atteintes cliniques sont généralement non spécifiques. Un retard staturo-pondéral ou une candidose muco-cutanée chronique sont fréquemment les premiers signes et symptômes d'une infection au VIH chez l'enfant. Des infections bactériennes à répétition, surtout sino-pulmonaires, causées par des organismes usuels, tels le *Streptococcus pneumoniae* ou *l'Haemophilus influenzae*, de même que des staphylococcies cutanées ou des entérites à *Salmonella* doivent faire soupçonner une infection au VIH sous-jacente.

Tout comme chez l'adulte, une invasion cellulaire directe par le VIH peut provoquer des atteintes neurologiques progressives. Chez l'enfant, elles se manifestent par un retard du développement psychomoteur, une microcéphalie acquise ou une atteinte motrice bilatérale de type pyramidal. Une pneumopathie particulière à la population pédiatrique, appelée infiltration interstitielle lymphoïde chronique est fréquemment observée chez les enfants plus âgés et elle est souvent associée à une adénopathie et à une hépatosplénomégalie.

Parmi les surinfections opportunistes, la pneumopathie à *Pneumocystis carinii* est une manifestation précoce fréquente et mortelle chez l'enfant en bas âge (moins de six mois). Les surinfections opportunistes et les néoplasies, quoique moins fréquentes chez les enfants, complètent les spectres des atteintes cliniques de l'infection au VIH observées en pédiatrie. Par ailleurs, il faut bien discerner l'infection au VIH des autres causes d'immunodéficience congénitale et acquise. Les risques épidémiologiques, les manifestations cliniques, le bilan immunologique et les tests sérologiques de l'enfant et de la mère permettent d'éliminer les autres diagnostics.

14.5 L'ÉVALUATION BIOLOGIQUE

Le diagnostic de laboratoire de l'infection au VIH repose essentiellement sur la mise en évidence d'anticorps spécifiques dans le sérum grâce à des méthodes de dépistage puis de confirmation si l'examen s'avère positif. Au Québec, la mise sur pied d'un réseau de centres hospitaliers effectuant la sérologie anti-VIH a permis d'uniformiser les procédures, freinant ainsi les variations inhérentes aux différentes techniques utilisées. Une épreuve immuno-enzymatique (EIA) détectant à la fois les anticorps anti-VIH 1 et 2 est employée comme épreuve de dépistage. Tout sérum positif à l'épreuve de dépistage est répétée et si positive est systématiquement acheminé au Laboratoire de Santé publique du Québec (LSPQ) et soumis à une ou plusieurs épreuves de confirmation. Les trois principales épreuves de confirmation sont une méthode d'immunofluorescence indirecte (IFA), une méthode de radio-immunoprécipitation (RIPA) et le Western Blot.

Il est primordial pour le clinicien de bien individualiser chaque résultat et de le replacer dans son contexte et dans l'ensemble du tableau clinique du patient. Toute discordance doit être minutieusement fouillée et peut appeler une nouvelle recherche d'anticorps. Il importe de connaître les limites de la détection des anticorps anti-VIH. Une recherche d'anticorps effectuée tôt après une primo-infection peut être négative et doit être répétée quelques mois plus tard. Il est inutile de détecter à répétition les anticorps anti-VIH chez les séropositifs puisqu'ils persistent pendant toute la vie, sauf chez les sidéens en phase terminale où ils peuvent disparaître. La présence d'anticorps ne permet aucunement de prévoir la sévérité ni l'évolution de l'infection au VIH.

Le diagnostic d'une infection au VIH chez l'enfant asymptomatique âgé de moins de quinze mois et né d'une mère séropositive est difficile à établir avec certitude. En effet, tous les enfants nés d'une mère séropositive sont «séropositifs» à la naissance à cause du transfert passif des anticorps maternels anti-VIH du type IgG. Ces anticorps maternels acquis passivement durant la grossesse sont présents autant chez l'enfant infecté que chez celui qui ne l'est pas. Toutefois, si l'enfant n'est pas infecté, les anticorps anti-VIH diminuent progressivement pour disparaître vers l'âge de 9 à 10 mois, mais ils persistent parfois jusqu'à l'âge de 15 à 18 mois.

Chez le jeune enfant asymptomatique sans anomalie immunologique, les épreuves sérologiques seules sont incapables d'établir avec certitude que l'enfant est infecté. Il faut recourir à la culture virale ou à la détection des antigènes du VIH, deux procédés longs et coûteux. La culture du rétrovirus à partir des lymphocytes de l'enfant permet parfois de confirmer en bas âge le diagnostic d'infection au VIH, mais une culture négative n'élimine pas le diagnostic. De plus, l'antigène du noyau viral p24 est rarement décelable dans le sang ou les tissus de l'enfant infecté. Cependant à partir de deux ans, la présence d'anticorps spécifiques du VIH chez l'enfant asymptomatique confirme l'infection au VIH.

L'investigation de laboratoire de l'infection au VIH est peu spécifique. Elle peut révéler une anémie, une leucopénie ou une thrombocytopénie, une diminution des lymphocytes CD_4+ dits auxiliaires et une augmentation des lymphocytes CD_8+ dits suppresseurs, provoquant une inversion du rapport CD4+/CD8+. De plus, le Multitest révèle une anergie cutanée vis-à-vis des antigènes courants.

Le diagnostic de laboratoire des surinfections opportunistes repose sur la mise en évidence de l'agent étiologique, soit par un examen microscopique, soit par une culture ou soit encore par une détection d'antigènes ou d'anticorps spécifiques (voir tableau 14.1, p. 208). La plupart de ces pathogènes opportunistes nécessitent cependant des préparations ou des conditions de croissance particulières. Il faut travailler en étroite collaboration avec le laboratoire de diagnostic pour maximiser les chances d'établir l'étiologie.

Généralement, les examens microscopiques s'effectuent après coloration spéciale des échantillons cliniques. Pour la majorité des surinfections opportunistes parasitaires, ils constituent le seul outil diagnostique de laboratoire. Ainsi, l'examen microscopique, après coloration spéciale des sécrétions bronchopulmonaires ou du tissu pulmonaire obtenus par endoscopie, est indispensable pour poser le diagnostic de pneumonie à *Pneumocystis carinii*. Il n'existe cependant pas de corrélation directe entre la quantité de parasites observés et la sévérité de la maladie. Dans la cryptosporidiose, la coloration de Ziehl modifiée d'un échantillon de selles permet la mise en évidence du parasite et la confirmation du diagnostic. On doit rarement recourir à une biopsie de la muqueuse intestinale pour visualiser les protozoaires. Dans la toxoplasmose cérébrale, l'examen microscopique d'une biopsie cérébrale permet d'établir le diagnostic de façon certaine. La sérologie est souvent peu fiable et l'analyse du LCR ne révèle pas toujours une protéinorachie et une pléocytose non spécifiques.

La microscopie occupe également une place importante dans le diagnostic de laboratoire des surinfections opportunistes virales. Dans les biopsies tissulaires, la mise en évidence de cellules avec inclusions laisse entrevoir une infection à cytomégalovirus. Lorsqu'il y a atteinte systémique, on retrouve fréquemment ces évidences histologiques dans presque tous les organes. L'isolement du cytomégalovirus à partir de ces tissus permet de confirmer le diagnostic. Une épreuve d'immunofluorescence directe sur les frottis de sécrétions prélevées dans les atteintes muco-cutanées au virus de l'herpès simplex peut rapidement confirmer le diagnostic. Il est également facile de cultiver ce virus en milieu cellulaire approprié.

Le diagnostic de laboratoire des surinfections fongiques et bactériennes repose essentiellement sur l'isolement en culture des pathogènes. Dans la méningite à *Cryptococcus neoformans*, la protéinorachie et la pléocytose du LCR sont variables, mais l'examen de ce liquide à l'encre de Chine est positif dans 80 % des cas. Dans ces mêmes échantillons, le Cryptolatex permet de confirmer le diagnostic dans presque tous les cas. Les infections entériques à *Salmonella*, à *Campylobacter* et à *Shigella* sont facilement établies par la culture de selles et les hémocultures. Dans les mycobactérioses disséminées, la culture des biopsies de moelle osseuse et des biopsies hépatiques et ganglionnaires est habituellement positive.

14.6 LE TRAITEMENT ET LA PROPHYLAXIE

Les diverses médications anti-infectieuses utilisées chez les patients infectés par le VIH poursuivent quatre objectifs:

— traiter le VIH (médications antirétrovirales);

— corriger le déficit immunitaire;

— traiter les surinfections opportunistes;

— prévenir les infections.

14.6.1 Le traitement anti-VIH

On a identifié de nombreuses substances et plusieurs produits possédant une activité antirétrovirale variable et agissant sur les différentes phases du cycle de la réplication virale du VIH. Cependant, seules la zidovudine (anciennement AZT), la didanosine (ddI) et la zalcitabine (ddC) possèdent une activité anti-VIH suffisante pour être utilisées. Leur usage varie selon le stade évolutif de l'infection au VIH (voir tableau 14.2, p. 210).

Aucun traitement antirétroviral n'est recommandé durant la phase aiguë de la primo-infection au VIH. Seul un traitement symptomatique peut s'avérer utile. Au cours de la période de latence de l'infection au VIH, la plupart des patients séropositifs asymptomatiques subissent une détérioration progressive de leur immunité entraînant une diminution du taux des lymphocytes CD4+. Chez ces malades, il faut exercer un suivi régulier tous les quatre à six mois avec un décompte des lymphocytes CD4+. Aucun traitement antirétroviral n'a encore été approuvé pour les patients séropositifs dont le décompte des CD4+ demeure supérieur à 500/mm^3.

Lorsque le décompte des lymphocytes CD4+ diminue et atteint des valeurs entre 500 et 200 mm^3, le traitement antirétroviral avec la zidovudine permet de retarder l'évolution vers le sida. La zidovudine est un inhibiteur de la réplication du VIH. Son mécanisme d'action consiste dans l'inhibition de la transcriptase inverse du VIH et dans l'arrêt de la synthèse de l'ADN viral. Les principaux effets indésirables rencontrés habituellement au début du traitement sont des nausées, un ballonnement abdominal, des céphalées, des insomnies et de la fatigue. Ils sont en général passagers. Lorsque le traitement se poursuit, l'anémie peut survenir (après 2 à 8 semaines de traitement) et plus tard la myosite (après plusieurs mois de traitement). Il faut noter que l'apparition soudaine d'une anémie ou d'une granulocytopénie chez un patient ayant bien toléré la zidovudine pendant plusieurs mois peut être due à une autre cause. En présence de réactions adverses importantes, on peut diminuer la dose de zidovudine ou l'arrêter temporairement ou définitivement. Lorsque le patient ne répond pas à la zidovudine ou s'il manifeste une intolérance sévère, on recommande de changer pour la ddI.

La ddI est également un inhibiteur nucléosidique de la transcriptase inverse du VIH. Les doses habituelles pour l'adulte dépendent de son poids: de 35 à 49 kg, on administre 125 mg PO, deux fois par jour; de 50 à 74 kg, on administre 200 mg PO deux fois par jour et, à plus de 75 kg, on administre 300 mg PO, deux fois par jour. Contrairement à la zidovudine, la toxicité hématologique de la ddI est extrêmement réduite. En revanche, elle entraîne certaines réactions comme la diarrhée, la pancréatite, la neuropathie périphérique, la céphalée, l'insomnie, le rash. Chez les patients recevant de la ddI, il est nécessaire de contrôler les taux d'amylase et de lipase afin de détecter précocement une pancréatite. En présence de taux élevés, il faut cesser la ddI.

La ddC est un autre inhibiteur de la transcriptase inverse du VIH actuellement utilisé chez les patients intolérants à la zidovudine ou qui n'y répondent plus. Sa toxicité hématologique est négligeable. Elle peut causer certaines réactions comme la neuropathie périphérique, la stomatite aphteuse, l'éruption érythémateuse et la fièvre médicamenteuse.

Pour les patients symptomatiques dont le décompte des CD4+ est inférieur à $500/mm^3$, un traitement antirétroviral est de rigueur. La zidovudine est le traitement de choix. En cas d'intolérance, de réactions adverses ou de progression de la maladie, il faut changer la zidovudine pour la ddI ou la ddC. Chez les patients traités pour des surinfections opportunistes ou des néoplasies secondaires, il faut porter une attention particulière aux interactions médicamenteuses potentielles.

Des études sont en cours pour évaluer si l'administration séquentielle ou combinée d'antirétroviraux (par exemple, la zidovudine + la ddI, la zidovudine + la ddC) serait bénéfique.

14.6.2 La correction du déficit immunitaire

Plusieurs immunomodulateurs, tels que l'interféron, l'interleukine, l'isoprinosine, les vaccins immunothérapeutiques ont été essayés afin de corriger le déficit immunitaire observé dans le sida. Les résultats sont peu convaincants. La tendance actuelle est donc d'associer ces immunomodulateurs aux traitements antirétroviraux. Il est cependant trop tôt pour apprécier les mérites de cette approche.

Une forme de thérapie de «remplacement» a également été étudiée chez un nombre restreint de patients. Parmi ces approches (avec ou sans traitement antirétroviral), notons: le transfert de lymphocytes, la greffe médullaire, la greffe de thymus, la transfusion de facteurs de transfert et de facteurs thymiques, etc. Jusqu'à maintenant, aucune de ces approches ne s'est avérée efficace pour corriger le déficit immunitaire de façon reproductible.

L'utilisation des facteurs de croissance G-CSF (*granulocyte colony stimulating factor*) et GM-CSF (*granulocyte macrophage colony stimulating factor*), de même que de l'érythropoïétine ont permis, dans un nombre limité de cas, de réduire l'intensité des neutropénies et des anémies secondaires aux traitements avec les antirétroviraux.

14.6.3 Le traitement des surinfections opportunistes

Des progrès importants ont été enregistrés dans le traitement des surinfections opportunistes (voir tableau 14.3, p. 211-213).

14.6.3.1 Le Pneumocystis carinii

Le triméthoprime-sulfaméthoxazole, administré pendant 21 jours par voie intraveineuse ou orale, est efficace dans le traitement de la pneumonie à *P. carinii*. Les réactions adverses sont cependant plus fréquentes et plus sévères chez les patients infectés au VIH. L'éruption cutanée, la fièvre, la dépression médullaire sont parmi les plus susceptibles de survenir. On peut les contrôler en réduisant la posologie, mais l'arrêt définitif de la médication est parfois nécessaire. Il faut alors opter pour la pentamidine par voie intraveineuse. Son efficacité est comparable à celle du triméthoprime-sulfaméthoxazole, mais il faut surveiller les épisodes d'hypoglycémie ou d'hyperglycémie. L'efficacité de la pentamidine en aérosol dans le traitement de la pneumonie à *P. carinii* est nettement inférieure à celle de la voie parentérale et elle est présentement déconseillée.

L'association dapsone et triméthoprime, clindamycine et primaquine, ou la monothérapie avec l'atavaquone et le trimétrexate, sont des options de remplacement du triméthoprime-sulfaméthoxazole ou de la pentamidine dans le traitement de la pneumonie à *P. carinii*. Toutefois, leur efficacité n'a pas encore été rigoureusement établie et on ne devrait y recourir que dans les cas où les médications de choix ne peuvent être utilisées.

Dans les cas de pneumonie avec hypoxie modérée ou sévère (PaO_2 à l'air ambiant < 75 mmHg), l'administration précoce de corticostéroïdes réduit l'incidence des épisodes de détresse respiratoire pouvant entraîner le décès. La prednisone à 40 mg deux fois par jour pendant cinq jours, suivie de 40 mg par jour pendant cinq jours et de 20 mg par jour jusqu'à la fin du traitement aux antibiotiques est la médication généralement recommandée.

14.6.3.2 La toxoplasmose

L'association pyriméthamine et sulfadiazine constitue le traitement de choix de la toxoplasmose cérébrale. La durée du traitement est imprécise, mais elle s'étend habituellement de quatre à six semaines selon l'évolution clinique. La pyriméthamine étant un antagoniste de l'acide folique, son administration peut réduire l'hématopoïèse et provoquer de l'anémie, de la leucopénie et de la thrombopénie. L'administration concomitante d'acide folinique permet de contrecarrer cet effet. Plusieurs hôpitaux québécois connaissent des problèmes d'approvisionnement de sulfadiazine, mais la substitution avec un autre sulfamidé d'une durée d'action moyenne (par exemple, le sulfaméthoxazole) permet d'obtenir les mêmes effets.

Dans les cas d'intolérance à la sulfadiazine, on peut avoir recours à la clindamycine. L'efficacité de cet antibiotique comme antitoxoplasmique est très bonne.

14.6.3.3 La cryptosporidiose, l'isosporose et la microsporidiose

La thérapie de ces parasitoses entériques est difficile et elle est plutôt vouée à l'échec. Elle se limite essentiellement au traitement de support qui consiste à combler les pertes liquidiennes, à maintenir un état nutritionnel adéquat et à administrer une thérapie antidiarrhéique. Quant au traitement spécifique avec des antibiotiques, il s'est avéré peu utile dans le cas de la cryptosporidiose, mais plus efficace lorsqu'il s'agit d'isosporose et de microsporidiose.

14.6.3.4 La candidose

Le traitement des atteintes des muqueuses digestives par le *Candida albicans* varie en fonction du site et du degré de sévérité. Les atteintes limitées et peu sévères de la muqueuse orale peuvent répondre à un traitement local avec de la nystatine pendant cinq jours. Lorsque les atteintes sont plus étendues ou qu'elles touchent l'œsophage, on doit recourir à des antifongiques systémiques (par exemple, le kétoconazole ou le fluconazole) pendant deux à trois semaines. L'amphotéricine B par voie intraveineuse peut devenir nécessaire dans les formes particulièrement rebelles.

14.6.3.5 La cryptococcose et l'histoplasmose

L'amphotéricine B demeure le médicament de choix dans le traitement des infections fongiques systémiques. Son administration nécessite une surveillance étroite de la fonction rénale. La durée du traitement des mycoses systémiques s'étend souvent sur plusieurs semaines (4 à 8) et doit tenir compte de l'évolution clinique et de la dose totale d'amphotéricine B administrée.

Dans la méningite à *Cryptococcus neoformans*, l'administration concomitante de 5-fluorocytosine est controversée chez le sidéen. Cette association ne semble pas plus efficace que l'amphotéricine B employée seule. De plus, elle cause une leucopénie dans 50 % des cas chez les sidéens.

Le fluconazole administré par voie orale ou par voie intraveineuse, lorsque l'administration par voie orale est impossible, permet d'atteindre des concentrations élevées dans le LCR. Son efficacité dans la méningite à *Cryptococcus neoformans* semble comparable à celle de l'amphotéricine B. Par ailleurs, l'efficacité du fluconazole dans les autres infections fongiques systémiques n'est pas encore établie.

*14.6.3.6 L'herpès simplex et l'*herpes varicella-zoster

L'acyclovir peut réduire la durée et la sévérité des infections causées par les virus l'herpès simplex et de l'*Herpes varicella-zoster*. Dans les infections mucocutanées primaires ou secondaires causées par herpès simplex, l'acyclovir est habituellement administré par voie orale pendant sept jours. Lorsqu'il s'agit d'infections causées par le virus *Herpes varicella-zoster*, les posologies doivent être considérablement majorées et l'on doit même souvent recourir à l'administration intraveineuse d'acyclovir pendant 7 à 14 jours. L'acide phosphonoformique (foscarnet) administré durant 21 jours par voie intraveineuse est réservé aux infections herpétiques causées par des souches résistantes à l'acyclovir.

14.6.3.7 Le cytomégalovirus

Les infections causées par le cytomégalovirus, telles la choriorétinite, l'œsophagite ou la colite, répondent de façon variable au traitement avec du ganciclovir. Une neutropénie secondaire observée chez plus de 80 % des sidéens, recevant également de la zidovudine, de même que l'émergence de souches de cytomégalovirus résistantes, limitent l'utilisation du ganciclovir. Le foscarnet est une solution de rechange dans le traitement de la choriorétinite chez les patients qui ne tolèrent pas le ganciclovir.

14.6.3.8 Les mycobactérioses

La tuberculose pulmonaire et extrapulmonaire observée chez les patients infectés au VIH répond habituellement bien aux traitements antituberculeux usuels. Il est cependant recommandé d'associer au moins trois antituberculeux comme traitement d'attaque.

Quant aux atteintes causées par les mycobactéries du complexe *avium-intracellulare*, il importe de souligner que les tractus respiratoire et gastro-intestinal sont fréquemment colonisés chez les patients infectés par le VIH. De telles colonisations ne nécessitent pas de traitement spécifique. Par ailleurs, le traitement des formes invasives est controversé et complexe, principalement à cause de la multirésistance de ces mycobactéries. L'association de quatre ou cinq antituberculeux s'impose et permet parfois d'atteindre une amélioration clinique et une suppression temporaire de la mycobactériémie.

14.6.3.9 La syphilis

L'évolution de l'infection syphilitique peut être considérablement différente lorsqu'elle survient chez le patient séropositif au VIH. Des formes accélérées avec des atteintes neurosyphilitiques majeures peuvent survenir malgré l'administration d'un traitement conventionnel conforme aux recommandations classiques. Dans les cas de syphilis latente, il est important de procéder à une ponction lombaire et de définir s'il y a des anomalies dans le LCR. On recommande de traiter comme s'il était atteint de neurosyphilis tout patient séropositif au VIH chez qui l'analyse du LCR révèle une pléocytose, une protéinorachie augmentée ou une glucorachie abaissée. Certains auteurs recommandent, quel que soit le stade évolutif de la syphilis que l'on traite, de prolonger le traitement conventionnel jusqu'à quatorze jours avec de l'amoxicilline associée au probénécide. De la doxycycline ou du ceftriaxone peuvent également être utilisés. Il faut exercer un suivi sérologique avec un VDRL une fois par mois pendant six mois après la fin du traitement afin de dépister précocement les échecs et les récidives.

14.6.4 La prévention des infections

Malgré un traitement efficace, certaines surinfections opportunistes ont tendance à récidiver chez les patients infectés par le VIH, car de façon générale, l'immunodéficience de ces patients persiste et s'aggrave. Par conséquent, après un traitement d'attaque, il est nécessaire de poursuivre un traitement de suppression dans plusieurs surinfections opportunistes (tableau 14.4, p. 213).

Par contre, certaines surinfections opportunistes peuvent être prévenues chez les malades infectés par le VIH et ayant un déficit immunitaire important (un décompte de lymphocytes CD4+ inférieur à 200 mm^3).

Par exemple, le triméthoprime-sulfaméthoxazole, la dapsone ou la pentamidine en aérosol, aux doses suggérées pour le traitement de suppression, préviennent la pneumonie à *P. carinii*. La pentamidine est cependant moins efficace. Des études cliniques suggèrent une prévention possible de la toxoplasmose cérébrale chez les patients séropositifs dont le titre d'anticorps IgG antitoxoplasma est élevé ($\geq$ 128 UI). Il faut administrer de la pyriméthamine (25 mg par jour) et de la sulfadiazine (4 g PO, par jour).

La rifabutine à la dose de 300 mg par jour préviendrait l'infection disséminée par la *Mycobacterium avium* complex et est recommandée pour les patients qui ont des CD4+ < 100.

Enfin, la vaccination des patients séropositifs doit être modifiée selon les recommandations résumées au tableau 14.5, p. 214.

14.7 LA PRÉVENTION ET LE COUNSELLING

L'augmentation du nombre de personnes séropositives dans la population québécoise a des répercussions importantes. Le personnel médical a un rôle primordial à jouer afin de sensibiliser les différentes couches de la société en les invitant à adopter des mesures de prudence pour prévenir la transmission du VIH. Ce rôle doit également s'étendre aux éducateurs, aux parents et aux différents membres de la collectivité afin d'atteindre tous les groupes sociaux sans exception. Ces interventions sont particulièrement importantes auprès des adolescents. Une utilisation judicieuse du test de dépistage à la suite d'un counselling aide les cliniciens à détecter l'infection au VIH plus tôt et leur permet d'offrir un soutien clinique et psychosocial adéquat.

Le patient séropositif doit réaliser qu'il est infecté et doit avertir ses partenaires sexuels ou les personnes avec lesquelles il a échangé des aiguilles. L'objectif principal de la recherche des contacts vise à interrompre la chaîne de transmission. Il faut toujours respecter deux principes: tout sujet ayant été exposé au VIH a le droit de le savoir et tout sujet infecté par le VIH a le droit à la confidentialité. Chaque situation doit être individualisée. Le médecin peut offrir au patient de l'aider à transmettre l'information auprès de ses partenaires ou lui conseiller de référer ses contacts à des centres d'intervention anonyme. Par la déclaration obligatoire des cas à l'officier de Santé publique, le médecin s'assure que l'individu a tenté de son mieux d'informer ses contacts. Le médecin doit faire comprendre au patient l'importance des mesures préventives. Il doit discuter avec lui de la nécessité d'avoir des activités sexuelles protégées, d'éviter l'échange de seringues et d'aiguilles, et de prendre des précautions avec le sang. Lorsqu'une patiente séropositive est enceinte ou désire le devenir, le médecin doit l'informer des risques encourus par elle et par l'enfant. Après un counselling approprié, elle pourra décider de poursuivre ou d'interrompre sa grossesse. Quelle que soit sa décision, il faut lui assurer un suivi clinique et psychologique. Le médecin doit être attentif aux carences alimentaires de son client. Il doit aussi documenter la prise de traitement complémentaire.

14.8 LE SUIVI

L'infection au VIH est une maladie chronique qui nécessite des soins continus impliquant une multitude de services médicaux et psychosociaux. Le suivi clinique est très lourd et complexe et ne peut être entrepris que par une équipe multidisciplinaire regroupant des médecins, des infirmières, des travailleurs sociaux, des psychologues, des diététistes, des physiothérapeutes, etc. Cela favorise une organisation optimale des soins pour le patient. La découverte d'une infection au VIH a souvent des répercussions familiales. Le diagnostic d'infection au VIH chez un enfant, par exemple, signifie souvent que la mère est infectée, peut-être même son conjoint et ses autres enfants. Il est important d'évaluer tous les membres de la famille susceptibles d'être infectés. L'identification des autres personnes infectées permet de les traiter et de diminuer la transmission du virus.

La présence d'un patient infecté par le VIH au sein d'une famille n'entraîne aucun risque pour son entourage; il est donc souhaitable que ces patients mènent une vie familiale et sociale la plus normale possible. Le virus n'étant pas transmis par des contacts fortuits, la personne infectée ne représente pas de risque pour le milieu de travail, la garderie, etc. Le médecin traitant doit réévaluer régulièrement l'état clinique de son patient. Le patient et son entourage familial doivent être bien informés des mesures d'hygiène particulières à adopter pour réduire les risques de transmission. Ainsi, tout article de toilette qui risque d'être contaminé par le sang du patient (par exemple le rasoir, la brosse à dents) ne doit pas être partagé. De même, on doit enseigner aux personnes qui ont à prodiguer des soins, l'importance du port de gants et du lavage des mains lorsqu'ils sont susceptibles d'entrer en contact avec le sang ou les sérosités du patient infecté.

BIBLIOGRAPHIE

1. OLIVIER, C. et THOMAS, R. Le SIDA: un nouveau défi médical. Association des médecins de langue française du Canada, 2e éd, 1990.

2. «Guidelines for the care of children and adolescents with HIV infection». *J Pediatr* 1991, p. S1-S68.

3. DE CLERCQ, E. «Basic approaches to anti-retroviral treatment». *J Acquired Imm Defic Syndr*, Vol. 4, 1991, p. 207-291.

4. FEINBERG, J. et MILLS, J. «Treatment of opportunistic infections». *AIDS*, Vol. 4, p. 5209-5215.

5. BERGER, T.G. et GRENNE, I. «Bacterial, viral fungal, and parasitic infections in HIV disease and AIDS». *Dermatologic Clinics*, Vol. 9, 1991, p. 465-486.

6. «Drugs for AIDS and Associated Infections». *Medical Letter*, Vol. 33, 1991, p. 95-102.

Tableau 14.1 Surinfections opportunistes fréquentes chez le sidéen

Agents		Sites de l'infection	Manifestations cliniques les plus courantes	Diagnostic de laboratoire
Protozoaires	*Pneumocystis carinii*	Poumons	Pneumonie	Microscopie
	Toxoplasma gondii	Cerveau	Encéphalite, abcès	Microscopie, détection des anticorps
	Cryptosporidium enteritis	Intestins	Diarrhée	Microscopie
	Giardia lamblia	Intestins	Diarrhée	Microscopie
	Entamoeba histolytica	Intestins, foie	Diarrhée, abcès hépatique(s)	Microscopie
Virus	Cytomégalovirus	Poumons	Pneumonie	Microscopie, culture
		Ganglions, foie	Hépatite	
		Sang	Virémie	
		Yeux	Rétinite	
		Voie biliaire, intestins	Cholangite, colite	
		Bouche, pharynx, œsophage	Mucosite, œsophagite	
	Herpès simplex	Régions ano-génitales	Lésions ulcérées	Microscopie, culture
	Herpes varicella-zoster	Peau	Zona	Microscopie, culture
	Epstein-Barr	Sang, foie, ganglions	Infection disséminée	Détection des anticorps

Tableau 14.1 (suite)

Mycoses	*Cryptococcus neoformans*	Cerveau, poumons	Méningite, pneumonie	Culture, détection des antigènes
	Histoplasma capsulatum	Poumons, peau, ganglions	Pneumonie, infection disséminée	Culture
	Candida albicans	Bouche, pharynx, œsophage	Mucosite, œsophagite	Culture
Bactéries	*Salmonella*	Intestins, sang	Diarrhée, septicémie	Culture
	Campylobacter	Intestins, sang	Diarrhée, septicémie	Culture
	Shigella	Intestins	Diarrhée	Culture
	Mycobacterium tuberculosis	Ganglions, poumons, foie, moelle osseuse	Adénopathies, pneumonies, infection disséminée	Culture
	Mycobacterium avium-intracellulare	Foie, ganglions, moelle osseuse	Lymphadénopathies, infection disséminée	Culture

Tableau 14.2 Traitement de l'infection au VIH

Stade de l'infection	Traitement	Dosage	Remarques
Primo-infection	Traitement antirétroviral non recommandé		Traitement symptomatique
Infection asymptomatique			
CD 4+ > 500 mm^3	Traitement de support		
CD 4+ 200 à 500 mm^3	Zidovudine	adulte : 100 mg PO 5x/j enfant : 180 mg/m^2 PO qid ad max 200 mg	Diminuer la dose initiale s'il y a anémie ou granulocytopénie. Changer pour ddI ou ddC si les réactions adverses sont sévères ou si l'infection au VIH devient symptomatique.
	Didanosine (ddI)	125-300 mg bid PO	
	Zalcitabine (ddC)	0,75mg tid PO	
Infection symptomatique CD4+ < 500/mm^3	Zidovudine	adulte 100 mg PO 4 à 5/jr ou 200 mg 98 h enfant 180 mg/m^2 PO q 6 h ad max 200 mg	Changer pour ddI ou ddC si les réactions adverses sont sévères ou s'il y a une progression avec la zidovudine.
	Didanosine (ddI)	125-300 mg bid PO	
	Zalcitabine (ddC)	0,75 mg tid PO	

Tableau 14.3 Traitement des surinfections opportunistes observées chez le sidéen

INFECTIONS	TRAITEMENTS			
	1er Choix	Dosages	Options	Dosages
Infections parasitaires :				
Pneumonie P. carinii	Triméthoprime/ Sulfaméthoxazole	15-20 mg/kg/24 h 75-100 mg/kg/24 h	Dapsone + Triméthopime	100 mg/kg/24 h 20 mg/kg/24 h
	Pentamidine iséthionate	3-4 mg/kg/24 h IV	Clindamycine +	1,8-2,4 mg/kg/24 h IV ou 1,2-1,8 mg/kg/24 h PO
	Atavaquone	750 mg t id PO	Primaquine	15-30 mg (base) 24 h PO
			Triméthréxate + Acide folinique	45 mg/m^2/24 h PO 80 mg/m^2/24 h PO
Toxoplasmose	Pyriméthamine + Sulfadiazine	50-100 mg/24 h PO 2-6 G/24 h PO	Pyriméthamine + Clindamycine	50-100 mg/24 h PO 1,8-2,4 mg/kg/24 h IV ou 1,2-1,8 mg/kg/24 h PO
Cryptosporidiose	Aucun efficace			
Isosporose	Triméthoprime/ Sulfaméthoxazole	160-180 mg/24 h PO	Métronidazole + Spiramycine	1,5 G/24 h PO 2-4 G/24 h PO
Microsporidiose	Métronidazole	2,25 G/24 h PO		
Infections fongiques : Candidose				
oropharyngienne	Nystatin sol, ou co.	2 m U/24 h PO	Kétoconazole Fluconazole Itraconazole	200 mg/24 h PO 50-100 mg/24 h PO 200 mg/24h PO
œsophagienne	Kétoconazole Fluconazole Itraconazole	200-400 mg/24 h PO 100-200 mg/24 h PO 200 mg/24h PO	Amphotéricine B	0,3 mg/kg/24 h IV
disséminée	Amphotéricine B	0,5 mg/kg/24 h IV		

Tableau 14.3 (suite)

INFECTIONS	TRAITEMENTS			
	1er Choix	Dosages	Options	Dosages
Cryptocoocose	Amphotéricine B +/-	0,5-0,6 mg/kg/24 h IV	Fluconazole	200-400 mg/24 h PO
	Flucytosine	150 mg/kg/24 h PO		
Histoplasmose	Amphotéricine B	0,5-0,6 mg/kg/24 h IV	Itraconazole	200-400 mg/24 h PO
Infections virales :				
Herpès simplex				
localisé	Acyclovir	1 G/24 h PO		
disséminé	Acyclovir	4 G/24 h PO	Foscarnet	120 mg/kg/24 h IV
Herpes zoster	Acyclovir	30-36 mg/kg/24 h IV	Foscarnet	120 mg/kg/24 h IV
Cytomégalovirus	Ganciclovir	100 mg/kg/24 h IV	Foscarnet	180 mg/kg/24 h IV
Infections bactériennes:				
Mycobacterium tuberculosis	Isoniazide +	300 mg/24 h PO		
	Rifampin +	600 mg/24 h PO		
	Pyrazinamide +/-	15-25 mg/kg/24 h PO		
	Éthambutol	15-25 mg/kg/24 h PO		
Mycobacterium avium complex				
disséminé	Clarithromycine	500-1000 mg/24 h PO	Rifabutine*	450-600 mg/24 h PO
	Éthambutol +	15-25 mg/kg/24 h PO	Azithromycine*	600-1200 mg/24 h PO
	Clofazimine +	100-300 mg/24 h PO		
	Ciprofloxacine +	1500 mg/24 h PO		
	Amikacine	7,5 mg/kg/24 h PO		
	Rifabutine	600 mg/24 h PO		
Syphillis	Pén. G benzathine	2,4 ml U. IM		
primaire, secondaire,	ou doxycycline	200 mg/24 h PO (14 jrs)		
latente précoce	ou érythromycine	2 G/24 h PO (14 jrs)		
	Pén. G benzathine	2,4 ml U/sem x 3sem		
latente tardive	ou doxycycline	200 mg/24 h PO (28 j)	* Un ou plusieurs des premiers choix	

Tableau 14.3 (suite)

INFECTIONS	TRAITEMENTS 1er Choix	Dosages	Options	Dosages
Neurosyphillis	Pén. G. cristalline ou Pén. procaïnée + Probénicide suivie de Pén. G benzathine	12 ml U/24 h IV (10 j) 2,4 ml U IM (10 j) 500 mg/24 h PO (10 j) 2,4 ml U/sem x 3sem		

* Médicament en investigation clinique

Tableau 14.4 Traitement de suppression des surinfections opportunistes

INFECTIONS	TRAITEMENTS 1er Choix	Dosages	Options	Dosages
Pneumonie P. carinii	Triméthopime/ Sulfaméthoxazole	160/800 mg 3 x sem PO	Dapsone Pentamidine aérosol via nébuliseur Respirgard II	50 mg bid 300 mg/1 x mois
Toxoplasmose	Pyriméthamine +/- Sulfadiazine	25-50 mg/24h PO 2-6 G/24 h PO	Pyriméthamine + Clindamycine	25-50 mg/24 h PO 1200 mg/24 h PO
Candidose oropharyngée, œsophagienne	Kétoconazole	100-200 mg/24 h PO	Fluconazole	50-100 mg/3 x sem PO
Cryptococcose	Fluconazole	200 mg/24 h PO	Amphotéricine B	0,5-1 mg/kg/1 x sem IV
Histoplasmose	Amphotéricine B	0,5-0,8 mg/kg/1 x sem IV	Itraconazole	200-400 mg/24 h PO
Cytomégalovirus choriorétinite	Ganciclovir	5-6mg/kg/24h IV	Foscarnet	90-120 mg/kg/24 h IV

Tableau 14.5 Vaccination chez l'individu infecté par le VIH

Vaccins	Infection au VIH	
	asymptomatique	symptomatique
DCT	Oui	Oui
Sabin (poliovirus vivant)	Non	Non
Salk (poliovirus inactivé)	Oui	Oui
RRO	Oui	Oui
Hib	Oui	Oui
Pneumocoque*	Oui	Oui
Influenza **	À considérer	Oui
Hépatite B	À considérer	À considérer

DCT : Diphtérie, coqueluche, tétanos
* Une seule fois
** Annuellement, novembre idéal

RRO : rougeole, rubéole, oreillons
Hib : H. influenzae type B

15

LES INFECTIONS À CYTOMÉGALOVIRUS

Lise-Anne St-Jean, Serge Montplaisir et Louise Pedneault

15.1 DÉFINITION

Les infections à cytomégalovirus (CMV) sont largement répandues dans la population: le plus souvent elles ne sont pas apparentes. Les malades immunodéprimés peuvent être l'objet d'atteintes cliniques nettement plus sévères.

15.2 L'AGENT ÉTIOLOGIQUE

Comme les autres virus de la famille des *Herpesviridae*, le CMV présente la faculté de persister à l'état latent à la suite d'une primo-infection, avec possibilité de réactivation subséquente, en particulier chez les malades immunodéprimés. Les mécanismes impliqués dans le maintien d'un état de latence ou d'une réactivation sont encore mal connus.

Le génome du CMV est latent dans les cellules mononucléées du sang et possiblement dans les glandes salivaires, les tubules rénaux, les ganglions, la rate et la moelle osseuse.

15.3 L'ÉPIDÉMIOLOGIE

L'infection à CMV a une distribution mondiale, mais la prévalence varie selon le niveau socio-économique. On estime qu'elle est à près de 100 % dans les pays en voie de développement et dans les classes défavorisées des milieux urbains, et on l'évalue à environ 30 à 40 % dans les milieux aisés.

De plus, des études ont démontré que la prévalence de l'infection à CMV augmente avec l'âge. Il y a deux périodes dans la vie où le taux d'acquisition est plus élevé. La première est la période périnatale, entre l'âge de 6 mois et 2 ans, où de 90 à 100 % de la population des pays en voie de développement sera infecté. La deuxième survient après la puberté où l'infection est acquise principalement par voie sexuelle. Ce mode de transmission représente la source principale d'infection à CMV dans les pays industrialisés.

15.4 LA PRÉSENTATION DE CAS

15.4.1. L'histoire

15.4.1.1 L'infection chez l'adulte

L'infection à CMV est le plus souvent asymptomatique. Le syndrome mononucléosique est la présentation clinique la plus fréquente. À l'opposé de la mononucléose infectieuse due au virus d'Epstein-Barr, il n'y a pas de production d'anticorps hétérophiles (mononucléose à Monotest négatif). D'autres présentations cliniques telles que la myocardite, l'hépatite granulomateuse, la méningoencéphalite, le syndrome de Guillain-Barré, demeurent exceptionnelles chez l'hôte immunocompétent.

15.4.1.2 L'infection chez les nouveau-nés et les enfants

Environ 1 % des nouveau-nés présentent une infection congénitale à CMV, mais de 90 à 95 % sont asymptomatiques à la naissance. L'infection congénitale peut survenir soit après une primo-infection ou après une réactivation chez la mère; la maladie est généralement plus sévère à la suite d'une primo-infection.

L'infection congénitale symptomatique est une fœtopathie comportant une hépatosplénomégalie, une thrombocytopénie et des anomalies du système nerveux central. Elle est associée à un taux de mortalité de 10 à 20 % et peut conduire à des séquelles psychomotrices importantes.

L'infection périnatale est en général asymptomatique sauf chez les nouveau-nés prématurés qui peuvent développer une infection plus sévère.

15.4.1.3 L'infection chez l'hôte immunodéficient

L'immunodépression, en plus de favoriser la réactivation d'une infection latente à CMV, accroît les symptômes d'une réactivation, d'une primo-infection ou d'une réinfection.

Les malades immunodéprimés, tels les receveurs de greffe d'organe, ceux qui reçoivent des immunosuppresseurs et ceux qui sont porteurs du sida sont sujets à développer une infection sévère à CMV comme une fièvre avec ou sans leucopénie, une pneumonie, une rétinite, une œsophagite, une gastrite, une hépatite, une pancréatite, une colite, une encéphalite, etc.

La majorité des personnes infectées par le VIH réactivent leur infection à CMV et ont une virémie prolongée. Si l'on soupçonne qu'un organe cible est atteint (par exemple, le foie, le côlon, etc.), on peut procéder à une biopsie pour faire un examen histologique et une culture virale afin de confirmer le diagnostic. Quand on pratique une autopsie, il y a évidence d'infection à CMV dans presque tous les cas.

15.4.2 L'évaluation médicale et les facteurs de risque comportementaux

15.4.2.1 Les modes de transmission

15.4.2.1.1 La transmission par les voies naturelles

L'être humain est le seul réservoir du CMV. La transmission par les voies naturelles provient d'un contact intime avec un sujet infecté excrétant le CMV dans la salive, le sperme, les sécrétions du col, les larmes, le lait maternel ou l'urine.

Le virus peut être transmis de la mère à l'enfant *in utero*, à la naissance ou pendant la période périnatale. Selon certaines études, les réactivations sont fréquentes pendant la grossesse, de 10 à 28 % des femmes infectées excrétant le CMV dans les sécrétions du col au cours du troisième trimestre.

15.4.2.2.4 L'atteinte neurologique

Le CMV est une cause d'encéphalite subaiguë chez les malades atteints de sida. On observe des changements de personnalité, de la confusion, de la somnolence, des céphalées et des altérations de l'état de conscience. D'autres symptômes tels que la myélite et la polyradiculopathie peuvent être associés au CMV.

15.5 LES ASPECTS DE LABORATOIRE

Les principales méthodes de diagnostic demeurent le diagnostic histologique, l'isolement du virus et le sérodiagnostic (recherche des anticorps).

15.5.1 Le diagnostic histologique

La présence de grandes cellules épithéliales, mésenchymateuses ou endothéliales contenant des inclusions cytoplasmiques ou nucléaires est caractéristique de l'infection à CMV. L'inclusion intranucléaire a l'apparence d'un «œil de hibou», car elle est séparée de la membrane nucléaire par un halo.

Le diagnostic histologique (ou cytologique) de l'infection à CMV reste souvent une méthode diagnostique insuffisamment sensible.

15.5.2 L'isolement du virus

15.5.2.1 Le prélèvement et les conditions de transport

In vitro, le CMV se réplique seulement sur les cellules fibroblastiques embryonnaires humaines. L'effet cytopathique (ECP) est caractéristique et apparaît dans un délai qui varie de 5 à 30 jours; en moyenne, ce délai est de 12 jours.

Quand on soupçonne une infection à CMV, on cherche le virus dans les prélèvements de sécrétions de la gorge, de l'urine, du sang, dans les lavages alvéolaires et les biopsies d'organes.

Lorsqu'on effectue un écouvillonnage, il faut frotter énergiquement le site dans le but de recueillir des cellules. Il est préférable d'utiliser des tiges à bout en dacron qui ne sont pas toxiques pour le virus. Il faut ensuite placer l'écouvillon dans un milieu de transport* pour culture virale, bien l'essorer et jeter la tige. Les biopsies sont mises directement dans le milieu de transport pour culture virale qui est agité à l'aide d'un vortex.

Les autres prélèvements tels les liquides biologiques, les selles, les lavages alvéolaires, sont placés dans un contenant stérile et acheminés au laboratoire. S'il y a un délai, il faut conserver l'échantillon à + 4 °C.

15.5.2.2 La culture virale

Il y a d'abord la culture standard sur fibroblastes humains, où l'effet cytopathique est lent à apparaître et le diagnostic posé tardivement.

Récemment, Gleaves et al.[3] ont décrit une technique de culture-centrifugation avec détection rapide du CMV à l'aide d'un anticorps monoclonal. De 24 à 48 heures après avoir inoculé le prélèvement dans une éprouvette contenant des fibroblastes, on révèle la présence du virus par immunofluorescence indirecte en utilisant un anticorps monoclonal dirigé contre une protéine précoce de la réplication du CMV. Les cellules infectées montrent une fluorescence nucléaire typique. Sauf pour les prélèvements sanguins, cette technique rapide et spécifique est plus sensible que la culture standard; elle est maintenant utilisée couramment dans les laboratoires de virologie.

La recherche par culture du CMV dans le sang n'est pas sensible; la culture standard n'est que légèrement supérieure à la technique de détection rapide. Ceci peut s'expliquer par un effet toxique des leucocytes sur le tapis cellulaire.

15.5.3 Le diagnostic sérologique

Une élévation significative (≥ 4) du titre des anticorps apparaît lors d'une primo-infection; par contre, elle se manifeste rarement au moment d'une réactivation.

Un titre élevé et stable n'est pas une indication d'une infection récente.

L'agglutination au latex et l'EIA sont plus sensibles que la fixation du complément. Cependant, pour démontrer une séroconversion ou une augmentation significative de titres sur une paire de sérums, la fixation du complément

---

* Lorsque le milieu de transport (par exemple, le milieu de Hanks) a été ensemencé, il faut le faire parvenir rapidement au laboratoire ou le conserver à + 4 °C (au réfrigérateur).

peut s'avérer utile. L'EIA et l'immunofluorescence peuvent servir à détecter les IgM. Voici comment interpréter les IgM anti-CMV:

— Les IgM sont présents dans la majorité des primo-infections, mais ils peuvent être absents chez certains malades immunodéprimés avec une infection à CMV sévère.

— La présence d'IgM est souvent observée dans les infections à CMV secondaires (lors d'une réactivation ou d'une réinfection).

— Finalement, une étude épidémiologique a démontré une prévalence élevée d'Ac IgM anti-CMV chez les homosexuels mâles. Cette prévalence résulte probablement d'une réactivation du CMV ou d'expositions répétées à différentes souches de CMV.

15.5.4 Les autres méthodes diagnostiques

D'autres méthodes diagnostiques ont été développées récemment, mais elles ne sont pas encore répandues dans tous les laboratoires; parmi celles-ci, mentionnons la détection directe d'antigènes du CMV dans les leucocytes du sang périphérique à l'aide d'anticorps monoclonaux dirigés contre les protéines très précoces de la réplication virale du CMV.

Par ailleurs, les techniques d'hybridation moléculaire pour la détection de l'ADN du CMV appliquées aux prélèvements cliniques sont très sensibles et spécifiques.

15.6 LA THÉRAPIE CURATIVE ET LA THÉRAPIE PALLIATIVE

Il n'y a pas lieu de traiter une infection à CMV chez l'hôte normal. Comme c'est le cas dans beaucoup d'autres infections virales, certains malades peuvent présenter une asthénie marquée pouvant nécessiter, dans certains cas, une période de repos.

Il existe deux produits antiviraux, le ganciclovir et le foscarnet (l'acide phosphonoformique), qui peuvent être indiqués dans les infections sévères chez les malades immunodéprimés.

15.6.1 Le ganciclovir

Si la fonction rénale est normale, les doses recommandées sont les suivantes: le traitement initial est de 5 mg/kg par voie intraveineuse, toutes les 12 heures pendant 14 à 21 jours; ce traitement initial est suivi d'un traitement d'entretien à vie chez les malades atteints de sida: 5 mg/kg par voie intraveineuse, 1 fois par jour, ou 6 mg/kg par voie intraveineuse, 1 fois par jour, 5 jours par semaine.

Les effets adverses les plus fréquents du ganciclovir sont la neutropénie et la thrombocytopénie.

15.6.2 Le foscarnet

Si la fonction rénale est normale, les doses recommandées sont les suivantes. Comme traitement initial, on administre 60 mg/kg par voie intraveineuse toutes les 8 heures pendant 14 à 21 jours; on fait ensuite un traitement d'entretien à vie chez les malades atteints de sida: 90 mg/kg par voie intraveineuse, une fois par jour.

La toxicité rénale est l'effet adverse le plus fréquent du foscarnet. Il est important de bien surveiller la fonction rénale et d'ajuster les doses du médicament en conséquence. Les autres effets adverses du foscarnet sont surtout l'anémie, l'hypocalcémie et l'hypophosphatémie.

15.7 LA PRÉVENTION ET LE COUNSELLING

Même s'il n'y a pas de moyens entièrement efficaces pour prévenir l'infection à CMV, il y a certaines recommandations à suivre pour en réduire la transmission. Ces recommandations s'adressent plus particulièrement aux femmes enceintes séronégatives, car c'est surtout la primo-infection chez la mère qui conduit à une infection congénitale symptomatique chez le nouveau-né.

Tout d'abord, pour diminuer la transmission sexuelle du CMV, il est suggéré d'utiliser le condom et de limiter le nombre de partenaires. De plus, le personnel en garderie ou dans les hôpitaux peut être infecté au contact de sécrétions d'enfants ou de malades excrétant le CMV. La sérologie de routine et le retrait préventif ont été proposés par certains experts, mais cette opinion n'est pas partagée par tous. En effet, il n'y a pas de preuve que le taux d'acquisition du CMV soit diminué par ces mesures[5, 6].

Le lavage des mains et les mesures d'hygiène sont les seules méthodes reconnues efficaces pour minimiser la transmission du CMV. Il est donc important de bien informer le personnel à ce sujet, surtout dans les garderies où l'hygiène peut être déficiente.

15.8 LES CONSIDÉRATIONS DE SANTÉ PUBLIQUE

Comme l'infection à CMV n'est pas une maladie à déclaration obligatoire, il n'y a pas lieu de rechercher les contacts.

15.9 LE SUIVI

La durée du suivi clinique dépend surtout du degré de sévérité de la maladie. Il n'est pas indiqué d'effectuer des cultures de routine, par exemple dans l'urine ou la gorge, car l'excrétion virale peut persister pendant plusieurs semaines ou plusieurs mois.

BIBLIOGRAPHIE

1. DEMMLER, G.J., O'NEIL, G.W., O'NEIL, J.H., SPECTOR, S.A., BRADY, M.T. et YOW, M.D. «Transmission of cytomegalovirus from husband to wife». *J Infect Dis*, 1986, Vol. 154, p. 545-546.

2. FORBES, B.A. «Acquisition of cytomegalovirus infection: An update». *Clin Microbiol Rev*, 1989, Vol. 2, no. 2, p. 204-216.

3. GLEAVES, C.A., SMITH, T.F., SHUSTER, E.A., PEARSON, G.R. «Comparison of standard tube and shell vial cell culture techniques for detection of cytomegalovirus in clinical specimens». *J Clin Microbiol*, 1985, Vol. 21, p. 217-221.

4. HANDSFIELD, H.N., CHANDLER, S.H., CAINE, V.A. et al. «Cytomegalovirus infection in sex partners: Evidence for sexual transmission». *J Infect Dis*, 1985, Vol. 151, p. 344-348.

5. POMEROY, C., ENGLUND, J.A. «Cytomegalovirus: Epidemiology and infection control». *Am J Infect Control*, 1987, Vol. 15, no. 3, p. 107-119.

6. STAGNO, S., REMINGTON, J.S. et KLEIN, J.O. «Cytomegalovirus». *Infectious Diseases of the Fetus and Newborn Infant*, 3rd ed., W.B. Saunders, Philadelphie, 1990, p. 241-281.

16

LES ECTOPARASITOSES

Danielle Marcoux

16.1 LA GALE

16.1.1 Définition

La gale est une infestation contagieuse causée par un ectoparasite kératinophile, qui se manifeste par une éruption cutanée polymorphe très prurigineuse.

16.1.2 L'agent étiologique

Le *Sarcoptes scabiei* est l'ectoparasite responsable de la gale qui afflige l'homme depuis au moins 2 500 ans. La femelle mesure 0,4 mm et le mâle est un peu plus petit. En général, un individu infesté compte de 10 à 15 sarcoptes adultes sur son corps.

16.1.3 L'épidémiologie

On a cru que des épidémies de gale survenaient par cycles de 30 ans avec une période de latence de 15 ans entre les cycles. L'existence de tels cycles est controversée. La contagiosité se fait de peau à peau ou plus rarement par des articles contaminés de vêtements, de literie ou de lingerie. Toutefois, ces parasites sont très sensibles aux variations de température et ne subsistent guère plus de 48 heures sur des objets inanimés. La gale n'est pas une maladie exclusivement transmise sexuellement. N'importe quel contact étroit entre humains peut aussi être responsable d'une infestation: enfant-enfant, enfant-parent, etc.

Occasionnellement, surtout s'il s'agit d'une réinfestation, certains individus réussissent à se débarrasser spontanément du sarcopte sans développer de lésion ou après une éruption cutanée plus ou moins typique, qui est autorésolutive. Toutefois, il existe des hôtes particulièrement vulnérables chez qui le sarcopte se multiplie en très grand nombre et entraîne une éruption peu prurigineuse, mais très hyperkératosique et très contagieuse appelée «gale norvégienne». Elle a été décrite chez des malades institutionnalisés, chez des sidéens et d'autres immunosupprimés.

16.1.4 La présentation de cas

16.1.4.1 L'histoire

Après l'infestation, la période d'incubation est d'environ 30 jours avant que les signes et symptômes n'apparaissent. En effet, l'éruption cutanée se manifeste seulement quand l'hôte a développé une réaction d'hypersensibilité à la présence de l'acarien.

En général, la personne infestée présente une éruption cutanée extrêmement prurigineuse qui peut même la réveiller la nuit. L'éruption et le prurit ont un début très insidieux. Les contacts étroits du malade peuvent parfois développer, eux aussi, une éruption cutanée prurigineuse environ un mois après leur infestation. Lors d'une réinfestation cependant, le prurit peut apparaître en moins de 24 heures.

16.1.4.2 L'évaluation médicale et les facteurs de risque comportementaux

La gale n'a pas de conséquence systémique directe, elle ne laisse aucune séquelle et ne requiert pas d'examen biologique spécifique après son diagnostic clinique. Il est important de tenter d'identifier le mode de contamination du patient. S'il y a eu un contact sexuel douteux, une évaluation plus complète s'impose afin d'éliminer d'autres MTS. Évidemment, dans un but de traitement préventif, il faut s'enquérir des contacts étroits, sexuels et autres, que le ou la malade a eus depuis son infestation.

16.1.4.3 L'examen physique

L'individu infesté présente une éruption cutanée polymorphe, généralisée, symétrique, mais épargnant habituellement le visage et les régions palmo-plantaires, sauf chez le nourrisson. L'éruption est papulovésiculeuse et papulo-squameuse avec des excoriations. Elle se localise de préférence dans la région axillaire, sur le ventre, le pubis, les organes génitaux, sur la face interne des poignets, aux chevilles et entre les doigts. Sur la face ventrale des poignets, sur les chevilles, entre les doigts et sur leurs faces latérales, on peut retrouver des petits tracés linéaires de quelques millimètres à 1 centimètre qui correspondent aux sillons que creuse le sarcopte femelle fécondé pour y pondre ses œufs. Les femmes présentent parfois des lésions aux aréoles des seins. On peut aussi trouver des orties, des pustules et même des bulles.

Il y a des zones eczémateuses chez les sujets prédisposés à l'eczéma ou très sensibilisés à la mite. L'éruption peut aussi se surinfecter secondairement par le *Staphylococcus aureus* ou par le *Streptococcus pyogenes*; on observe alors une impétiginisation avec des squames croûtées dorées et des plaies suintantes ou des pustules.

Des papulonodules prurigineux de 5 mm à 1,5 cm, brun-rouge, peuvent aussi apparaître aux organes génitaux masculins, aux aisselles, aux aines ou aux autres sites où les lésions cutanées étaient importantes. Ces nodules scabieux peuvent persister plusieurs mois; ils sont très prurigineux, non contagieux et représentent une réaction d'hypersensibilité de l'hôte.

16.1.5 L'évaluation biologique

Pour prouver un diagnostic de gale face à une éruption cutanée, il s'agit d'abord de repérer des sillons que l'on recouvre d'un peu d'huile minérale pour mieux les observer. Avec une lame de bistouri n° 15, on gratte six ou sept fois l'extrémité d'un sillon et on étend le matériel recueilli sur une lame de microscope que l'on recouvre d'une lamelle après avoir ajouté quelques gouttes d'hydroxyde de potassium à 10 %. En grattant plusieurs lésions similaires, on maximise les chances de succès.

On chauffe la lame pour accélérer la dissolution de la kératine. Cette technique nous permet de visualiser ce que nous cherchons, c'est-à-dire le sarcopte femelle, les œufs, les scybales ou les nymphes. L'identification de n'importe quel de ces éléments nous permet de confirmer le diagnostic de gale.

16.1.6 La thérapie curative et la thérapie palliative

Le traitement classique est l'application en mince couche d'une lotion de lindane à 1 %, qu'il faut laisser sur la peau pendant six à huit heures. On répète ce traitement une semaine plus tard pour une infestation objectivée. Cette seconde application est nécessaire, car le produit n'est pas totalement ovicide. Il faut donc éliminer les sarcoptes ayant pu éclore à partir des œufs résiduels. Toutes les personnes ayant été en contact étroit avec la personne infestée devraient être traitées. Dans les cas de contact sans éruption cutanée, une seule application suffit. Pour réduire les risques de toxicité liés à l'emploi du lindane, il est recommandé d'appliquer le produit sur une peau sèche: cela minimise l'absorption percutanée. Le bain ou la douche doivent être pris après le traitement. De plus, il est bon de savoir qu'environ 30 g (1 oz) de la préparation topique est suffisante pour bien recouvrir le tronc et les extrémités d'un adulte. La quantité requise est proportionnellement moindre chez l'enfant.

Chez les enfants, le lindane ne doit jamais être appliqué sur la peau des prématurés si la barrière cutanée est très anormale ou si l'enfant a des antécédents de convulsions. Certains auteurs utilisent le lindane sans réticence chez la femme enceinte pourvu que les précautions d'usage et le mode d'emploi aient été bien expliqués et bien compris. La toxicité du lindane a été exagérée. Ce produit est sécuritaire lorsqu'il est utilisé adéquatement. Il est illogique de prétendre que d'autres traitements ont une meilleure innocuité alors que leur profil toxicologique a été moins bien étudié. Le crotamiton et la vaseline soufrée sont moins efficaces que le lindane, tandis que le malathion n'est pas disponible.

L'application unique sur tout le corps d'une crème à base de perméthrine à 5 % est un nouveau traitement sécuritaire et efficace. La perméthrine est à la fois scabicide et ovicide, ce qui la rend efficace dès la première application.

Il est important de laver à l'eau chaude ou d'isoler dans des sacs de plastique pour au moins 48 heures la lingerie et le linge de maison (sous-vêtements, literie, vêtements de nuit, serviettes de bain, etc.). Rappelons-nous que le sarcopte ne survit pas plus de 48 heures sur les objets inanimés. De plus, il est essentiel de prévenir toutes les personnes avec qui il y a eu contact étroit pour éviter que l'épidémie ne se propage.

Pour les patients qui sont déjà très sensibilisés et qui présentent une eczématisation secondaire, on prescrit aussi des émollients, des corticostéroïdes de force moyenne et des antihistaminiques par voie orale. Il est essentiel d'expliquer aux malades que le prurit peut persister pendant quelques semaines malgré un traitement réussi, pour éviter que les scabicides ne soit réutilisés à mauvais escient et que ne se développe une dermite irritative exacerbant l'eczématisation et le prurit.

S'il y a une surinfection bactérienne associée, on doit prescrire un antistaphylococcique en application locale ou par voie orale, selon l'extension des lésions. Malgré leur ténacité, les nodules de gale se résorbent spontanément en quelques mois. On peut aussi les traiter avec des corticostéroïdes topiques ou intralésionnels s'ils sont trop prurigineux ou pour hâter leur résolution.

Le développement d'une acarophobie chez certains individus névrotiques est une complication plus rare, mais très difficile à traiter. Il faut faire preuve de beaucoup de tact pour aider ces malades, les rassurer et leur manifester une grande compréhension. Après le traitement de l'éruption, les lésions de gale se résorbent pour ne laisser aucune séquelle.

16.2 LA PHTIRIASE PUBIENNE (MORPIONS)

16.2.1 Définition

La phtiriase pubienne est une infestation par un ectoparasite suceur de sang; elle se manifeste par une éruption prurigineuse au pubis, aux aisselles et parfois aux paupières.

16.2.2 Agent étiologique

Le *Phtirius pubis* est l'ectoparasite responsable de la pédiculose pubienne. Il mesure entre 0,5 et 3 mm; sa forme et ses pinces rappellent l'aspect du crabe. Il a la faculté de s'accrocher aux poils pubiens et axillaires ainsi qu'aux cils.

16.2.3 Épidémiologie

Cet ectoparasite se transmet par un contact interpersonnel étroit, le plus souvent sexuel. Plus rarement, il est transmis par contact avec des objets contaminés par des poils infestés. L'infestation atteint habituellement les poils pubiens, les cils et, moins fréquemment, les poils du cuir chevelu, de la barbe, du corps, des aisselles, de la région périanale et des sourcils. L'extension peut être encore plus importante chez les hommes qui ont une pilosité très développée. On doit bien vérifier l'étendue de l'infestation pour en arriver à un traitement efficace. Le *Phtirius pubis* semble rechercher les sites anatomiques abritant des glandes apocrines. La période d'incubation asymptomatique est d'environ un mois.

Devant un enfant infesté par cette parasitose au niveau des cils ou des cheveux, on doit s'interroger sur la possibilité d'abus sexuel.

16.2. La présentation de cas

16.2.4.1 L'histoire

L'individu infesté peut être asymptomatique mais consterné d'avoir découvert un insecte se mouvant sur ses régions anatomiques privées. Une fois sensibilisé, il se plaindra de prurit principalement localisé au pubis, mais aussi à l'abdomen et aux aisselles. Si les cils sont infestés, on observe du prurit et un certain degré d'irritation des paupières.

16.2.4.2 L'évaluation médicale et les facteurs de risque comportementaux

Chez près du tiers des malades évalués, la pédiculose pubienne s'accompagne d'autres maladies transmissibles sexuellement. C'est pourquoi un bilan s'impose en particulier pour éliminer entre autres une syphilis, une urétrite non gonococcique ou une trichomonase.

16.2.4.3 L'examen physique

Au début de l'infestation, on observe des petits points clairs de couleur rouille ou brunâtre à la base des poils; ils peuvent bouger ou non selon qu'il s'agit des parasites ou de leurs déjections. Les lentes sont fixées fermement à la base des poils. La peau adjacente peut parfois présenter des taches bleuâtres appelées *maculae cerulae*. Elles sont probablement dues à l'action de la salive du parasite sur le sang de l'hôte. Si le prurit et les excoriations sont importants, il peut se développer une surinfection bactérienne avec pyodermite.

Au niveau des paupières, on peut observer une blépharite et une conjonctivite. L'examen à la lampe à fente ou avec une loupe démontre la présence des parasites.

16.2.5 L'évaluation biologique

Le diagnostic de pédiculose pubienne se fait cliniquement et il n'y a pas d'examen spécifique en dehors de l'observation du parasite à la loupe ou au microscope qui puisse aider au diagnostic.

16.2.6 La thérapie curative et la thérapie palliative

L'infestation des poils pubiens, axillaires et corporels se traite par un shampoing au lindane 1 % d'une durée de quatre minutes qui doit être répété une semaine plus tard, car cet agent n'est pas totalement ovicide. Une crème à la perméthrine 1 %, un pyréthroïde synthétique, que l'on doit laisser en place dix minutes, est tout aussi efficace après deux applications à dix jours d'intervalle.

Ici encore, tous les effets personnels doivent être lavés ou nettoyés à sec. Tous les contacts intimes doivent aussi être traités.

Une infestation extensive, particulièrement chez les hommes homosexuels, semble plus difficile à traiter, le taux d'échec allant jusqu'à 40 %.

L'infestation des cils peut être traitée par de la vaseline stérile appliquée deux ou trois fois par jour pendant 7 à 10 jours, ce qui asphyxie les parasites. Auparavant, l'oxyde de mercure jaune et les préparations d'anticholinestérase étaient aussi utilisées. Les lentes peuvent être enlevées à l'aide de forceps fins.

16.2.7 La prévention et le counselling

La prévention des ectoparasitoses consiste à éviter les contacts intimes avec les personnes ayant des lésions cutanées ou un prurit dont la cause n'est pas identifiée.

16.2.8 Les considérations de santé publique

Ces parasitoses ne nécessitent pas de déclaration obligatoire.

16.2.9 Le suivi

Une visite de contrôle environ trois semaines après le traitement peut s'avérer utile pour dépister les cas de réinfestation ou d'échec du traitement.

BIBLIOGRAPHIE

1. ORKIN, M., MAIBACH, H. «Current views of scabies and pediculosis pubis». *Cutis*, 1984, 33, p. 85-96.
2. CRISSEY, J.T. «Scabies and pediculosis pubis». *Urol Clin*, N.A., 1984, II, 1 p. 171-176.
3. KALTER, D.C., SPERBER, J., ROSEN, T., MATARASSO, S. «Treatment of pediculosis pubis». *Arch Dermatol*, 1987, 123, p. 1515-1319.
4. RASMUSSEN, J.E. «Lindane, a prudent approach». *Arch Dermatol*, 1987, 123, p. 1008-1010.
5. SCHULTZ, M.W., GOMEZ, M. et al. «Comparative study of 5 % permethrin cream and 1 % lindane lotion for the treatment of scabies». *Arch Dermatol*, 1990, 126, p. 167-170.
6. Committee on Sexually Transmitted Diseases of the American Academy of Dermatology. «Sexually transmitted diseases: Viruses and ectoparasites». *J Am Acad Dermatol*, 1991, 25, p. 527-534.

TROISIÈME PARTIE

LES PRINCIPAUX SYNDROMES

17

LES ULCÉRATIONS GÉNITALES ET LES ADÉNOPATHIES INGUINALES

Michel Poisson et Paul E. Lefort

17.1 DÉFINITION

Les ulcérations génitales sont des pertes d'intégrité des muqueuses ou de la peau de la région ano-génitale qui laissent à découvert le derme ou la sous-muqueuse et qui s'accompagnent presque toujours d'adénopathies inguinales. Celles-ci se présentent parfois sans ulcération visible. Les ulcérations sont alors internes (vagin, col, anus) ou encore transitoires ou absentes. C'est pourquoi nous avons traité des ulcérations génitales en même temps que des adénopathies inguinales.

17.2 LES AGENTS ÉTIOLOGIQUES

Le syndrome d'ulcération génitale et d'adénopathies inguinales peut être causé par les agents infectieux suivants : le virus de l'herpès simplex type 1 ou 2, le *Treponema pallidum*, l'*Haemophilus ducreyi*, la *Chlamydia trachomatis* sérotypes L1, L2 et L3, et le *Calymmatobacterium granulomatis*.

Ces agents infectieux sont responsables des syndromes cliniques suivants : l'herpès génital primaire ou récidivant, le chancre syphilitique, le chancre mou, le lymphogranulome vénérien et le granulome inguinal ou donovanose.

Plusieurs agents infectieux causent des lésions génitales ulcérées, mais on oublie souvent que des traumatismes génitaux et des maladies systémiques peuvent également en être la cause. En Amérique du Nord, les lésions ulcérées les plus fréquentes sont, dans l'ordre:

1. l'herpès génital (primaire ou récidivant);
2. les lésions ulcérées non transmises sexuellement (traumatismes et maladies systémiques affectant la région génitale);
3. la syphilis;
4. les ulcères tropicaux :
   - le chancre mou,
   - le lymphogranulome vénérien,
   - le granulome inguinal.

17.3 L'ÉPIDÉMIOLOGIE

En Amérique du Nord, moins de 5 % des patients qui fréquentent les cliniques de MTS présentent des signes d'ulcération génitale. Le diagnostic clinique initial de ces affections est erroné dans au moins 40 % des cas. Pourtant, la plupart des syndromes cliniques causant des ulcérations génitales sont suffisamment caractéristiques pour être diagnostiqués adéquatement dans plus de 80 à 90 % des cas.

Alors qu'au moins 500 000 cas d'infections au virus herpétique sont connus au Canada, la syphilis reste rare dans la population en général. Sa prévalence est plus élevée chez les homosexuels, quoique son incidence ait diminué considérablement depuis le début de l'épidémie du VIH.

Les trois autres entités restent exclusivement des maladies d'importation dans notre milieu. On peut, en effet, diagnostiquer occasionnellement le chancre mou chez les gens qui voyagent en Afrique ou dans les Antilles. Le lymphogranulome vénérien est plus rare et le granulome inguinal demeure un diagnostic très exceptionnel.

17.4 LA PRÉSENTATION DE CAS

17.4.1 Le questionnaire

Le questionnaire relève les éléments cliniques pertinents au diagnostic. Il doit évaluer deux points principaux:

— l'histoire sexuelle du patient, qui doit porter spécifiquement sur certaines affections liées à des comportements à risque;

— l'histoire de la maladie actuelle, qui doit orienter le diagnostic vers des affections plus précises.

17.4.1.1 L'histoire sexuelle du patient

Une première relation sexuelle en bas âge, la multiplicité des partenaires, l'absence de protection, l'homosexualité, l'usage de drogues exposent davantage les sujets à des maladies spécifiques (voir tableau 17.1). On doit aussi évaluer les habitudes sexuelles pour permettre de déceler certaines étiologies, par exemple des morsures ou des traumatismes.

Tableau 17.1 Risque de MTS en fonction de l'histoire sexuelle

	ULCÈRES NON MTS	HERPÈS GÉNITAL	SYPHILIS	ULCÈRES TROPICAUX
Un seul partenaire depuis le début de l'activité sexuelle	+	+	-	-
Partenaire nouveaux depuis moins de deux mois ou plusieurs partenaires antérieurs	+	++	+	-
Homosexualité masculine ou prostitution	+	+	++	-
Voyage en pays exotique ou contact avec partenaire en provenance d'un pays exotique	-	-	++	++

Tableau 17.2 Ulcérations génitales et adénopathies inguinales — Diagnostic différentiel

	HERPÈS	SYPHILIS	CHANCRE MOU	LYMPHOGRANULOME VÉNÉRIEN	GRANULOME INGUINAL
ÉTIOLOGIE	VHS-1 (15 %) VHS-2 (85 %)	*Treponema pallidum*	*Haemophilus ducreyi*	*Chlamydia trachomatis* L1, L2, L3	*Calymmato-bacterium granulomatis*
ORIGINE TROPICALE	+/-	+	++	++	++
LÉSION PRIMAIRE	vésicule(s) en bouquet(s), sensible(s)	papule unique, chancre indolore	papule érythémateuse, pustule sensible; chancre	papule,pustule, vésicule (25 %) sensible, fugace; chancre rare	papule ou nodules sous-cutanés; ulcères indolores (variable)
LÉSIONS SATELLITES	oui	non	oui auto-inoculation	non	non
ULCÈRE 1. marge	érythémateuse	ronde, bien définie	érythémateuse/ sous-minée	vésicule herpétiforme fugace	roulée et surélevée
2. profondeur	superficielle	superficielle	excavée	superficielle	surélevée
3. base	rouge/lisse	rouge/lisse	jaune/gris	variable	rouge/rude
4. sécrétion	séreuse	séreuse	purulente et hémorragique	variable	hémorragique
5. induration	néant	ferme	néant	néant	ferme

Tableau 17.2 Ulcérations génitales et adénopathies inguinales — Diagnostic différentiel ***(suite)***

	HERPÈS	SYPHILIS	CHANCRE MOU	LYMPHOGRANULOME VÉNÉRIEN	GRANULOME INGUINAL
GANGLIONS	bilatéraux, sensibles, variables	bilatéraux, indolores	unilatéraux, sensibles, suppurés	unilatéraux ou bilatéraux, sensibles, parfois suppurés	rares, pseudoadénopathies indolores
SIGNES SYSTÉMIQUES	oui	non	non	oui	non
SIGNES D'APPEL	oui	non	non	non	non
LYMPHŒDÈME	non	non	non	oui	oui
DIAGNOSTIC	culture virale, tests anticorps fluorescents, immunoperoxydase, test de Tzanck	fond noir, sérologie	culture bactérienne, coloration de Gram (bâtonnets en chaînes)	sérologie par fixation du complément, micro-immunofluorescence	microscopie sur biopsie (corps de Donovan)

Tableau 17.3 Algorithme diagnostique des ulcérations génitales et des adénopathies inguinables

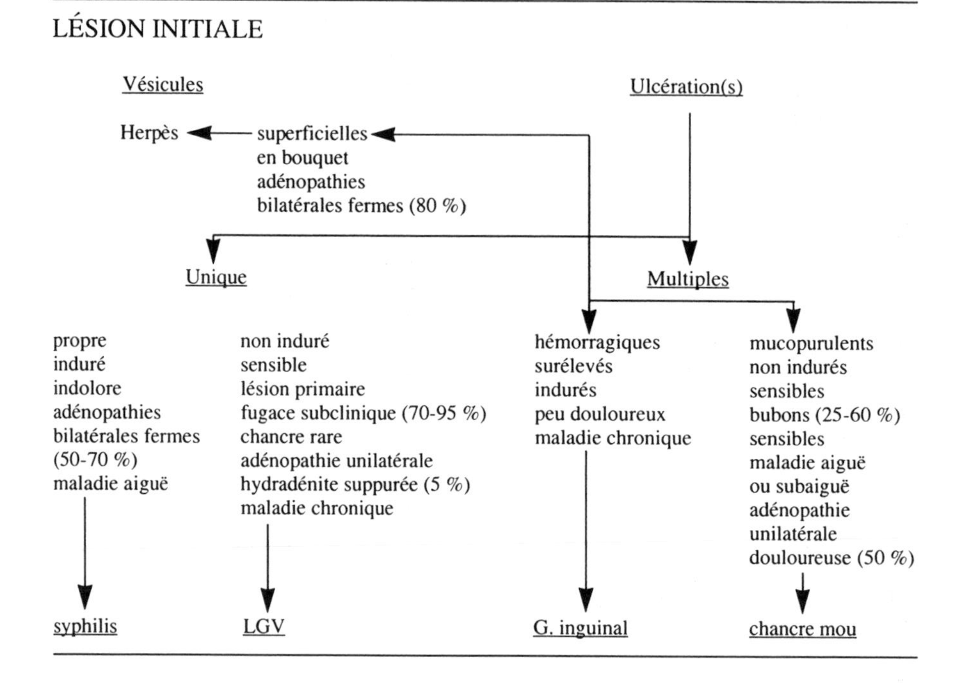

17.4.1.2 L'histoire de la maladie actuelle

L'histoire de la maladie actuelle est sans doute l'élément le plus important du diagnostic. En effet, des délais précis sur le déroulement des événements peuvent confirmer ou infirmer l'affection suspectée. De plus, la date du contact et celle de l'apparition des lésions, sans être entièrement fiables, déterminent la période d'incubation et ajoutent des éléments au diagnostic (voir tableau 17.2). Il faut connaître le pays où le contact a eu lieu et recueillir des informations sur le partenaire pour poser un diagnostic éclairé. Les symptômes et signes de la maladie comme les symptômes systémiques, la douleur, particulièrement la douleur abdominale, le prurit, les écoulements, les éruptions cutanées, l'œdème génital ou inguinal sont aussi des éléments qu'il faut connaître.

Le tableau 17.2 résume les caractéristiques des principaux syndromes infectieux rencontrés et le tableau 17.3 présente un algorithme du diagnostic pratique de ces entités.

Tableau 17.4 Périodes d'incubation des MTS ulcérées

MALADIE	PÉRIODE D'INCUBATION	MOYENNE
Herpès	2 jours à 2-3 semaines	6 jours
Syphilis	10-90 jours	21 jours
Chancre mou	1 jour à plusieurs semaines	5-7 jours
Granulome inguinal	8 jours à 12 semaines	30 jours
Lymphogranulome vénérien	1-12 semaines	7-12 jours

17.4.2 L'herpès génital

Dans l'infection herpétique primaire, environ 40 % des patients présentent une atteinte systémique plus ou moins marquée. Ils se plaignent de douleur au site de l'éruption et aux aires inguinales. La primo-infection génitale à VHS peut être moins sévère chez les sujets ayant déjà eu une infection extragénitale à VHS. La symptomatologie est en effet diminuée dans les cas d'herpès récurrent.

Tableau 17.5 Histoire naturelle de l'infection herpétique génitale (nombre de jours)

	VÉSICULES	ULCÈRES	CROÛTES	EXCRÉTION VIRALE
PRIMO-INFECTION	0-5	5-10	10-20	1-10
RÉCURRENCES	0-2	2-5	5-10	0-5

17.4.3 L'ulcère génital non transmis sexuellement

L'histoire naturelle est celle de l'affection en cause (voir tableau 17.6). Un questionnaire sur les pratiques sexuelles (par exemple les morsures) et sur les maladies concomitantes du patient ou de son partenaire peut attirer l'attention sur certaines étiologies relativement fréquentes qu'on n'évoque pas toujours (l'eczéma, le psoriasis, etc.). Ainsi, les traumatismes occasionnés par des activités sexuelles vigoureuses apparaîtront surtout au sillon balano-prépucial chez l'homme et à la fourchette périnéale chez la femme. Des lésions de grattage ulcérées à la région génitale peuvent signifier la gale. On peut trouver d'autres lésions ailleurs sur le corps.

Tableau 17.6 Les lésions ulcérées non transmises sexuellement

1. Dermatoses infectées
   — furoncles
   — érosions associées à une candidose sévère
   — dermatite séborrhéique
2. Traumatismes
   — accidentels
   — sexuels
3. Infestation par des parasites, avec lésions de grattage
   — gale
   — pédiculose
4. Hidradénite suppurée
5. Éruptions médicamenteuses
6. Causes plus rares
   — syndrome de Reiter
   — syndrome de Stevens-Johnson
   — maladie de Behcet
   — psoriasis
   — érythème multiforme
   — pemphigus
   — maladie de Crohn
   — néoplasies cutanées

17.4.4 La syphilis

Toute ulcération génitale, surtout sans vésicule, évoque le diagnostic de la syphilis. L'ulcère indolore apparaît de une à six semaines après l'inoculation et signe la syphilis primaire. Même non traitée, la lésion guérit au bout de trois à six semaines. Cependant, la maladie continue d'évoluer et les lésions de syphilis secondaire apparaissent entre un et quatre mois après le chancre initial; l'éruption est généralisée et touche la paume des mains et la plante des pieds. Des signes systémiques peuvent se manifester.

17.4.5 Les ulcères tropicaux

Les ulcères tropicaux surviennent à la suite d'un voyage en Afrique, en Asie, dans certains pays d'Amérique du Sud ou encore à la suite d'un contact sexuel avec un partenaire venu de ces régions. Le chancre mou affecte les hommes dans 90 % des cas et produit une lésion douloureuse. C'est la cause la plus importante d'ulcération génitale dans le monde. La lésion du granulome inguinal est indolore et celle du lymphogranulome vénérien est évanescente.

17.5 L'EXAMEN PHYSIQUE (voir tableau 17.2, p. 238 et 239)

La présentation clinique des maladies génitales ulcérées n'est pas toujours conforme aux descriptions classiques. La réponse de l'organisme à l'agent infectieux varie d'une personne à l'autre. De plus, les lésions de grattage ou la surinfection, de même que l'emploi de topiques, peuvent altérer considérablement l'apparence clinique. Il vaut généralement mieux accorder plus d'importance aux éléments du questionnaire et chercher une confirmation par l'observation des lésions. Malgré tout, il faut souligner certaines caractéristiques ulcéreuses que certains agents infectieux ont tendance à provoquer.

17.5.1 L'herpès génital

Dans l'herpès génital, plusieurs vésicules contenant une sérosité transparente apparaissent regroupées en bouquet sur un fond érythémateux. Les lésions crèvent au bout de 24 à 36 heures, faisant brusquement place à de multiples petites ulcérations, douloureuses, bien délimitées, peu profondes, non indurées, à sécrétions séreuses sur un fond érythémateux. Ces lésions peuvent coalescer. Les lésions primaires guérissent dans une période de 14 à 21 jours. Il existe toujours des adénopathies inguinales bilatérales, fermes et sensibles, sans érythème avoisinant.

Dans le cas d'herpès récidivant, le sujet présente une symptomatologie diminuée. Les lésions sont moins nombreuses, généralement au même site et accompagnées de prodromes.

17.5.2 La syphilis

Le chancre syphilitique se reconnaît facilement si on le détecte précocement et s'il se présente sous une forme classique, ce qui ne survient malheureusement que dans 50 % des cas. Il peut être n'importe où, mais on le trouve principalement aux organes génitaux : au sillon coronaire, au gland, au prépuce, au frein du prépuce chez l'homme; à la vulve, aux lèvres, au clitoris et au col chez la femme; à l'anus chez l'homme et la femme.

La lésion initiale est une macule évoluant vers une papule érythémateuse. Elle apparaît entre 10 et 90 jours après le contact (en moyenne 21 jours). La lésion initiale peut passer inaperçue chez la femme ou chez l'homme homosexuel. La papule s'ulcère et donne naissance à un chancre syphilitique caractéristique : une seule lésion ulcérée (occasionnellement plus d'une), bien délimitée, ronde, nette, superficielle, indurée, indolore et produisant des sécrétions transparentes. On note une ou plusieurs adénopathies inguinales, unies ou bilatérales, fermes et indolores.

17.5.3 Le chancre mou

L'infection débute par une papule érythémateuse et sensible, devenant pustuleuse et ulcérée au bout de 24 à 48 heures. Le sujet présente une ou plusieurs ulcérations génitales non indurées, érythémateuses, sous-minées et mucopurulentes: elles sont profondes, sensibles et à pourtour irrégulier. Elles prennent parfois l'aspect d'ulcérations dites en miroir, par auto-inoculation. Elles s'accompagnent d'adénopathies inguinales unilatérales, occasionnellement bilatérales, sensibles, rénitentes et érythémateuses: le bubon inguinal.

17.5.4 Le lymphogranulome vénérien

Le lymphogranulome vénérien est une affection chronique débutant par une papule, une pustule, une vésicule ou une urétrite non gonococcique évoluant vers une lésion génitale ulcérée aux caractéristiques variables et fugaces. Puis survient le stade de la lymphadénite aiguë unilatérale (66 % des cas) avec des bubons inguinaux ou des proctites hémorragiques, souvent accompagné de fièvre et de signes systémiques. À ce stade, la plupart des patients guérissent spontanément sans garder de séquelles. Une infection persistante entraîne rarement une réaction inflammatoire chronique caractérisée par le développement d'ulcères génitaux, accompagnés de fistules cutanées et de fibrose importante.

17.5.5 Le granulome inguinal

Le granulome inguinal est une affection chronique rare. Il débute par un ou plusieurs nodules sous-cutanés qui s'ulcèrent à travers la peau produisant des lésions bien définies, indurées, propres, granulomateuses, indolores et à bordures surélevées; elles sont d'un rouge bœuf (*beefy red)* et saignent facilement. Les lésions grossissent progressivement avec formation de fibrose, de tissus granulomateux et de lymphœdème.

17.6 LE DIAGNOSTIC DE LABORATOIRE

17.6.1 L'herpès simplex (voir tableau 17.2, p. 238 et 239)

Le diagnostic de laboratoire d'une lésion herpétique est facile à poser. Un diagnostic présomptif suffit dans bon nombre d'infections primaires. L'examen cytologique d'un frottis prélevé à la base des lésions confirme le diagnostic. Cet examen s'effectue généralement dans les laboratoires de pathologie. Il révèle des cellules syncytiales géantes et des inclusions intranucléaires caractéristiques. Cependant, il ne fait pas de distinction entre l'Herpès simplex ou l'*Herpes varicella-zoster*. Il s'agit d'un test rapide et peu coûteux.

Le diagnostic étiologique s'établit à l'aide de la culture cellulaire, de la microscopie électronique et de la recherche antigénique, ou par une méthode immuno-enzymatique. La culture cellulaire demeure le meilleur de ces tests. Elle nécessite un laboratoire et des techniques propres à la virologie.

Les lésions herpétiques au stade vésiculaire contiennent un très grand nombre de virions. Un prélèvement peut être effectué à l'aide d'une aiguille fine dans le cas de vésicule intacte, ou par écouvillonnage à l'aide d'écouvillons de coton à partir des ulcères. La précocité des lésions garantit le succès de l'isolement viral: au stade des croûtes, ces tests sont inutiles. Les spécimens doivent être placés dans un milieu de transport (milieu de Hanks), conservés au froid, mais non congelés.

17.6.2 La syphilis

Le diagnostic de la syphilis repose sur deux éléments : l'examen au fond noir et la sérologie. Dans plus de 95 % des cas, l'examen au fond noir des sécrétions séreuses issues d'un chancre syphilitique permet de visualiser des tréponèmes caractéristiques, trop minces pour être visibles en microscopie conventionnelle. L'examen exige une certaine expérience pour préparer un bon spécimen et en faire l'analyse.

La sérologie de la syphilis comprend la recherche de deux types d'anticorps. Le VDRL (ou TRUST ou ART) recherche les anticorps non spécifiques (réagines). Sa sensibilité élevée, sa standardisation et son coût minime en font un excellent test. Cependant, sa spécificité est trop faible. C'est pourquoi un VDRL positif doit être confirmé par la recherche des anticorps tréponémaux spécifiques: un test d'hémagglutination (MHATP) ou un test d'immunofluorescence (FTA-abs). Le titre du VDRL permet de suivre l'évolution de la maladie et l'efficacité du traitement. Une infection récente se caractérise par des titres élevés, une à deux semaines après le chancre ou encore par une progression d'au moins quatre dilutions à partir du titre initial. Chaque nouvelle infection amène une augmentation du titre du VDRL et chaque traitement adéquat entraîne une diminution de ce titre. Un traitement adéquat et précoce peut empêcher la séroconversion du VDRL. Quant aux tests des anticorps tréponémaux (FTA-abs ou MHATP), leur sensibilité ou leur spécificité sont si grandes qu'ils demeurent souvent positifs pour la vie après la conversion. Ces tests ne doivent pas être utilisés comme tests de dépistage de la syphilis primaire. Le FTA-abs devient positif presque aussi vite que le VDRL, mais le MHATP est plus lent. Ils sont plus coûteux et ne fournissent pas un indice de réponse thérapeutique ni un indice de réinfection. Aucun de ces tests n'établit de distinction entre les différentes tréponématoses.

17.6.3 Le chancre mou

Le diagnostic étiologique du chancre mou est difficile. La culture du germe à partir du chancre est réalisable, mais le germe est difficile à isoler. La culture s'effectue par un écouvillonnage de la lésion ou par la ponction d'un bubon inguinal. La coloration de Gram à partir du chancre peut être utile, mais elle n'est ni suffisamment sensible ni suffisamment spécifique pour être utilisée seule.

17.6.4 Le lymphogranulome vénérien

Le diagnostic de laboratoire du lymphogranulome vénérien repose sur l'identification de la *Chlamydia trachomatis* en culture cellulaire à partir des lésions, soit par immunofluorescence, soit par une technique immuno-enzymatique. La sérologie par fixation du complément ou par micro-immunofluorescence permet également de poser un diagnostic précis.

17.6.5 Le granulome inguinal ou donovanose

Le *Calymmatobacterium granulomatis* ne se cultive pas. Le diagnostic repose sur la recherche des corps de Donovan par la coloration de Giemsa ou de Wright. Les corps de Donovan consistent en bactéries intramonocytaires en bâtonnets, à Gram négatif présentant une coloration bipolaire. Le meilleur spécimen pour la réalisation de cette coloration provient d'une biopsie obtenue à la base d'un ulcère en marge de la lésion. Il n'existe aucune sérologie spécifique valable pour le diagnostic de cette maladie.

17.7 LA THÉRAPIE CURATIVE ET LA THÉRAPIE PALLIATIVE

Le tableau 17.7, p. 248 donne un aperçu des thérapies possibles pour le traitement des ulcérations génitales et des adénopathies inguinales.

17.8 LA PRÉVENTION ET LE COUNSELLING

Devant l'augmentation alarmante du nombre de personnes infectées par le VIH, il faut faire une mise en garde précise. En effet, les patients souffrant d'ulcération génitale doivent savoir qu'ils sont particulièrement vulnérables au VIH puisque, semble-t-il, la lésion facilite la transmission.

Dès la première visite, il faut recommander au patient de s'abstenir de contact sexuel ou au moins d'utiliser un condom jusqu'à ce que l'étiologie infectieuse de l'ulcération génitale soit éliminée ou traitée. Il faut bien lui expliquer que, dans les MTS ulcérées, le port du condom n'offre qu'une protection partielle puisque les lésions peuvent se trouver sur la région proximale du pénis, sur la vulve ou le pubis.

À cause de sa prévalence, l'infection génitale herpétique demande un counselling particulier. Le virus herpétique peut se transmettre lors des épisodes primaires et secondaires ou lors de l'excrétion asymptomatique. Le risque de transmission est de 75 à 80 % au cours de l'infection primaire et de 12 % au cours de la récidive herpétique. Le pourcentage de transmission par excrétion asymptomatique est probablement moins élevé. Plusieurs études ont démontré que le virus était transmis par des sujets asymptomatiques dans plus de 50 % des cas. La transmission obstétricale est de 40 % lors d'un épisode primaire et de 8 % au cours d'un épisode secondaire.

On doit informer les patients infectés de la nécessité de prévenir la transmission du virus. Il faut leur apprendre à s'examiner et à examiner leurs partenaires. On doit être en mesure de leur fournir des renseignements pertinents sur les prodromes (présents dans 50 % des cas) annonçant une récidive et leur parler des facteurs déclenchants comme les infections intercurrentes, le soleil, le stress, les menstruations, la fatigue, les irritations locales, etc.

Tableau 17.7 Ulcérations génitales et adénopathies inguinales — Thérapie

MALADIE	1er CHOIX	2e CHOIX
Herpès génital		
épisode primaire léger à modéré	Acyclovir 200 mg PO 5 × j × 7-10 j	Acyclovir 400 mg PO tid × 7-10 j
épisode primaire sévère	Acyclovir 5 mg/kg/IV tid × 5-7 j	
récidives	Acyclovir 200 mg PO 5 × j × 5 j dès le prodrome	Acyclovir 400 mg tid/5 j
prévention des récidives fréquentes (> 6/an)	Acyclovir 400 mg PO 2 × j	Acyclovir 200 mg PO 3-5 × j
Syphilis		
primaire	Pénicilline G benzathine 2,4 millions U IM, 1 dose	Doxycycline 100 mg PO bid × 14 j
		Ceftriaxone* 250 mg IM id × 10 j
		Érythromycine 500 mg qid PO × 14 j
Chancre mou	Érythromycine 500 mg PO qid × 7 j	Triméthoprime-sulfaméthoxazole 160/800 mg PO bid × 7 j
	OU	
	Ceftriaxone 250 mg IM 1 dose	Ciprofloxacine 500 mg PO bid × 3 j

Tableau 17.7 Ulcérations génitales et adénopathies inguinales — Thérapie (*suite*)

MALADIE	1er CHOIX	2e CHOIX
Lymphogranulome vénérien	Doxycycline 100 mg PO bid × 21 j	Érythromycine 500 mg PO qid × 21 j
Granulome inguinal	Triméthoprime-sulfaméthoxazole 160/800 mg 2 PO bid × 14 j	Doxycycline 100 mg PO bid × 14 j

* Certaines autorités sont réticentes à recommander cette alternative.

Les patients herpétiques peuvent nourrir des craintes, se sentir coupables, dévalorisés et rejetés. Il faut rassurer ces patients et insister sur le caractère temporaire de l'affection.

17.9 LES CONSIDÉRATIONS DE SANTÉ PUBLIQUE

Il faut aussi s'assurer que les contacts sexuels du patient ont été retracés afin d'interrompre le cycle de propagation de l'infection. Les contacts manquent souvent au traitement, surtout lorsqu'ils sont asymptomatiques.

Au Canada, la syphilis, le chancre mou, le granulome inguinal et le lymphogranulome vénérien sont des maladies vénériennes. Elles sont donc à déclaration obligatoire.

17.10 LE SUIVI

Le praticien doit revoir le patient pour s'assurer que le traitement a été suivi de façon complète et que les lésions ont disparu. Même dans les meilleures conditions, de 10 à 20 % des diagnostics peuvent être erronés et demander une investigation additionnelle. De plus, il faut rappeler que deux maladies à transmission sexuelle coexistent fréquemment.

BIBLIOGRAPHIE

1. HANDSFIELD, H.H. *Infectious Disease Clinics of North America.* «Sexually transmitted diseases», mars 1987.

2. La Lettre médicale : Traitement des maladies transmises sexuellement. Vol. 15, 20, 24 janv. 1992, p. 91-96.

3. MANDEL, G.L., DOUGLAS, R.G. et BENNETT, J. *Principles and Practices of Infectious Diseases.* Churchill Livingstone, 3e éd., 1990, p. 938-942.

4. W.H.O. *STD Treatment Strategies.* 1989.

18

L'URÉTRITE, L'ORCHITE, L'ÉPIDIDYMITE ET LA PROSTATITE

Pierre L. Turgeon et Luc Valiquette

L'URÉTRITE

18.1 DÉFINITION

L'urétrite est une inflammation de l'urètre accompagnée d'une augmentation de polymorphonucléaires dans les sécrétions urétrales.

18.2 LES AGENTS ÉTIOLOGIQUES

L'urétrite chez l'homme est presque toujours transmise sexuellement. Elle se divise en deux catégories: l'urétrite gonococcique et l'urétrite non gonococcique. L'une révèle au moins la présence de *Neisseria gonorrhoeae*, l'autre pas. Les deux principaux agents responsables de l'UNG sont la *Chlamydia trachomatis* et l'*Ureaplasma urealyticum.*

18.3 L'ÉPIDÉMIOLOGIE

L'urétrite est une MTS très fréquente. Aux États-Unis, on estime qu'environ 4 millions de personnes en seraient atteintes chaque année. L'urétrite non gonococcique (UNG) se rencontre de deux à quatre fois plus fréquemment que l'urétrite gonococcique (UG). Les virus de l'herpès simplex et le *Trichomonas vaginalis* sont responsables de moins de 1 % des UNG.

18.4 LA PRÉSENTATION DE CAS

18.4.1 L'histoire

Les principales manifestations de l'urétrite sont l'écoulement urétral, la dysurie et des sensations désagréables, souvent prurigineuses, au niveau du méat. La première miction matinale est souvent plus pénible et douloureuse que les subséquentes. Certaines personnes se plaignent d'une douleur tout le long de l'urètre, d'autres localisent la douleur au bout du méat urinaire. La plupart des patients éprouvent une certaine sensation de malaise entre les périodes de miction. Plusieurs notent que leurs sous-vêtements sont souillés.

L'écoulement urétral peut être abondant ou léger. Il peut être franchement purulent (particulièrement dans le cas d'une urétrite gonococcique) ou mucopurulent, mucoïde et même transparent. Il peut être blanc, jaunâtre ou verdâtre.

En général, la période d'incubation de l'urétrite gonococcique est plus courte que celle de l'urétrite non gonococcique; la dysurie est plus fréquente, et l'écoulement est plus abondant et davantage purulent. Cependant, les manifestations cliniques de l'urétrite gonococcique sont si semblables à celles de l'urétrite non gonococcique qu'il est bien difficile de les distinguer avec certitude à l'examen.

18.4.2 L'évaluation médicale

L'anamnèse est essentielle pour déterminer le moment d'apparition des divers symptômes ou signes et l'évolution de leurs manifestations. Il est également important de connaître tous les éléments pouvant évoquer une manifestation extragénitale de la maladie. Des lésions cutanées pustuleuses, hémorragiques et douloureuses, une ténosynovite, une arthralgie, une arthrite appellent un diagnostic de gonococcémie. Par ailleurs, des lésions cutanées, une balanite, une uvéite, une arthrite et des lésions des muqueuses incitent plutôt à penser à un syndrome de Reiter.

18.4.3 L'examen physique

Le diagnostic présomptif d'urétrite peut être établi à partir des symptômes et signes que présente le patient. On l'examine de préférence au moins deux heures après sa dernière miction. L'examen de la région génitale doit comprendre l'examen de l'aire ganglionnaire inguinale (on y cherche des adénopathies), des testicules, des cordons spermatiques (on y cherche des zones d'induration ou des régions sensibles). Le méat urinaire doit faire l'objet d'un examen minutieux pour découvrir une rougeur exagérée des lèvres témoignant d'une inflammation et d'un écoulement spontané. En l'absence d'écoulement spontané, une légère pression du pénis peut entraîner un écoulement au niveau du méat.

18.5 L'ÉVALUATION BIOLOGIQUE

Le diagnostic définitif s'établit après un examen microscopique. S'il existe un écoulement purulent à l'examen clinique, on utilise une tige montée ordinaire pour faire le frottis. S'il n'y a rien de visiblement purulent au méat, on introduit délicatement un écouvillon mince en aluminium avec bout en alginate de calcium sur une distance d'environ 2 cm au niveau de l'urètre et on le retire doucement. On roule ensuite l'écouvillon sur la portion médiane d'une lame propre. Il faut éviter de frotter la lame avec l'écouvillon si l'on veut protéger la morphologie des éléments cellulaires et microbiens. Après séchage et fixation, on peut utiliser une coloration au bleu de méthylène ou une coloration de Gram. L'examen se fait à l'immersion à un grossissement de 1 000 ×. L'urétrite correspond à l'observa-tion d'au moins quatre polymorphonucléaires dans au moins cinq champs microscopiques lorsqu'il n'y a pas d'infection rénale, ni vésicale ni prostatique. Il faut savoir que la portion distale de l'urètre est colonisée par des bactéries saprophytes. Cependant, dans les cas d'urétrite gonococcique symptomatique, environ 95 % des patients présentent un frottis dans lequel des diplocoques, colorés en bleu si on utilise le bleu de méthylène, ou en rouge avec une coloration de Gram, sont souvent visualisés à l'intérieur des polymorphonucléaires. Dans les cas d'urétrite non gonococcique, on ne décèle aucun élément bactérien en dépit de la présence de nombreux polymorphonucléaires. Si on soupçonne le *Trichomonas vaginalis*, il faut effectuer un état frais et une culture sur la première portion de la miction matinale. En effet, on peut rarement le visualiser à la coloration de Gram.

Le diagnostic étiologique sûr repose sur certaines épreuves de laboratoire. La recherche de *Neisseria gonorrhoeae* peut se faire par culture ou par une épreuve de détection de l'antigène (Gonozyme) au niveau de l'écoulement urétral. Si on utilise la culture, il faut s'assurer que l'échantillon soit acheminé dans un milieu de transport adéquat. La recherche de *Neisseria gonorrhoeae* par culture demeure un test très spécifique. En effet, il ne peut y avoir de culture faussement positive. De plus, s'il y a présence de *Neisseria gonorrhoeae*, tous les laboratoires peuvent effectuer la recherche de bêta lactamase (enzyme produite par certaines souches hydrolysant et inactivant les pénicillines) et un antibiogramme.

La recherche de *Chlamydia* peut se faire par une technique de détection de l'antigène (immunofluorescence ou immuno-enzymatique) ou par culture. Comme pour la *Neisseria gonorrhoeae*, la culture demeure la méthode de référence pour mettre en évidence la *Chlamydia*. Cependant, en pratique, peu de laboratoires hospitaliers disposent de moyens techniques et financiers pour effectuer la culture, la plupart utilisent des techniques de détection antigénique. Elles sont moins sensibles et surtout moins spécifiques que la culture. Il est primordial de se rappeler que la *Chlamydia* est une bactérie nécessairement intracellulaire et qu'il faut donc, pour la mettre en évidence, recueillir des cellules infectées et non l'écoulement muco-purulent comme pour la culture de la *Neisseria*. On introduit le petit écouvillon d'aluminium avec bout en dacron dans l'urètre sur une distance de 2 à 4 cm. On tourne lentement pour faire adhérer les cellules sur la tige en dacron et on retire l'écouvillon. On le roule sur la portion médiane de la lame si on utilise la technique de l'immunofluorescence. Si on utilise l'épreuve immuno-enzymatique (EIA), l'écouvillon est déposé dans le fond du tube de transport qui contient un agent de préservation. Le tout doit être acheminé au laboratoire de microbiologie. Il n'est pas recommandé de faire la recherche d'*Ureaplasma urealyticum* par culture. En effet, cette bactérie est fastidieuse et la culture de ce germe nécessite un milieu de transport adéquat et un milieu de culture complexe. De plus, l'*Ureaplasma urealyticum* peut se retrouver très fréquemment à l'état saprophyte chez l'homme comme chez la femme. Contrairement à la *Chlamydia trachomatis* et à la *Neisseria gonorrhoeae*, l'*Ureaplasma urealyticum* n'entraîne pas systématiquement un traitement.

Un diagnostic étiologique est-il essentiel pour l'amorce d'une thérapie? Pas du tout. En fait, un diagnostic présomptif doit nous inciter à entreprendre immédiatement une thérapie. Cependant, il est toujours plus intéressant de traiter un patient lorsque le diagnostic étiologique est posé. Il renforce la démarche du traitement et facilite grandement la relance des contacts et le suivi des individus. Toutefois, lorsqu'il y a récidive des symptômes et des signes après une thérapie adéquate, un diagnostic étiologique s'impose.

18.6 LA THÉRAPIE CURATIVE ET LA THÉRAPIE PALLIATIVE

La prise en charge initiale s'établit selon les résultats de l'examen du frottis (figure 18.1). Si le médecin ne dispose ni d'un microscope ni d'une analyse de laboratoire, il peut procéder de la façon suivante.

En présence d'un écoulement urétral, il peut initier une double thérapie visant une urétrite gonococcique et non gonococcique (diagnostic présomptif).

En l'absence d'écoulement urétral, s'il y a des symptômes compatibles avec une urétrite, le médecin peut quand même initier un traitement surtout s'il craint de ne pouvoir exercer un suivi approprié.

Le traitement de l'urétrite non gonococcique non compliquée consiste à administrer de la doxycycline par voie orale pendant au moins sept jours. La doxycycline est une forme de tétracycline beaucoup mieux absorbée. Plus dispendieuse que la tétracycline, elle a moins d'effets indésirables. Elle s'administre à raison de 100 mg deux fois par jour aux repas, ce qui facilite la fidélité au traitement. Rien ne laisse croire qu'une thérapie prolongée au-delà de sept jours dans le cas d'une urétrite non compliquée soit plus efficace bien que la

Figure 18.1 Conduite thérapeutique suggérée chez un patient symptomatique en fonction du diagnostic

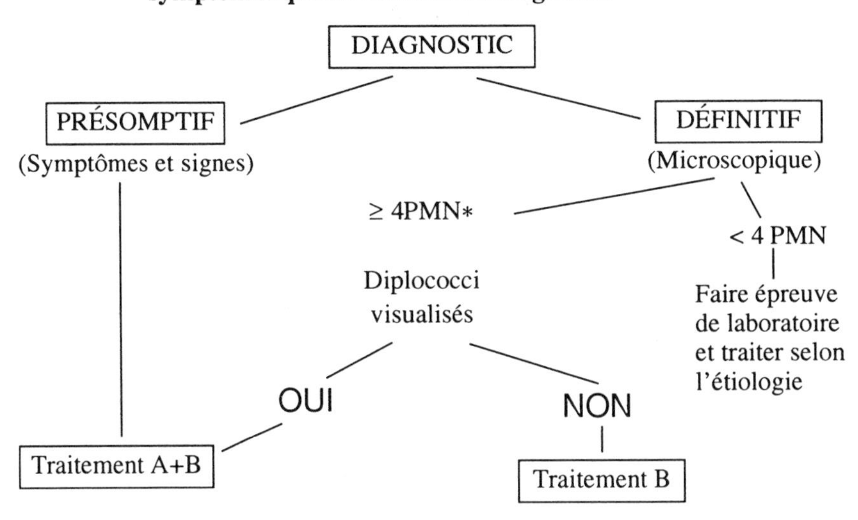

* PMN: Polymorphonucléaires par champ microscopique (1 000 ×)
Traitement A: ceftriaxone 250 mg IM ou une quinolone po
Traitement B: doxycycline 100 mg po bid × 7j.

Advenant un échec à la doxycycline ou à l'érythromycine, il faut éliminer une infection par un autre germe, par exemple le *Trichomonas vaginalis*, ou celle d'un site commandant une thérapie prolongée, par exemple la prostatite chronique.

18.7 LA PRÉVENTION ET LE COUNSELLING

Le patient doit savoir que si «la maladie» se transmet si facilement, c'est qu'elle n'est pas toujours apparente et que plusieurs personnes peuvent être porteuses des germes sans avoir aucun symptôme. Cette information est très importante pour le contrôle de l'épidémie. Il est essentiel d'expliquer au patient qu'il doit suivre fidèlement la thérapie prescrite même si les symptômes semblent disparus trois ou quatre jours après le début du traitement. Les relations sexuelles sont à déconseiller. S'il en a tout de même, il doit utiliser le condom.

La non-fidélité au traitement, des relations non protégées (génito-génitales ou oro-génitales) pendant le traitement ou le contact avec un partenaire non traité expliquent la majorité des infections qui «réapparaissent».

18.8 LES CONSIDÉRATIONS DE SANTÉ PUBLIQUE

Il est essentiel de comprendre l'importance d'une thérapie adéquate et fidèlement suivie et l'importance de la relance des contacts. Ce sont les seules mesures qui permettent d'améliorer le contrôle épidémiologique de ces maladies. Il n'y a pas de vaccin et il existe une forte prévalence de porteurs asymptomatiques.

Dans tous les cas d'urétrite à *N. gonorrhoeae* et à *C. trachomatis*, la relance des contacts est très importante. Le traitement des partenaires est essentiel si l'on veut briser les maillons de la chaîne de transmission. La plupart des auteurs recommandent un traitement épidémiologique de tous les partenaires récents (moins d'un mois) pour prévenir les complications et enrayer la dissémination. Le médecin traitant doit déclarer au chef de l'unité de santé publique les cas de gonococcie sur le formulaire AS-771, en respectant l'anonymat. Certaines infections telle la chlamydiase sont des maladies à déclaration obligatoire (MADO). On utilise alors le formulaire AS-770. Les infections à *Ureaplasma urealyticum* ne sont pas déclarées.

18.9 LE SUIVI

Quand une analyse a démontré la présence de *N. gonorrhoeae* ou de *T. vaginalis*, il faut s'assurer de la guérison de l'infection, surtout si l'on soupçonne un manquement au traitement, une résistance à l'antibiotique administré ou un contact du patient avec un partenaire non traité. On doit faire la culture du germe isolé plutôt que la détection d'un antigène, au moins une semaine après la prise de l'antibiotique. La recherche de *C. trachomatis* doit se faire seulement s'il y a risque de recontamination, si l'on doute de la fidélité au traitement ou s'il y a persistance des symptômes. Dans ce cas, il faut préférer la culture de *C. trachomatis* à une détection d'antigène (EIA ou immunofluorescence). La culture peut être faite une semaine après la fin de la thérapie. Si une technique enzymatique de détection de l'antigène doit être utilisée, il faut y recourir trois semaines après l'arrêt de l'antibiotique.

L'ORCHITE ET L'ÉPIDIDYMITE

18.10 DÉFINITION

L'épididymite est une inflammation aiguë ou chronique de l'épididyme, et l'orchite, une inflammation du testicule. On doit distinguer l'orchite isolée de l'épididymite et de l'orchi-épididymite. L'orchite seule est une entité clinique rare et habituellement d'origine hématogène. L'épididymite est fréquente et habituellement consécutive à une infection génito-urinaire. L'orchi-épididymite représente une forme sévère d'épididymite avec extension de l'inflammation au parenchyme testiculaire.

18.11 LES AGENTS ÉTIOLOGIQUES

Jusqu'à la fin des années 1970, on croyait que l'épididymite était idiopathique, traumatique, infectieuse ou chimique (ce dernier groupe étant consécutif à un reflux d'urine stérile), et qu'elle touchait particulièrement les jeunes adultes. Le reflux d'urine dans le canal déférent est une entité radiologique démontrée. Cependant, le rôle de l'urine stérile dans la génèse de l'épididymite est remis en question depuis la mise en culture de la *Chlamydia*. On considère actuellement l'orchite et l'épididymite comme étant presque toujours d'origine infectieuse. Dans de rares cas, une cause traumatique sera documentée.

On distingue deux voies d'infection: la voie rétrograde et la voie hématogène. La voie rétrograde est la plus fréquente. Le germe origine alors de l'urètre postérieur ou de la vessie et il s'achemine par en arrière jusqu'à l'épididyme à travers le canal déférent. Les germes responsables sont d'origine génitale (MTS: surtout *Chlamydia trachomatis* et *Neisseria gonorrhoeae*, plus rarement *Treponema pallidum, Trichomonas vaginalis, Ureaplasma urealyticum, Mycoplasma hominis*) ou urinaire (surtout *Escherichia coli*, parfois *Staphylococcus, Streptococcus, Klebsiella pneumoniae, Pseudomonas aeruginosa* ou d'autres bacilles Gram négatif et rarement *Mycobacterium tuberculosis*). La voie hématogène est beaucoup plus rare. Elle est surtout virale (les oreillons) ou bactérienne (*Mycobacterium tuberculosis*).

18.12 LES MANIFESTATIONS CLINIQUES

L'épididymite est la pathologie intrascrotale la plus fréquente chez l'adulte; elle est exceptionnelle avant la puberté. On la retrouve chez deux groupes distincts, soit les jeunes adultes sexuellement actifs donc à risque plus élevé de MTS et les patients âgés, souvent porteurs d'infections urinaires attribuables à des anomalies génito-urinaires ou à des manipulations urologiques. Les infections épididymaires, qu'elles soient d'origine génitale ou urinaire, partent de l'urètre et se propagent à l'épididyme par le canal déférent. Au début, l'atteinte est limitée à la queue de l'épididyme, la douleur est localisée à ce site et les symptômes généraux sont absents. Peu à peu, tout l'épididyme est envahi et les symptômes locaux s'amplifient, l'inflammation s'étend aux différentes couches de la paroi scrotale. Les patients consultent souvent à ce stade de la maladie. À l'examen, la douleur est importante, mais localisée à l'épididyme. Parfois, la réaction inflammatoire amène la formation d'une hydrocèle, ce qui rend l'examen plus difficile. Au stade de l'orchi-épididymite, la réaction locale est très importante et il devient impossible d'identifier les structures intrascrotales.

Les patients peuvent présenter de la fièvre et une atteinte de l'état général. Les symptômes locaux et systémiques sont habituellement plus importants chez les patients immunosupprimés ou débilités. C'est d'ailleurs chez eux que l'on retrouve le plus souvent l'orchi-épididymite sévère qui peut se compliquer d'abcès ou de nécrose testiculaire.

L'orchite seule est rare et surtout reliée aux oreillons en période postpubère. Elle est le plus souvent unilatérale et apparaît quelques jours après le début du prodrome viral. La douleur est intense et le gonflement de tout le testicule est parfois important.

18.13 LE DIAGNOSTIC

Un questionnaire détaillé et un examen minutieux sont essentiels au diagnostic. Des examens complémentaires sont habituellement requis.

L'histoire clinique nous renseigne sur l'étiologie. L'âge est un élément important de l'évaluation: les patients de moins de 35 ans sont plus susceptibles d'être porteurs de MTS et les patients âgés, plus souvent atteints d'infection urinaire. Un contact sexuel nouveau ou suspect et des symptômes suggestifs d'une urétrite laissent supposer une MTS. Traitée de façon inadéquate, une urétrite peut être suivie d'une épididymite, particulièrement s'il y avait deux germes au départ comme il arrive souvent avec le gonocoque et la *Chlamydia*.

Des symptômes urinaires ou des manipulations urologiques récentes nous font penser à une infection urinaire. Quand il n'y a pas de facteur de risque génito-urinaire, il est parfois possible de préciser un traumatisme simplement en posant des questions.

L'examen est un élément clé du diagnostic. La palpation scrotale minutieuse en prenant soin de palper indépendamment l'épididyme et le testicule, permet de bien situer la zone inflammatoire. L'atteinte étant presque toujours unilatérale, il est utile de palper le testicule contralatéral pour comparer. Dans la majorité des cas, l'atteinte limitée à l'épididyme et l'histoire clinique confirment le diagnostic et laissent présumer une cause génitale ou urinaire. L'analyse des urines montre habituellement une leucocyturie, peu importe l'étiologie. La coloration de Gram d'un prélèvement urétral est parfois utilisée pour préciser l'étiologie. La culture des urines et les prélèvements urétraux servent à confirmer le germe présumé.

Dans certains cas, les symptômes ne sont pas classiques et ils ressemblent à ceux d'autres pathologies intrascrotales, dont la torsion et la tumeur testiculaire. Devant un tableau scrotal aigu, la torsion testiculaire doit être rapidement éliminée, car un délai de quatre à six heures peut causer la perte d'un testicule. L'absence de facteur de risque génito-urinaire doit semer le doute et justifie une opinion urologique précoce. Contrairement à l'épididymite, la douleur n'est pas localisée à l'épididyme et souvent le testicule est rétracté. Le signe de Prehn, qui consiste à soulever le testicule atteint, permet de diminuer la douleur en présence d'un épididyme inflammé alors qu'il est sans effet dans la torsion. Ce signe doit cependant être interprété avec réserve. Au besoin, on recourt à l'examen Doppler ou à la scintigraphie isotopique pour préciser le diagnostic. Dans ces deux examens, on trouve une diminution de la vascularisation dans la torsion et une augmentation dans l'épididymite. Cependant, ces examens ne sont pas toujours disponibles ni concluants et l'exploration chirurgicale est indiquée si le doute persiste. La tumeur du testicule peut aussi se manifester par un épisode aigu douloureux. En présence d'une induration testiculaire lors de l'épisode initial ou lors des visites subséquentes, une échographie testiculaire aide à confirmer la présence d'une lésion intraparenchymateuse suspecte de néoplasie. Comme pour la torsion, une consultation urologique précoce est recommandée.

Le diagnostic de l'orchite ourlienne est habituellement suggéré par la maladie initiale, l'atteinte parotidienne précède habituellement l'atteinte testiculaire. Dans certains cas, il n'y a qu'une atteinte testiculaire et le diagnostic est précisé par une évaluation plus poussée pouvant aller jusqu'à l'exploration chirurgicale.

18.14 LA THÉRAPIE

Alors qu'on peut traiter les patients afébriles en cabinet ou en clinique, on recommande d'hospitaliser les patients fébriles, immunocompromis ou très souffrants pour un traitement initial intraveineux. Le traitement de l'épididymite est avant tout antibactérien. Le germe suspecté guide le choix de l'antibiotique. On suggère de traiter les patients de 35 ans et moins comme pour une MTS avec une bêtalactamine (ceftriaxone, ampicilline ou amoxicilline) et de la doxycycline pendant dix jours et les patients de 35 ans et plus avec de l'amoxicilline ou une combinaison de triméthoprime et de sulfamidés pendant dix jours. Si le patient ne répond pas au traitement, il faut vérifier les cultures et les antibiogrammes et modifier les antibiotiques, s'il y a lieu. La venue de nouvelles quinolones permet de traiter par voie orale les germes résistants aux antibiotiques usuels. Dans certains cas, une guérison tardive doit nous faire rechercher un germe inhabituel, surtout celui de la tuberculose, ou une complication, en particulier un abcès. L'échographie est utile pour ce dernier diagnostic. Il faut alors recourir à la chirurgie et fort probablement enlever le testicule. En plus des antibiotiques, il faut toujours entreprendre un traitement symptomatique. Le repos, le support scrotal, la glace et les analgésiques oraux sont suggérés. Parfois, une infiltration du cordon à l'aide d'un agent anesthésique aide à calmer la douleur.

Un traitement de soutien suffit habituellement à guérir l'orchite ourlienne. La corticothérapie ne semble pas diminuer les séquelles ni ralentir l'évolution de la maladie. Dans de rares cas, une incision chirurgicale dans l'albuginée permet de décomprimer le parenchyme et de prévenir l'atrophie testiculaire.

18.15 LE SUIVI

Tous les patients doivent être revus. La persistance d'une inflammation nécessite de prolonger ou de réajuster l'antibiothérapie et de rechercher des germes inhabituels s'il y a lieu. Une étiologie vénérienne exige le traitement du partenaire et la présence d'une infection urinaire justifie un bilan urologique afin de trouver la cause et d'éviter les récidives. L'épididyme redevient habituellement normal après quelques semaines. Une induration résiduelle de l'épididyme est occasionnelle et sans gravité. Par contre, une induration du corps du testicule mérite une évaluation urologique pour écarter la possibilité d'une lésion néoplasique.

Certains patients sont atteints d'épididymite chronique et présentent des épisodes douloureux répétitifs. Lorsqu'il est impossible de traiter la source infectieuse, habituellement urinaire, la vasectomie et, plus rarement, l'épididymectomie sont indiquées.

La résolution de l'orchite ourlienne entraîne une certaine atrophie testiculaire dans environ 50 % des cas. L'infertilité est peu fréquente et ne survient que dans les cas d'atteinte bilatérale.

LA PROSTATITE

18.16 DÉFINITION

La prostatite signifie l'inflammation du tissu prostatique. Il s'agit d'un terme souvent utilisé pour décrire une pléthore de malaises génito-urinaires. En fait, même si leur présentation clinique est souvent similaire, il y a plusieurs syndromes prostatiques ayant chacun une cause précise et un traitement correspondant. On doit tenter de distinguer la prostatite bactérienne, aiguë ou chronique, de la prostatite non bactérienne et de la prostatodynie. Dans les prostatites bactériennes, l'inflammation est causée par une infection alors que, dans la prostatite non bactérienne, l'inflammation est présente sans évidence d'infection. Dans la prostatodynie, il n'y a ni inflammation ni infection de la glande. Cette classification repose avant tout sur un examen microscopique et bactériologique des sécrétions prostatiques; il constitue l'élément de base qui sert à la compréhension de cette pathologie.

18.17 LES AGENTS ÉTIOLOGIQUES

Les prostatites bactériennes sont d'origine infectieuse. Les germes responsables de la prostatite bactérienne aiguë ou chronique sont les mêmes que ceux associés aux infections urinaires, soit *E. coli*, *Proteus*, *Klebsiella*,

Enterobacter, Pseudomonas, Serratia et d'autres germes à Gram négatif. Le rôle des bactéries à Gram positif est incertain. Le germe isolé dans les sécrétions prostatiques est habituellement unique bien que l'on puisse en retrouver plusieurs. Les bactéries peuvent pénétrer la prostate par voie hématogène ou lymphatique, mais elles le font surtout par les canaux prostatiques, soit par ascension des sécrétions urétrales ou par un reflux d'urine infectée. Dans la prostatite aiguë, l'atteinte de la glande est diffuse. Dans la prostatite chronique, on note la persistance de nids d'infection intraprostatiques pouvant expliquer la récidive bactérienne. Une bactériurie accompagne presque toujours la prostatite bactérienne en phase aiguë et elle est récidivante dans la prostatite bactérienne chronique. La prostatite bactérienne chronique constitue d'ailleurs la principale cause d'infections urinaires récidivantes chez l'homme.

L'inflammation de la prostatite non bactérienne n'est pas associée à une infection par un germe connu et l'on n'y retrouve pas de bactériurie. Le rôle théorique d'agents comme l'*Ureaplasma*, le *Mycoplasma*, la *Chlamydia* ou d'autres agents non identifiés n'a pas encore été démontré. Le reflux d'urine stérile pourrait expliquer certains cas.

Dans la prostatodynie, il n'y a ni infection ni inflammation de la glande et les symptômes cliniques pourtant semblables aux autres syndromes prostatiques n'auraient aucun lien avec la prostate. Une dysfonction musculaire périnéale ou vésico-sphinctérienne est possible. Certains facteurs psychologiques pourraient aussi jouer un rôle dans la genèse de cette maladie.

18.18 LES MANIFESTATIONS CLINIQUES

Les syndromes prostatiques sont rares avant la puberté et se manifestent habituellement autour de 40 ans. La prostatite bactérienne aiguë est la seule à présenter des symptômes cliniques faciles à diagnostiquer. Les autres syndromes prostatiques sont semblables et il est difficle de les différencier.

La prostatite bactérienne aiguë présente les symptômes d'une infection urinaire associant une pollakiurie, des brûlures mictionnelles et une dysurie pouvant atteindre la rétention urinaire complète. Les symptômes urinaires sont soudains, mais souvent précédés d'un syndrome d'allure grippale comportant de la fièvre, des frissons, des malaises musculaires et une douleur pelvienne ou périnéale. À l'examen rectal, la prostate est inflammatoire, gonflée et très sensible.

La prostatite bactérienne chronique est peu fréquente et ses symptômes sont beaucoup plus insidieux que ceux de la prostatite bactérienne aiguë. Le patient présente toujours des antécédents d'infections urinaires récidivantes. Les cultures d'urine sont positives et l'évaluation radiologique et urologique de tout l'arbre urinaire est négative. Les symptômes urinaires irritatifs et les malaises génitaux sont variables et inconstants. On note souvent un malaise sus-pubien ou périnéal. De plus, des douleurs lors de l'éjaculation rendent généralement les rapports sexuels impossibles. L'examen physique est peu concluant.

La prostatite non bactérienne est le plus fréquent des syndromes prostatiques et ses symptômes sont très semblables à ceux de la prostatite bactérienne chronique. Ici aussi le patient se plaint de troubles urinaires et de malaises génitaux variables et récidivants, mais sans antécédents d'infection urinaire ni de bactériurie. L'examen physique et le bilan urologique sont négatifs.

La prostatodynie est aussi un syndrome fréquent. Ses symptômes font penser à une prostatite chronique. Parfois le questionnaire nous laisse deviner un élément d'anxiété comme la crainte du cancer. Le plus souvent, seul l'examen bactériologique des urines et des sécrétions prostatiques nous permet de différencier les syndromes prostatiques.

18.19 LE DIAGNOSTIC

Le diagnostic de la prostatite bactérienne aiguë repose sur la présentation clinique associée à la présence de bactéries dans l'urine. La recherche de germes dans les sécrétions prostatiques obtenues par massage est contre-indiquée à cause du risque de septicémie.

Les patients présentant des infections urinaires à répétition et dont le bilan de l'arbre urinaire est normal évoquent un diagnostic de prostatite bactérienne chronique. L'analyse du sperme ou des sécrétions prostatiques obtenue par massage peut mettre en évidence un nombre élevé de leucocytes (plus de dix par champ, à 1 000 ×) et permet d'isoler un germe dans 30 à 60 % des cas. Le prélèvement des urines et des sécrétions prostatiques par la technique de Meares et Stamey reste la meilleure méthode pour poser le diagnostic de la prostatite bactérienne chronique. Suivant ce procédé, on recueille successivement dans des tubes stériles: les 5 à 10 premiers millilitres de la miction (VB1), puis de l'urine de milieu de jet (VB2); on recueille ensuite un échantillon pur de sécrétions prostatiques après massage de la prostate (EPS), et les 5 à 10 premiers millilitres émis immédiatement après ce massage (VB3). Chez l'homme sain, l'urine et le liquide prostatique sont stériles. En cas d'urétrite, la culture de la fraction VB1 contient plus de bactéries que les trois autres. S'il existe une infection vésicale, les quatre fractions contiennent un nombre élevé de bactéries. Dans la prostatite bactérienne chronique, la culture directe des sécrétions obtenues par massage (EPS) permet souvent de mettre en évidence le germe pathogène.

Certains auteurs proposent la culture de sperme, mais le taux élevé de contamination relié à cette méthode la rend peu fiable et peu utile.

En l'absence de bactériurie ou d'infections urinaires récidivantes, les symptômes cliniques de «prostatite chronique» font hésiter entre la prostatite non bactérienne et la prostatodynie. La présence de leucocytes à l'examen du liquide prostatique permettent de suspecter une inflammation de la glande. Il est à noter toutefois que l'on peut retrouver un nombre élevé de leucocytes chez environ 30 % de la population normale asymptomatique. Un examen négatif est donc rassurant, mais un examen positif ne signifie pas nécessairement une atteinte prostatique. Ici encore, la culture du sperme est inutile, car le germe obtenu risque fort d'être un contaminant.

Le diagnostic de la prostatodynie est un diagnostic d'exclusion. Même lorsque l'examen des sécrétions prostatiques est normal, on doit rechercher les pathologies digestives ou urinaires inhabituelles, comme la cystite interstitielle ou le carcinome vésical *in situ,* avant de conclure à une cause psychologique.

18.20 LA THÉRAPIE

Le traitement de la prostatite bactérienne aiguë est avant tout antibactérien. Il consiste à administrer un aminoglycoside et une pénicilline à large spectre et doit être modifié à la lumière de l'antibiogramme. La culture des urines permet en principe d'identifier le germe infectant. Il faut poursuivre le traitement par voie orale pour une période de quatre à six semaines afin d'éviter la chronicité. En présence de rétention urinaire, il est préférable de dériver les urines par cathéter sus-pubien durant l'épisode aigu. Habituellement, la prostatite aiguë répond aux antibiotiques de façon spectaculaire. S'il n'y a pas de réponse au traitement, il faut rechercher un abcès prostatique que l'on peut documenter par une échographie transrectale. Un drainage transurétral ou périnéal est alors souvent nécessaire.

Le traitement de la prostatite bactérienne chronique est lui aussi antibactérien. Cependant, si en phase d'inflammation aiguë tous les antibiotiques pénètrent bien la prostate, la composition de la glande limite habituellement la diffusion des antibiotiques. La pénétration tissulaire d'un antimicrobien dans la prostate dépend surtout de sa liposolubilité et de son pKa. En général, les pénicillines, les céphalosporines et les aminosides diffusent mal dans le tissu prostatique présentant une inflammation chronique. Il faut plutôt choisir une association de triméthoprime et de sulfamidés, des macrolides ou des quinolones à cause de leur meilleure diffusion dans la glande. Le traitement est habituellement poursuivi pendant deux à trois mois. En cas de récidive, on peut entreprendre une antibioprophylaxie continue. On pratique rarement une prostatectomie transurétrale.

Pour les patients qui souffrent de prostatite non bactérienne, le traitement est empirique et comporte deux volets: un traitement pharmacologique et un traitement de support.

À cause du rôle présumé de germes inhabituels ou non identifiés, on suggère habituellement de tenter un traitement antibactérien avec un agent qui diffuse bien dans la prostate comme une association de triméthoprime et de sulfamidés ou un autre agent déjà mentionné. Le traitement doit être entrepris pour une période de deux semaines et poursuivi pendant deux à trois mois si la réponse clinique est favorable. En cas d'échec, on peut tenter un deuxième essai et parfois un troisième, avec différents antibiotiques. Si le traitement est inefficace, on peut tenter les anti-inflammatoires avant d'avoir recours aux relaxants musculaires. Encore une fois, deux semaines d'inefficacité justifient l'arrêt du traitement.

Les patients doivent savoir que la nature de leur maladie demeure énigmatique. Ils doivent tâcher d'identifier des éléments de leur régime (par exemple l'alcool ou les épices) ou de leurs activités qui accentuent leurs symptômes. S'ils y parviennent, ils pourront les éviter. On peut suggérer les bains tièdes: ils assurent un peu de confort et sont sans danger.

Le diagnostic de la prostatodynie est un diagnostic imprécis et son traitement l'est tout autant. Les relaxants musculaires et un traitement de support donnent parfois de bons résultats. Comme pour la prostatite non bactérienne, les patients atteints de prostatodynie ont besoin d'être rassurés et bénéficient souvent d'un suivi prolongé.

18.21 LE SUIVI

Le traitement de la prostatite bactérienne aiguë est spectaculaire et définitif. Malgré une réponse clinique favorable, un bilan urinaire complet doit toujours être fait et les patients doivent être suivis pendant quelques années pour permettre de détecter une infection récidivante.

Les patients atteints de prostatite bactérienne chronique doivent aussi être suivis à long terme en raison de la récidive probable. Le traitement antibiotique de longue durée réussit à guérir tout au plus 50 % de ces patients. Certains patients auront éventuellement besoin d'un traitement chirurgical.

Le suivi des patients atteints de prostatite chronique non bactérienne ou de prostatodynie ne repose sur aucun fondement bactériologique. Cependant, en raison de la nature chronique et imprécise de leur maladie, les patients ont souvent besoin d'une oreille attentive, même s'ils savent qu'ils doivent apprendre à vivre avec leurs symptômes. Ils décident d'ailleurs eux-mêmes de la fréquence des visites.

BIBLIOGRAPHIE

1. *Lignes directrices canadiennes pour le diagnostic et la prise en charge des maladies transmises sexuellement, par syndrome, chez les enfants, les adolescents et les adultes 1989*. Rapport hebdomadaire des maladies au Canada, Vol. 15S1, mars 1989.

2. REIN, M.F., MANDELL, DOUGLAS, BENNETT. «Urethritis». In: *Principles and Practices of Infectious Diseases*. 3rd ed., Churchill Livingstone, 1990, chap. 94, p. 942-952.

3. KRIEGER, J.N., MANDELL, DOUGLAS, BENNETT. «Prostatitis, epididymitis and orchitis.» In: *Principles and Practice of Infectious Diseases*. 3rd ed., Churchill Livingstone, 1990, chap. 97, p. 971-975.

4. FOWLER, J.E., GILLENWATER, GRAYHACK, HOWARDS, DUCKETT. «Prostatitis». In: *Adult and Pediatric Urology*, Year Book Medical Publishers, 1987, chap 35, p. 1220-1244.

5. OATES, J.K., CSONKA. «Epididymitis and prostatitis». In: *Sexually Transmitted Diseases: A Textbook of Genito-urinary Medicine*, Baillière Tindall, 1990, chap 5, p. 52-65.

19

LES INFECTIONS DU TRACTUS GÉNITO-URINAIRE INFÉRIEUR CHEZ LA FEMME

Pierre Auger et Marc Steben

19.1 DÉFINITION

Le tractus génito-urinaire inférieur chez la femme comprend le col utérin, le vagin, la vulve, la vessie et l'urètre. Les principales infections que l'on retrouve sont la dysurie, la vulvo-vaginite et la vaginose bactérienne. Les atteintes de l'anus sont présentés dans la section portant sur la proctite et l'entérocolite.

LA DYSURIE

19.2 DÉFINITION

La dysurie se définit comme une difficulté à uriner. On distingue la dysurie interne, c'est-à-dire celle dont la difficulté est ressentie à l'intérieur, et la dysurie externe, celle qui est ressentie lorsque l'urine touche la vulve ou les lèvres. Une dysurie peut également être mixte, avoir un seul agent étiologique (par exemple l'herpès génital primaire) ou des causes multiples (par exemple la vaginite à *Candida* accompagnant une urétrite à *Chlamydia*).

19.3 L'ÉPIDÉMIOLOGIE

Il s'agit d'une affection très fréquente. En effet, aux États-Unis, chaque année, plus de cinq millions de patientes consultent le médecin pour des infections urinaires. Au Royaume-Uni, près de 20 % des femmes consultent chaque année pour une dysurie ou une pollakiurie.

19.4 LES AGENTS ÉTIOLOGIQUES (voir tableau 19.1, p. 284)

19.5 LA PRÉSENTATION DE CAS

19.5.1 L'histoire

Les symptômes de cystite sont habituellement faciles à reconnaître: la dysurie est interne, fréquemment accompagnée de pollakiurie, avec des mictions impérieuses occasionnellement accompagnées d'hématurie macroscopique. Les symptômes apparaissent rapidement et forcent à consulter en moins de quatre jours. La fièvre, des frissons, des nausées et des douleurs costo-vertébrales indiquent plutôt une pyélonéphrite.

La dysurie interne, sans autres symptômes de cystite, est typique d'une urétrite. La dysurie externe révèle une vulvite et une douleur coïtale y est fréquemment associée.

19.5. L'évaluation médicale et les facteurs de risque comportementaux

L'utilisation du diaphragme et les relations sexuelles favorisent la cystite. L'urétrite est reliée aux relations sexuelles avec un nouveau partenaire. La vulvite et la vulvo-vaginite est favorisée par les relations sexuelles ou l'utilisation d'antibiotiques, surtout à large spectre.

19.5.3 L'examen physique

La cystite s'accompagne de sensibilité suprapubique. La fièvre et les douleurs costo-vertébrales n'apparaissent habituellement qu'au cours d'une infection urinaire haute. L'urétrite peut être accompagnée d'un écoulement transparent, laiteux ou purulent. Des lésions vulvaires ulcérées et des ganglions inguinaux sont habituellement présents dans l'herpès génital. Une cervicite muco-purulente peut être présente en même temps qu'une urétrite à *N. gonorrhoeae* et *C. trachomatis*.

La vulvite présente des ulcérations génitales et des adénopathies inguinales dans l'herpès génital primaire alors que la candidose vaginale présente des ulcérations punctiformes ou linéiformes avec ou sans marque d'excoriations et un œdème ou un érythème.

19.6 L'ÉVALUATION BIOLOGIQUE

L'épisode isolé de cystite doit être diagnostiqué avec certitude. Quand il n'y a ni cervicite muco-purulente, ni vulvite, ni vaginite, la détection de la pyurie par bandelette sur l'urine à mi-jet confirme la cystite. La présence d'hématurie microscopique et de nitrite augmente la spécificité du test par bandelette. Une culture d'urine s'impose dans les cas de fièvre, de récidive, d'uropathie obstructive, de diabète, de grossesse ou d'échec thérapeutique.

Dans les cas d'urétrite, une coloration de Gram détectant quatre leucocytes par 1 000 × ou la présence de pyurie dans les dix premiers millilitres d'urine, mais non dans l'analyse du mi-jet, confirme le diagnostic s'il n'y a ni vulvite ni vaginite.

19.7 LA THÉRAPIE CURATIVE ET LA THÉRAPIE PALLIATIVE

Le traitement d'une cystite seule évoluant depuis moins d'une semaine, sans fièvre ni douleurs costo-vertébrales et sans facteur aggravant, dure trois jours, limitant ainsi les coûts et les effets indésirables, en particulier la vaginite à *Candida*. Les antibiotiques suivants sont habituellement bien tolérés et efficaces: le triméthoprime seul, le triméthoprime associé au sulfaméthoxazole, les quinolones, ainsi que l'amoxicilline avec ou sans acide clavulanique et les céphalosporines (voir tableau 19.2, p. 285). L'utilisation de l'analgésique urinaire Pyridium se limite aux 24 premières heures et ne doit jamais se répéter.

19.8 LES CONSIDÉRATIONS DE SANTÉ PUBLIQUE

La *Chlamydia* est une maladie à déclaration obligatoire et la gonococcie une maladie vénérienne au sens de la loi sur la protection de la santé publique du Québec. La recherche et le traitement des contacts ne sont recommandés que pour la *Chlamydia* et la gonococcie.

19.9 LE SUIVI

Des analyses de contrôle post-traitement doivent être effectuées chez toutes les femmes souffrant de gonococcie urogénitale, tandis que, pour la chlamydiase, elles ne doivent être effectuées que chez les femmes qui demeurent symptomatiques.

Des cultures d'urine de contrôle post-cystite ne doivent être effectuées chez des femmes que s'il y a risque de complications. Ces cultures doivent plutôt être faites lors d'infections récidivantes ou lorsqu'il existe des facteurs prédisposants comme la grossesse, le diabète ou les anomalies obstructives.

19.10 LA PRÉVENTION ET LE COUNSELLING

Lors d'infection récidivante fréquente (trois et plus par six mois), on peut utiliser une antibioprophylaxie si les facteurs favorisants ont été éliminés.

LA VULVO-VAGINITE

19.11 DÉFINITION

La vulvo-vaginite consiste en une inflammation de la vulve et du vagin.

19.12 LES AGENTS ÉTIOLOGIQUES

La vulvo-vaginite chez la femme adulte préménopausée est causée principalement par la *Candida* et le *Trichomonas*. Certaines étiologies microbiennes ou non et plus ou moins bien définies ont été observées: des ulcérations vaginales par une toxine du *Staphylococcus aureus* dans le syndrome du choc toxique, des ulcérations vaginales associées à l'utilisation de tampons hygiéniques, de la cape cervicale ou de l'éponge vaginale contraceptive. Une atrophie vaginale réversible par œstrogènes topiques ou systémiques s'accompagnant de prurit et de douleurs vaginales coïtales, se retrouve fréquemment chez la femme ménopausée ou, occasionnellement, chez celle qui allaite. D'autres étiologies seront discutées dans la partie traitant de la vaginite récidivante ou persistante.

19.13 L'ÉPIDÉMIOLOGIE

La vulvo-vaginite est un syndrome clinique fréquent dont les étiologies infectieuses (MTS ou non) et non infectieuses sont multiples (voir tableau 19.3, p. 286).

Plus de 25 % des femmes qui consultent une clinique de maladies transmises sexuellement souffrent de vaginite. Certaines formes de la maladie sont particulièrement fréquentes: la vulvo-vaginite à *Candida* touche en effet 75 % des femmes adultes au moins une fois durant leur vie. La vulvo-vaginite à *T. vaginalis* peut atteindre 300 000 Canadiennes chaque année; environ le quart d'entre elles seraient asymptomatiques, ce qui explique que ce parasite a longtemps été considéré comme un commensal plutôt que comme un pathogène primaire.

19.14 LA PRÉSENTATION DE CAS

19.14.1 La vulvo-vaginite à *Candida*

Parmi les symptômes décrits par les patientes, le prurit, souvent intense, reste la manifestation la plus importante. De plus, elles accusent de la dyspareunie et des pertes vaginales blanchâtres plus ou moins abondantes et parfois grumeleuses. Cette infection se présente plus souvent durant la grossesse, l'antibiothérapie, la corticothérapie et chez les patientes diabétiques. Le port de vêtements très ajustés serait un autre facteur prédisposant. La prise d'anovulants à dose modérée ou élevée d'œstrogènes par voie orale est une méthode anticonceptionnelle qui prédisposerait à l'infection, bien que l'association anovulants - vulvo-vaginite à *Candida* demeure discutable. Parmi les facteurs de risque, l'usage répandu de l'antibiothérapie pourrait être le facteur principal de l'augmentation de la fréquence de la maladie qui est maintenant supérieure aux autres vaginites. Chez les patientes souffrant sporadiquement de vaginite à *Candida*, on peut souvent déceler des facteurs prédisposants; chez celles présentant la forme récidivante de la mycose, de tels facteurs sont, au contraire, rarement observés. Dans un premier temps, l'examen objectif révèle de l'œdème et de l'érythème vulvaire et labial. Cette inflammation peut s'étendre au périnée. De plus, on peut observer des excoriations et des lésions cutanées avoisinantes, et même, à l'aide du spéculum, des pertes blanchâtres, épaisses, occasionnellement jaunâtres ou verdâtres, avec une texture fromagée et une odeur de moisi. Ces symptômes s'observent plus souvent dans la période prémenstruelle. Parfois, on note la présence de légères ulcérations vulvaires ou des excoriations. La transmission vénérienne de la maladie semble marginale.

19.14.1.1 L'évaluation biologique

Pour les cas isolés, un diagnostic présomptif suffit. Il repose sur les symptômes suivants: prurit intense, excoriations, pertes vaginales épaisses et fromagées, aggravation des symptômes en période prémenstruelle. À l'examen clinique, la muqueuse vaginale est sensible et présente à l'occasion des lésions vulvaires satellites et un pH vaginal à moins de 4,5. La présence de facteurs sous-jacents prédisposant à l'infection peut laisser présager la vaginite à *Candida*: chlamydia, grossesse, diabète, VIH, thérapie antinéoplasique, hypoparathyroïdie, prise d'antibiotiques, en particulier à large spectre, corticothérapie. Le rôle des contraceptifs oraux est encore controversé actuellement.

On peut obtenir un diagnostic certain d'infection à *Candida* par des examens microscopiques des sécrétions vaginales à l'état frais: une goutte des sécrétions prélevées dans la partie postérieure du vagin est déposée sur une lame, puis examinée immédiatement au microscope après avoir mis une lamelle sur la sécrétion. Si la sécrétion est épaisse, elle est mélangée avec une goutte de saline ou de KOH à 10 % pour faciliter l'identification des levures et des pseudo-filaments. Les levures peuvent également être identifiées à 1 000 × sur un frottis sec à l'aide de la coloration de Gram. Cependant, cette méthode n'est pas plus sensible que l'état frais. On trouve fréquemment une petite quantité de *Candida* à l'état frais au niveau des sécrétions vaginales et sans que la patiente souffre nécessairement d'une vaginite attribuée à cette levure. La sévérité des symptômes n'est pas reliée au nombre de levures observées dans le spécimen vaginal: on peut observer une petite quantité de levure chez une patiente très symptomatique. La culture de la *Candida* est la méthode la plus sensible pour détecter la levure, mais elle n'est pas nécessaire pour les cas isolés. Une vaginite récidivante (trois ou plus par année) doit recevoir une confirmation étiologique par culture sur milieu Sabouraud avec de la dextrose et du chloramphénicol. Le pourcentage de *Candida* non *albicans* est plus élevé que dans la forme sporadique. L'isolement de la *Candida* à partir d'un spécimen vaginal ne prouve pas que cette levure joue un rôle étiologique définitif. Notons, enfin, qu'une vaginite mixte, par exemple la *Candida* et d'autres pathogènes, est toujours possible.

19.14.1.2 La thérapie curative et la thérapie palliative

Deux approches thérapeutiques sont actuellement reconnues pour traiter une infection causée par la *Candida albicans* ou les autres espèces du genre *Candida*: le traitement topique et le traitement systémique. Le traitement à l'aide d'agents topiques demeure présentement le premier choix en Amérique du Nord. Ce traitement, qui montre un taux d'efficacité de 80 à 95 % consiste à employer un imidazole comme le miconazole, l'éconazole ou le clotrimazole, ou un triazole comme le terconazole. Des ovules vaginaux de nystatine (polyène), au coucher pendant quatorze jours, seraient moins efficaces qu'un imidazole. Comme le taux de guérison est de 60 à 85 % avec cette thérapie, elle s'avère au mieux une option secondaire. Avec le miconazole en application vaginale au coucher pendant sept jours d'affilée, le taux d'efficacité est de 85 à 95 %, sauf durant la grossesse. Le clotrimazole, utilisé de la même façon que le miconazole, permet d'obtenir un taux de guérison analogue. Les tablettes vaginales de miconazole contiennent 200 mg de nitrate de miconazole. On peut également employer la crème à 2 %. Les tablettes de clotrimazole contiennent 100 mg et la crème est à 1 %. Un traitement de 200 mg de miconazole ou de clotrimazole par jour, durant trois jours, donne des résultats analogues. La thérapie de trois jours est maintenant devenue classique. Les imidazoles pendant trois soirs consécutifs allient l'efficacité à une plus grande fidélité. Le degré de fidélité des traitements de plus de trois jours est plus faible alors que les traitements unidoses sont accompagnés de plus de récidives dans le mois suivant. Les triazoles oraux sont particulièrement populaires en Europe. Une étude canadienne a établi que leur taux d'efficacité était bien supérieur au clotrimazole unidose en application vaginale. Le fluconazole unidose orale de 150 mg présente un taux relativement faible d'effets indésirables. De plus, les récidives après un mois sont plus faibles (4 %) qu'avec le clotrimazole unidose en application vaginale et il est plus économique.

Pour le traitement de la vaginite à *Candida* pendant la grossesse, on recommande d'utiliser les imidazoles topiques ou les polyènes. Le terconazole n'est pas recommandé durant le premier trimestre, mais il peut être utilisé au cours du deuxième et du troisième trimestre si aucun autre traitement n'a donné les résultats escomptés. On ne doit pas insérer en profondeur l'application de crème ou d'ovules pendant la grossesse, pas plus qu'on ne doit utiliser le fluconazole.

19.14.1.3 Les considérations de santé publique

Seuls les partenaires symptomatiques de femmes souffrant de vaginite aiguë ou récidivante à *Candida* doivent être traités. La candidose n'est pas une maladie à déclaration obligatoire.

19.14.1.4 Le suivi

Aucune analyse post-traitement n'est nécessaire pour les femmes traitées pour la *Candida.*

19.14.1.5 La prévention

On doit rationaliser l'utilisation d'antibiotiques en en donnant seulement lorsque les bénéfices sont évidents, surtout lors d'infections respiratoires, et en prescrivant idéalement des antibiotiques à spectre étroit.

La recolonisation vaginale par les lactobacilles contenus dans les préparations commerciales est inadéquate pour les raisons suivantes: ces *Lactobacillus* sont souvent non adhérents, ils ne produisent pas de peroxyde, ils sont de souches non humaines et ils sont occasionnellement contaminés par des bactéries pathogènes.

Dans les cas de récidive, il est essentiel de rechercher les facteurs prédisposants et d'apporter les correctifs voulus. Pour les formes récidivantes, à part le traitement ad hoc, on fait un usage prophylactique d'antifongiques topiques dans la deuxième partie du cycle menstruel. Actuellement, il semble que le kétoconazole par voie orale ait une certaine utilité et diminue sensiblement les récidives chez ces patientes. Par contre, la toxicité de cette molécule n'est pas à négliger. Le fluconazole par voie orale à une dose de 150 mg, administré pendant six cycles à partir du quinzième comprimé de contraceptif oral ou du vingt et unième jour du début des menstruations lors d'un cycle naturel, semble procurer un taux de prévention intéressant pendant et après la prophylaxie. Les effets indésirables sont minimes avec cette approche (voir tableau 19.4, p. 287).

Toujours dans les cas de récidive, certains auteurs préconisent un traitement systémique pour diminuer la quantité de levures au niveau du tube digestif et pour réduire les risques de contamination à partir de la marge anale; ces auteurs préconisent aussi le traitement simultané du partenaire sexuel bien que la transmission vénérienne de la candidose soit limitée. En effet, une balanite n'est documentée que chez 3 à 10 % des partenaires sexuels des patientes souffrant de vulvo-vaginite à *Candida.* Des études contrôlées par placebo ont démontré que le traitement du partenaire et le traitement par la nystatine orale étaient inefficaces pour la prévention des infections récidivantes. Le dépistage n'est pas pertinent étant donné le caractère saprophytique de la *Candida*.

19.14.2 La vaginite à *Trichomonas vaginalis*

Après une période d'incubation d'une à quatre semaines, la patiente présente les symptômes suivants: pertes vaginales (75 %), prurit (50 %), légère dysurie ou pollakiurie (50 %), et douleurs abdominales (5 à 10 %). Ce dernier symptôme doit faire suspecter une infection pelvienne et inciter à évaluer attentivement et rapidement cette hypothèse. Dans la trichomoniase, les pertes vaginales sont nauséabondes et les symptômes sont souvent exacerbés durant la période menstruelle. Aucun des symptômes mentionnés, même combinés avec d'autres, n'est spécifique de la maladie. Cette maladie, transmissible sexuellement, est souvent asymptomatique chez l'homme qui peut cependant transmettre celle-ci à ses partenaires. D'autre part, le *Trichomonas* infecte non seulement le vagin et le col où il cause des dommages aux cellules épithéliales par contact direct résultant en la formation de micro-ulcérations, mais aussi, dans 95 % des cas, l'urètre et les glandes périurétrales chez la femme. Chez l'homme, il réside au niveau de l'urètre, de la prostate et des vésicules séminales. Dans ces conditions, il est donc essentiel de donner un traitement concomitant à tous les partenaires sexuels d'un cas index et, puisque le *Trichomonas* peut se retrouver dans un site extravaginal, il semble que le traitement local seul soit inefficace. L'examen physique révèle la présence de pertes vaginales importantes, en particulier dans le cul-de-sac postérieur. Les pertes sont jaunes ou vertes dans 10 à 40 % des cas et contiennent des bulles chez 10 à 30 % des malades. On note ordinairement une inflammation de la paroi vaginale et de l'exocervix, mais la forme caractéristique de cols couverts d'hémorragies punctiformes (*colpitis macularis, strawberry cervix*) observée à l'aide du spéculum, reste exceptionnelle. La colposcopie permet de déceler ce signe dans environ 50 % des cas. Finalement, on observe aussi parfois des excoriations vulvaires, un érythème du méat urinaire, un œdème labial et une sensibilité rectale ou abdominale.

19.14.2.1 L'évaluation biologique

Le diagnostic présomptif de la trichomonase vaginale suffit si les trois éléments suivants sont présents: prurit vulvo-vaginal intense et pertes vaginales nauséabondes avec un pH supérieur à 5,5. La muqueuse vaginale révèle occasionnellement des lésions framboisées et la vulve est souvent atteinte. Le syndrome s'observe souvent en début de cycle menstruel. Le diagnostic de confirmation est rendu nécessaire quand il manque un ou plusieurs éléments; la recherche du parasite à l'état frais permet de poser ce diagnostic. Cette technique rapide est plus ou moins fiable: elle détecte les parasites par la démonstration de la mobilité de l'organisme dans 70 % des cas d'infection. Cette mobilité se perd quand le spécimen est refroidi ou qu'il n'est pas examiné rapidement. Il est donc préférable de préparer la sécrétion vaginale sur une lame chauffée et de l'examiner immédiatement. Parfois, l'infection asymptomatique peut être détectée lors du dépistage du cancer cervical. Cette technique est cependant peu sensible et peu spécifique: on rencontre des faux positifs et des faux négatifs. Idéalement, il faut alors confirmer le diagnostic par un examen à l'état frais. L'examen du sédiment urinaire est peu fiable chez la femme, mais lorsque le sédiment signale la présence du *Trichomonas*, on doit procéder au traitement. Au contraire, chez l'homme, cette technique est intéressante, en particulier lorsqu'on examine la première urine obtenue après un massage prostatique. Il existe enfin des techniques permettant de cultiver le *T. vaginalis*. Celles-ci sont très spécifiques et plus sensibles que la préparation à l'état frais. Les milieux sélectifs permettent en effet de détecter 97 % des cas. Cependant, plusieurs laboratoires n'offrent pas ce service et le diagnostic est évidemment plus tardif (sept jours).

19.14.2.2 La thérapie curative et la thérapie palliative

Le traitement de cette parasitose se fait par voie systémique. Une dose unique de 2 g de métronidazole par voie orale est aussi efficace que le traitement recommandé auparavant de 250 mg, trois fois par jour pendant sept jours. Le taux de succès atteint virtuellement 100 % lorsque le partenaire sexuel est traité simultanément. Cette médication ne devrait pas toutefois être administrée durant le premier trimestre de la grossesse. Mais comme le *Trichomonas* est associé à certaines complications tardives de la grossesse comme la rupture prématurée des membranes et la prématurité, il pourrait se justifier de le donner pendant le troisième trimestre de la grossesse surtout si la femme est très symptomatique. On pourrait l'employer pendant les deuxième et troisième trimestres de la grossesse puisque l'organogénèse est alors complétée: il faut cependant en discuter avec la patiente.

La consommation d'alcool est contre-indiquée durant le traitement à cause de l'effet Antabuse causé par le métronidazole. Il est également suggéré d'interrompre l'allaitement durant 24 heures lors du traitement unidose. Le métronidazole peut entraîner des nausées, des céphalées, des diarrhées, des vomissements et produire des urines foncées. Lorsqu'une thérapie systémique ne peut être employée, différents traitements topiques ont été suggérés, mais le taux d'échec est important. Parmi les mesures proposées, le clotrimazole, 100 mg en application vaginale au coucher pendant six nuits, s'est avéré efficace. Les douches vaginales sont inefficaces même avec un agent antiseptique.

19.14.2.3 Les considérations de santé publique

Même si le *Trichomonas* n'est pas une maladie à déclaration obligatoire, tout partenaire d'une personne infectée devrait être traité.

19.14.2.4 Le suivi

Aucune analyse post-traitement n'est nécessaire si les symptômes ont disparu.

19.14.2.5 La prévention

Lors de contact avec un nouveau partenaire, on recommande l'utilisation du condom. Le dépistage n'est pas recommandé compte tenu du nombre restreint de complications.

19.14.3 Les autres vulvo-vaginites

19.14.3. La vulvo-vaginite à Staphylococcus aureus

Le *S. aureus* a été isolé chez les patientes présentant le syndrome du choc toxique associé aux menstruations. La vaginite franche, avec pertes vaginales, est observée chez 33 à 75 % de ces malades. À l'examen, on observe un œdème vulvaire et un érythème vulvo-vaginal. Des ulcérations vaginales sont présentes dans moins de 10 % des cas.

19.14.3.2 La vulvo-vaginite à virus de l'herpès simplex

L'infection génitale causée par le virus *H. simplex* peut toucher le col, le vagin, la vulve, le périnée et la région fessière. On parlera de cette infection dans la section portant sur les ulcérations génitales.

19.14.3.3 La vulvo-vaginite causée par d'autres micro-organismes

D'autres infections vaginales sont attribuables à différents agents spécifiques; parmi ceux ci, mentionnons: *Mycobacterium tuberculosis*,

Enterobacteriaceae, Actinomyces, etc. Il s'agit de cas très rares en pratique générale.

19.14.3.4 La vulvo-vaginite non infectueuse (voir tableau 19.3, p. 286)

Des néoplasies génitales peuvent produire des pertes vaginales anormales qui laissent supposer une vaginite. Chez la femme postménopausée, la vulvo-vaginite atrophique qui résulte de l'absence de stimulation œstrogénique est bien documentée. Une inflammation vulvo-vaginale résultant d'une intolérance à différentes substances, dont les désodorisants, le semen, etc., a déjà été rapportée. Un excès de propreté marqué par une trop grande utilisation de savon et de désodorisant peut être à l'origine d'une vulvo-vaginite. Une dysfonction sexuelle peut s'accompagner d'un manque de lubrification vaginale et d'une irritation vulvo-vaginale postcoïtale.

LA VAGINOSE BACTÉRIENNE

19.15 DÉFINITION

La vaginose bactérienne se définit comme une affection vaginale qui se manifeste par au moins trois des signes suivants: 1° des pertes grises homogènes abondantes; 2° un pH $\geq$ 4,5; 3° une odeur de poisson immédiate ou après l'ajout de KOH 10 %; et 4° la présence d'au moins 20 % de cellules épithéliales vaginales ayant une morphologie de *clue cells*. L'absence d'inflammation est caractéristique de cette infection: c'est pour cette raison que l'on parle de vaginose et non de vaginite. Les termes «vaginite à *Gardnerella*» et «vaginite non spécifique» sont à proscrire.

19.16 LES AGENTS ÉTIOLOGIQUES

Il n'y a pas à proprement parler d'agent étiologique pour la vaginose bactérienne. Il s'agit plutôt d'un problème écologique vaginal où les commensaux tels que *Gardnerella vaginalis*, *Mycoplasma hominis*, anaérobies divers et *Mobiluncus* sont présents en concentration plus élevée que la normale pendant que les *Lactobacillus* sont en concentration plus faible et ne produisent à peu près pas de peroxyde d'hydrogène. La cause de ce déséquilibre est inconnue.

19.17 L'ÉPIDÉMIOLOGIE

La vaginose bactérienne est la cause la plus fréquente de symptômes vaginaux chez la femme en âge de procréer. Elle est présente chez 24 à 37 % des femmes qui consultent en clinique MTS, et chez 16 % des femmes enceintes dans une clinique privée, comparativement à 29 % dans une clinique d'avortement.

19.18 LA PRÉSENTATION DE CAS

Les manifestations les plus fréquentes sont les pertes vaginales nauséabondes spontanées ou postcoïtales. Bien que le tiers des femmes rapportent des pertes jaunâtres, le nombre de leucocytes observés au microscope n'est pas significatif. Pourtant certaines femmes se plaignent de prurit vulvaire.

La vaginose bactérienne peut entraîner des complications comme la salpingite ou l'infection postopératoire et, chez la femme enceinte, la chorioamniotite, l'endométrite post-partum, la bactériémie, la rupture prématurée des membranes et le travail prématuré.

On ne peut conclure que la vaginose bactérienne prédispose les femmes qui ne sont pas enceintes à une infection du tractus génital supérieur. Même si une étude a démontré que 4 % des femmes souffrant de vaginose bactérienne avaient des douleurs annexielles sévères contre 0,3 % des femmes sans vaginose bactérienne.

Bien que la vaginose bactérienne ne soit pas une MTS, elle est plus fréquente chez les femmes qui ont plus d'un partenaire. Les douches vaginales augmentent aussi le risque de vaginose bactérienne.

19.18.1 L'examen physique

Les pertes vaginales sont blanches, homogènes, non grumeleuses. Elles adhèrent aux parois et peuvent être odorantes. En l'absence de pertes, d'autres signes comme le pH, le KOH + et les *clue cells* peuvent confirmer le diagnostic.

19.19 L'ÉVALUATION BIOLOGIQUE

En laboratoire, plusieurs indices simples orientent le clinicien vers le diagnostic de vaginose bactérienne. Le pH plus élevé que 4,5 est l'indice le plus sensible, mais manque de spécificité. Bien que l'addition de KOH 10 % donne une odeur facile à reconnaître, mais qui se dissipe rapidement, cet indice est moins sensible que le pH. La présence à l'examen microscopique de *clue cells* en concentration proportionnellement plus forte que les 20 % de cellules épithéliales laisse présumer une vaginose bactérienne.

La culture de *Gardnerella vaginalis* n'est pas pertinente dans le diagnostic ou le contrôle post-traitement de la vaginose bactérienne, étant donné le nombre élevé de femmes asymptomatiques porteuses de ce germe.

19.20 LA THÉRAPIE CURATIVE ET LA THÉRAPIE PALLIATIVE

Le traitement de la vaginose bactérienne s'administre essentiellement par voie orale. Le métronidazole 500 mg deux fois par jour pendant sept jours ou en unidose de 2 g a un taux d'efficacité très élevé. Il n'est plus nécessaire de faire prendre une deuxième dose de 2 g après 48 heures. Ce traitement est cependant mal toléré par les femmes de petit poids et il est contre-indiqué chez les femmes enceintes. La clindamycine 300 mg deux fois par jour pendant sept jours est aussi très efficace, mais plus coûteuse; elle peut cependant être utilisée chez les femmes enceintes. En cas de récidive, on peut augmenter la dose de clindamycine à 450 mg deux fois par jour pendant sept jours. Quelques études non contrôlées ont démontré l'efficacité de l'amoxicilline combinée à l'acide clavulanique 500 mg trois fois par jour pendant sept jours. Une étude a démontré l'efficacité de l'ofloxacine, 200 mg deux fois par jour pour sept jours. Le traitement topique par clindamycine est approuvé aux États-Unis.

Un grand nombre de femmes porteuses de vaginose bactérienne telle que définie par Duke et Gardner sont asymptomatiques. Il n'est pas recommandé de traiter ces femmes, sauf s'il y a risque de contamination du tractus génital supérieur lors de l'installation d'un stérilet ou lors d'un avortement thérapeutique. Le traitement des femmes enceintes asymptomatiques fait actuellement l'objet de plusieurs études: certaines ont démontré une corrélation avec la chorio-amniotite, la rupture prématurée des membranes et l'endométrite post-partum.

19.21 LES CONSIDÉRATIONS DE SANTÉ PUBLIQUE

La vaginose bactérienne n'est pas une maladie à déclaration obligatoire.

19.22 LE SUIVI

Aucune analyse de contrôle post-traitement n'est nécessaire si les signes et les symptômes sont disparus.

19.23 LA PRÉVENTION

Les douches vaginales pourraient favoriser l'apparition de vaginose bactérienne. L'efficacité de *Lactobacillus* pour prévenir la vaginose bactérienne n'a jamais été démontrée. Le dépistage et le traitement de la vaginose bactérienne pourraient prévenir des complications liées à la grossesse, à l'avortement ou à la chirurgie gynécologique ou obstétricale.

BIBLIOGRAPHIE

1. «Sexually transmitted diseases treatment guidelines». *MMWR*, Sept. 1, 1989, Vol. 38, No S-8, 43 pages.

2. CURRIE, J. «Single oral dose of fluconazole vs single intravaginal dose of clotrimazole in vulvovaginal candidiasis». *SOGC*, juin 1991.

3. SOBEL, J.D. «Pathogenesis and treatment of recurrent vulvovaginal Candidiasis». *Clinical Infectious Diseases*, 1992; 14: S148-53.

4. STEBEN, M. et al. «Multicenter double-blind comparison of single dose intermittent prophylaxis with oral fluconazole in recurrent vaginal candidiasis». *SOGC*, juin 1993.

Tableau 19.1 Étiologie de la dysurie

	INTERNE		EXTERNE
	CYSTITE	URÉTRITE	VULVITE
Étiologie microbienne fréquente	Bâtonnet Gram négatif *S. saprophyticus*	*N. gonorrhoeae* *C. trachomatis* *H. simplex*	*C. albicans* *T. vaginalis* *H. simplex*
Étiologie microbienne moins fréquente	Bas décompte bactérien	*U. urealyticum* *T. vaginalis*	
Étiologie non microbienne	Postradiation Huile de bain	Huile de bain Caroncule urétrale	Atrophie vulvaire Incontinence urinaire Excès de propreté
Étiologie idiopathique	Interstitielle		Dystrophie vulvaire

Tableau 19.2 Traitement de la cystite non compliquée chez la femme adulte

DURÉE 3 JOURS	DOSE	À SURVEILLER
Triméthoprime	100 mg PO bid	Grossesse
Triméthoprime-sulfaméthoxazole	160/800 PO bid	Grossesse Allergie aux sulfamides
Amoxicilline	500 mg PO tid	Allergie aux pénicillines
Amoxicilline avec acide clavulanique	500 mg PO tid	Allergie aux pénicillines Grossesse
Norfloxacine	400 mg PO bid	Pour toutes les quinolones:
Ofloxacine	200-300 mg PO bid	• Grossesse
Ciprofloxacine	250 mg PO bid	• Problèmes neurologiques convulsifs • À éviter chez les moins de 18 ans
Céphalexine	250-500 mg PO qid	Allergie aux pénicillines

Tableau 19.3 Problèmes de vulvo-vaginite se présentant avec érythème ou prurit vulvaire

Manque de lubrification vaginale
- dysfonction sexuelle primaire ou secondaire
- hypo-œstrogénisme (atrophie)
- allaitement
- condom

Hygiène
- trop (savon, désodorisants, douches)
- pas assez
- parfums
- serviettes sanitaires, tampons
- papier hygiénique

Infection
- *Candida*
- *Trichomonas*
- Herpès
- Condylomes
- *Tinea cruris*
- *Molluscum*
- Erythrasma

Infestation
- morpions
- gale

Irritation
- relations sexuelles nombreuses ou prolongées
- incontinence urinaire
- jogging
- vêtements
- salive (relations orales)
- spermicides

Divers
- psoriasis
- eczéma
- néoplasie
- hyperplasie épithéliale bénigne
- dermite de contact
- dermite irritative
- dermite allergique

Tableau 19.4

CONDUITE À TENIR DANS LE CAS
DE VULVO-VAGINITE RÉCIDIVANTE
À *CANDIDA ALBICANS*

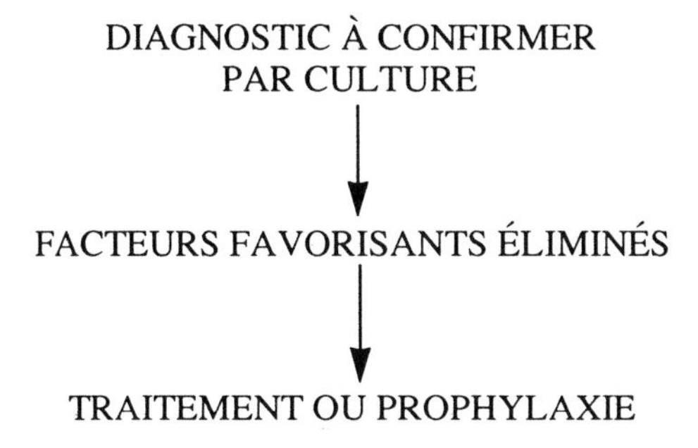

1° TRAITEMENT AD HOC	2° PROPHYLAXIE LOCAL	3° PROPHYLAXIE SYSTÉMIQUE
Au moment des récidives	2-3 jours d'imidazole avant début des symptômes	fluconazole 150 à 300 mg • au 15 e jour de contraceptif oral • au 21e jour du début des menstruations pour 6 cycles menstruels consécutifs

20

LA CERVICITE

François Bissonnette, Geneviève Dechêne
et Alain Y. Martel

20.1 DÉFINITION

La cervicite est une inflammation du col souvent associée à un écoulement purulent ou muco-purulent, à l'œdème, à l'érythème ou à une friabilité de la zone de transformation.

20.2 LES AGENTS ÉTIOLOGIQUES

Les causes les plus fréquentes de l'endocervicite sont la *Chlamydia trachomatis* et la *Neisseria gonorrhoeae*. L'exocervicite est principalement attribuable au virus *Herpes simplex* (VHS) type II. Quant à l'*Ureaplasma urealyticum* et au *Mycoplasma hominis*, leur rôle d'agents étiologiques dans les cas de cervicite n'a pas été démontré et ils ne doivent donc pas être recherchés.

20.3 L'ÉPIDÉMIOLOGIE

Alors que, chez l'homme, l'urétrite est une infection génitale à *Chlamydia trachomatis* et à *Neisseria gonorrhoeae* évidente, la cervicite muco-purulente est plus difficile à détecter, si bien qu'on n'en connaît pas la véritable ampleur à l'heure actuelle. On note une prévalence d'environ 40 % chez les femmes qui fréquentent une clinique de maladies transmissibles sexuellement et une prévalence d'environ 10 % chez les collégiennes sexuellement actives.

20.4 LA PRÉSENTATION DE CAS

20.4.1 L'histoire

La forte proportion des cervicites asymptomatiques expliquerait la prévalence élevée de cette infection au sein de la population féminine active sexuellement, surtout chez les jeunes femmes. L'urétrite, l'équivalent masculin de la cervicite, présente des symptômes bien connus et caractéristiques (dysurie, écoulement urétral) qui la rendent plus facilement identifiable cliniquement.

Malheureusement, les femmes symptomatiques d'une cervicite présentent des symptômes plutôt vagues, telles des pertes génitales anormales (variation de la couleur, de la quantité, de l'odeur) ou des vaginites à répétition. Elles peuvent avoir aussi des saignements intermenstruels spontanés ou après le coït, ainsi qu'une douleur abdominale basse quelquefois accompagnée de dyspareunie profonde. Toute femme qui présente un ou plusieurs de ces symptômes doit subir un examen gynécologique complet afin de diagnostiquer une cervicite possible, compliquée ou non.

20.4.2 L'évaluation médicale et les facteurs de risque comportementaux

L'âge représente un facteur de risque important. En effet, la cervicite touche davantage les femmes âgées de 15 à 24 ans. De plus, quatre autres facteurs de risque ont été identifiés: le nombre de partenaires sexuels (plus de deux au cours de la dernière année), l'absence de moyen de contraception ou la pratique de méthodes contraceptives autres que celles de type barrière (stérilet, contraceptif oral), la race et le lieu de résidence (le risque est plus élevé en milieu urbain qu'en milieu rural). Chez presque 60 % des femmes atteintes de cervicite muco-purulente, la *Chlamydia trachomatis* a été identifiée à partir des sécrétions cervicales. On note occasionnellement une infection gonococcique concomitante du col et elle doit être considérée dans le choix du traitement de l'endocervicite.

Les infections à *Chlamydia trachomatis* et à *Neisseria gonorrhoeae* existent sans signe, sans symptôme ni augmentation du nombre de polynucléaires. Elles nécessitent pourtant un traitement. Les partenaires de patientes atteintes de cervicite muco-purulente doivent également être dépistés et traités.

20.4.3 L'examen physique

Une proportion significative des infections cervicales ne présente aucune anomalie décelable à l'examen visuel du col. Un examen gynécologique normal n'élimine donc pas la possibilité d'une cervicite infectieuse, symptomatique ou asymptomatique, en particulier chez une femme considérée à risque. L'endométrite se retrouve dans 40 % des cas de cervicite muco-purulente.

Les signes cliniques d'une cervicite muco-purulente sont: un écoulement endocervical purulent ou muco-purulent, un saignement du col provoqué par le premier prélèvement endocervical (friabilité), un œdème et un érythème de la zone d'ectopie glandulaire lorsque celle-ci est visible. Une douleur à la pression de l'utérus ou des annexes doit nous faire craindre une endométrite ou une salpingite. La valeur diagnostique de ces signes cliniques est déterminée dans l'algorithme du tableau 20.1.

Pour évaluer l'écoulement de l'endocol, il faut d'abord nettoyer l'exocol s'il est recouvert de sécrétions vaginales, puis insérer une tige montée dans le canal endocervical: on la laisse en place de 5 à 10 secondes. L'examen visuel de cette tige montée est dit positif si la tige est chargée de sécrétions muco-purulentes ou purulentes (*swab test* positif). Ce prélèvement peut ensuite servir à l'étalement pour la coloration de Gram.

20.5 L'ÉVALUATION BIOLOGIQUE

L'examen de l'écoulement endocervical à la coloration de Gram se fait au microscope, à l'immersion, à un grossissement de 1 000 ×. La mise en évidence d'au moins dix polynucléaires par champ hors de la période menstruelle est suggestive, mais non spécifique d'une cervicite à *Chlamydia*. Cette augmentation de leucocytes ne justifie pas un traitement s'il n'y a pas de signe clinique ni d'analyse microbiologique positive. Cependant, deux situations justifient un traitement immédiat, simplement à partir de la coloration de Gram: la mise en évidence de diplocoques intracellulaires à Gram négatif ou une anamnèse suggérant un risque élevé d'infection sans qu'un suivi puisse être assuré.

En effet, la spécificité de la présence de diplocoques intracellulaires à Gram négatif pour l'infection à *Neisseria* est de 95 à 100 %, mais sa sensibilité n'est que de 50 à 70 %. Les données sur la spécificité et la sensibilité de la coloration de Gram pour le diagnostic des infections à *Chlamydia trachomatis* du col utérin sont insuffisantes. Le tableau 20.1 résume l'utilité de ce test dans l'investigation d'une cervicite.

Tableau 20.1 Investigation d'une cervicite

---

1) Diagnostic présomptif:

Présence d'au moins dix leucocytes par champ à la coloration de Gram des sécrétions de l'endocol et contact d'une personne porteuse de *C. trachomatis* ou de *N. gonorrhoeae.*

2) Diagnostic certain:

On peut traiter d'emblée si la prévalence de l'infection est élevée. On se base sur les résultats microbiologiques pour le suivi et la relance des contacts.

Symptômes caractéristiques:

— écoulement endocervical muco-purulent ou présence de cet exsudat sur une tige montée retirée de l'endocol (*swab test* positif);

— hémorragie de contact au premier prélèvement dans l'endocol;

— présence de 30 leucocytes ou plus par champ à la coloration de Gram des sécrétions cervicales;

3) Diagnostic étiologique:

Recherche microbiologique dans les cas de récidive ou de persistance de la maladie.

N. gonorrhoeae: culture

C. trachomatis: culture ou test de détection d'antigènes

Mycoplasmes: culture (à rechercher seulement en présence de salpingite ou d'hyperthermie post-partum)

20.6 LA THÉRAPIE CURATIVE ET LA THÉRAPIE PALLIATIVE

20.6.1 L'endocervicite

En présence d'une endocervicite muco-purulente, le traitement recommandé inclut une médication efficace contre *N. gonorrhoeae* et *C. trachomatis*. Il consiste à administrer 250 mg de ceftriaxone intramusculaire en une seule dose. On peut aussi choisir d'administrer 500 mg de ciprofloxacine PO en une seule dose ou encore 400 mg d'oxofloxacine en une seule dose suivie de 100 mg de doxycycline deux fois par jour pendant sept jours.

Les quinolones et la doxycycline sont contre-indiquées chez les femmes enceintes ou qui pourraient l'être et celles qui allaitent. On recommande alors 2 g par jour d'érythromycine par jour pendant sept jours. S'il y a une légère intolérance, on peut administrer 1 g par jour pendant quatorze jours. Dans les cas d'intolérance majeure, on remplace l'érythromycine par 1,5 g d'amoxicilline par jour pendant sept jours. L'estolate d'érythromycine est contre-indiqué durant la grossesse. L'ofloxacine 300 mg bid par jour PO pendant sept jours dans le traitement des cervicites donne de bons résultats. L'azythromycine en unidose de 1 g est actuellement approuvée aux États-Unis.

20.6.2 L'exocervicite

En présence d'exocervicite à virus de l'Herpès simplex, le traitement doit être adapté au stade de l'épisode clinique. S'il s'agit d'un premier épisode génital, on recommande l'administration de 200 mg d'acyclovir PO cinq fois par jour pendant dix jours. Si la patiente est hospitalisée, on peut administrer 5 mg/kg aux huit heures par voie intraveineuse et recourir à la voie orale pour compléter la période de dix jours.

Pour l'herpès génital récidivant, on administre dès le prodrome 200 mg d'acyclovir PO cinq fois par jour pendant cinq jours. Cependant, la tendance actuelle est plutôt d'administrer 400 mg trois fois par jour pour le traitement du premier épisode et deux fois par jour pour les cas d'herpès récidivant. La durée du traitement demeure la même toutefois. Un traitement intermittent précoce, initié par la patiente, est indiqué lorsque les récidives sont trop symptomatiques.

20.7 LA PRÉVENTION ET LE COUNSELLING

La prévention des cervicites ressemble à celle des maladies transmises sexuellement. On doit prodiguer des conseils non seulement aux femmes qui consultent pour une question de contraception ou pour toute autre raison gynécologique, mais aussi à celles qui subissent un simple examen périodique. À l'occasion de ces visites, on doit aborder, entre autres, les notions de «porteur asymptomatique» et de «relations sexuelles à risque».

Tableau 20.2 Groupe de femmes chez qui l'on doit procéder à un dépistage systématique

25 ans et moins avec une ou plusieurs des caractéristiques suivantes:

— 2 partenaires sexuels ou plus au cours de la dernière année;

— un nouveau partenaire sexuel au cours des deux derniers mois;

— pas d'utilisation de méthode barrière de contraception.

Bien sûr, s'il existe une cervicite infectieuse, cette prévention primaire devient inutile. Le clinicien doit alors intervenir à un second degré, c'est-à-dire prévenir la propagation de l'infection au tractus génital supérieur par la détection des nombreuses cervicites asymptomatiques à *Chlamydia trachomatis*.

Il ne faut pas entreprendre un dépistage systématique de toutes les femmes ayant des relations sexuelles, mais s'adresser plutôt à un groupe restreint (voir tableau 20.2). De plus, on suggère un dépistage systématique pour les patientes qui consultent une clinique de maladies transmissibles sexuellement et certaines cliniques de planification de la naissance où la prévalence de l'infection à *Chlamydia* est supérieure à 7 %. Finalement, il faut dépister systématiquement *C. trachomatis* et *N. gonorrhoeae* avant toute pose de dispositif intra-utérin ou tout avortement thérapeutique.

Certains recommandent un dépistage au premier trimestre de grossesse, mais seulement chez les femmes qui répondent aux critères du tableau 20.2. D'autres, par contre, suggèrent un dépistage systématique de toutes les femmes enceintes en raison des complications possibles pour la mère et l'enfant. Quand il y a risque d'infection, le dépistage doit être refait au troisième trimestre de la grossesse.

20.8 LES CONSIDÉRATIONS DE SANTÉ PUBLIQUE

La contamination à grande échelle se voit rarement chez les patientes symptomatiques parce qu'elles consultent généralement assez tôt. Le problème se pose surtout avec les patientes asymptomatiques qui risquent, en plus de développer des infections beaucoup plus graves (endométrite, salpingite), d'être la source de contamination de leurs partenaires et de favoriser ainsi la propagation de la maladie. Les partenaires sexuels des 30 derniers jours doivent être retracés et traités.

20.9 LE SUIVI

Les examens de contrôle pour l'infection à *C. trachomatis* ne sont pas recommandés puisqu'il n'existe pas de souches résistantes, alors que pour *N. gonorrhoeae* seuls les sites infectés et l'anus pour toutes doivent faire l'objet d'un examen de contrôle.

BIBLIOGRAPHIE

1. Rapport hebdomadaire des maladies au Canada, nov. 1989, Vol.1595, supplément. *Lignes directrices canadiennes pour le dépistage des infections à Chlamydia trachomatis.*

2. *Sexually Transmitted Diseases Clinical Practical Guidelines.* May 1991, U.S. Department of Health and Human Services Public Health Service, Centres for Disease Control, p. 1-30

3. BRUNHAM, R.C., PAAVONEN, J. et al. «Mucopurulent cervicitis. The ignored counterpart in women of urethritis in men». *N Engl J Med*, 311, 1984, p. 1-6.

21

LA SALPINGITE

Geneviève Dechêne, François Bissonnette
et François Lamothe

21.1 DÉFINITION

On entend par salpingite une inflammation de la trompe utérine. L'infection de l'arbre génital féminin progresse suivant la structure de l'anatomie, c'est-à-dire qu'elle attaque d'abord le col, puis l'endomètre et enfin les trompes.

Il s'agit d'une infection pelvienne sérieuse difficile à diagnostiquer parce que les patientes ne présentent généralement pas suffisamment de symptômes. Elle peut pourtant provoquer des douleurs pelviennes chroniques et conduire à l'infertilité. Ches les patientes qui souffrent de salpingite aiguë, 25 % développent une complication à long terme. L'étude des couples infertiles révèle que 80 % des cas d'obstruction tubaire connaissent une étiologie initiale de salpingite.

21.2 LES AGENTS ÉTIOLOGIQUES

Plusieurs micro-organismes causent la salpingite et, dans la majorité des cas, on retrouve une infection polymicrobienne. Les principaux agents étiologiques de la salpingite sont la *Chlamydia trachomatis*, la *Neisseria gonorrhoeae* et une variété de bactéries aérobies et anaérobies de la flore vaginale. Parmi les bactéries aérobies, on distingue surtout *Escherichia coli* et *Streptococcus pyogenes* du groupe B de Lancefield, tandis que le *Prevotella bivia* et les *Peptostreptococcus* représentent les anaérobies les plus importants.

Le rôle des mycoplasmas, plus particulièrement du *Mycoplasma hominis*, demeure controversé dans la salpingite.

21.3 L'ÉPIDÉMIOLOGIE

L'épidémiologie de la salpingite aiguë suit de très près celle de la cervicite. Au Canada, on a isolé la *Chlamydia trachomatis* de l'endocol chez près de 50 % des femmes qui se présentent avec une salpingite peu sévère ne nécessitant pas d'hospitalisation. Aux États-Unis, on estime que 275 000 femmes sont hospitalisées chaque année pour une salpingite.

21.4 LA PRÉSENTATION DE CAS

21.4.1 L'histoire

Moins de 20 % des salpingites présentent les symptômes «classiques» de l'abdomen aigu: douleur abdominale sévère, fièvre et altération de l'état général. Par conséquent, il faut se rappeler que la majorité des cas de salpingite qui se présentent en cabinet ou en clinique externe révèlent peu de symptômes.

Dans 80 % des cas de salpingite symptomatique, on trouve une douleur abdominale basse, le plus souvent bilatérale, d'intensité légère à modérée. Cette douleur, constante ou intermittente, peut irradier aux membres inférieurs ou à la région lombaire. Dans plus de la moitié des cas, la douleur débute avec les menstruations ou dans les jours qui suivent la période menstruelle: c'est au cours de cette période que l'infection gagne l'endomètre. L'endométrite accompagne la salpingite ou la précède puisque le col mène à l'utérus et aux trompes. La douleur d'une salpingite est donc fréquemment associée à une dyspareunie profonde ainsi qu'à une dysménorrhée.

La moitié des femmes souffrant de salpingite présentent des pertes génitales anormales et 40 % notent des saignements anormaux tels des saignements intermenstruels et une modification du flot menstruel. On retrouve des symptômes urinaires (dysurie, pollakiurie) dans 20 % des cas. Quelques cas de salpingite accusent également une douleur au quadrant supérieur droit de l'abdomen compatible avec une périhépatite. L'intensité de cette douleur peut même masquer la douleur pelvienne.

21.4.2 L'évaluation médicale et les facteurs de risque comportementaux

La fréquence de la salpingite diminue avec l'âge. Par contre, les risques de séquelles augmentent à mesure que la femme avance en âge. Les femmes célibataires, divorcées ou séparées sont plus à risque. Un statut socio-économique défavorisé est associé à la maladie de même que certains comportements sexuels, par exemple le jeune âge à la première relation sexuelle, les partenaires sexuels multiples, le nombre élevé de relations sexuelles et le fait d'avoir eu de nouveaux partenaires au cours des trente derniers jours.

L'usage de barrières mécaniques ou chimiques diminue le risque de salpingite, mais l'usage du stérilet prédisposerait à la salpingite causée par les bactéries de la flore vaginale en présence d'une MTS. Enfin, il n'y a pas de relation claire entre les douches vaginales et le risque de salpingite.

21.4.3 L'examen physique

La palpation de l'abdomen provoque rarement une douleur importante et elle fait rarement apparaître un ressaut. Dans la plupart des cas, l'examen gynécologique constitue l'élément essentiel du diagnostic clinique.

On recherche d'abord une cervicite muco-purulente, qui révèle la présence de *Chlamydia trachomatis* au niveau du tractus génital.

Une douleur à la mobilisation du col et à la pression de l'utérus (endométrite) ou des annexes (salpingite) constitue le signe clinique le plus important. Cette douleur est d'intensité variable, le plus souvent légère ou modérée. Une annexe plus volumineuse ou la présence d'une masse annexielle confirme la sévérité de l'atteinte tubaire. Toute masse annexielle fait craindre un abcès tubo-ovarien, mais il faut éliminer la possibilité d'une grossesse ectopique ou d'un kyste ovarien. Dans les cas de salpingite polymicrobienne sévère et à *N. gonorrhoeae*, on note parfois une hyperthermie (plus de 38 ^{o}C dans moins de 30 % des cas).

21.4.4 La validité du diagnostic clinique de salpingite

Dans le contexte clinique actuel, il n'est ni justifié ni possible de procéder à une laparoscopie chez toute femme qui se présente avec une douleur pelvienne.

Cela complique le diagnostic de salpingite qui doit alors s'appuyer principalement sur les signes et symptômes cliniques.

Certaines études démontrent que la laparoscopie confirme seulement 60 à 65 % des cas de diagnostic clinique de salpingite. Par ailleurs, la valeur du diagnostic présomptif est fort contestable, surtout chez les patientes qui présentent peu de symptômes. La biopsie de l'endomètre est un outil fiable pour confirmer le diagnostic (90 % de corrélation avec la laparoscopie), mais peu utile cliniquement à cause du temps nécessaire à la préparation du spécimen (deux à trois jours). Malgré la présence des trois principaux symptômes cliniques, soit une douleur abdominale basse, une cervicite et une douleur à l'examen pelvien, seulement 60 à 65 % des patientes avaient une salpingite prouvée à la laparoscopie. La probabilité de salpingite augmentait significativement (78 à 95 %) s'il y avait de la fièvre, une masse annexielle palpable et une sédimentation élevée. Malheureusement, seulement 16 % des patientes présentaient tous ces symptômes. On ne peut évidemment pas attendre tous ces signes pour considérer un diagnostic.

Il faut plutôt entreprendre un traitement dès qu'on décèle les trois principaux symptômes. Si le patient ne répond pas au traitement après 48 à 72 heures, il faut recourir à la laparoscopie. Il faut y recourir aussi pour tous les cas incertains.

Toute patiente qui présente une masse annexielle doit rapidement subir une laparoscopie afin de déceler un possible abcès tubo-ovarien. Il ne faut pas cependant considérer la laparoscopie comme une épreuve diagnostique parfaite puisqu'elle ne détecte pas les changements subtils d'un début d'endométrite. Dans les cas limites, la biopsie de l'endomètre prend toute sa valeur.

21.5 L'ÉVALUATION BIOLOGIQUE

Le diagnostic de salpingite repose d'abord sur les éléments du questionnaire et sur l'examen clinique. Les analyses de laboratoire et les examens radiologiques viennent ensuite compléter ce diagnostic.

La formule sanguine et la vitesse de sédimentation sont utiles surtout dans le contexte global de la situation clinique. L'analyse d'urine est importante afin d'éliminer toute participation du tractus urinaire dans le tableau clinique. Une épreuve de grossesse peut être indiquée.

Parmi les techniques de diagnostic par imagerie, l'échographie pelvienne est non invasive et rapidement disponible. Toutefois, dans la salpingite aiguë non compliquée, l'échographie est peu utile, car les signes échographiques sont peu spécifiques. Elle permet surtout de confirmer la présence d'une masse soupçonnée à l'examen clinique. L'échographie pelvienne est particulièrement utile pour le diagnostic des abcès tubo-ovariens et elle permet de suivre leur réponse au traitement médical.

Les analyses microbiologiques ne sont essentielles ni pour le diagnostic ni pour le traitement de la salpingite.

Comme la salpingite siège au niveau des trompes, le clinicien peut difficilement documenter les agents étiologiques au site même de l'infection sans procéder à des manœuvres invasives comme la laparoscopie. Pourtant, il faut plutôt réserver de tels examens aux cas compliqués ou encore lorsque les symptômes cliniques évolutifs l'exigent. Par contre, la recherche de la *N. gonorrhoeae* et de la *C. trachomatis* à l'endocol complète l'examen clinique de salpingite et renseigne le clinicien. Toutefois, des cultures négatives ne doivent pas éliminer la possibilité d'une salpingite. En effet, environ 50 % des cas de salpingite aiguë démontrés par laparoscopie ont des cultures négatives et 14 % des cas de salpingite à *C. trachomatis* prouvés par la culture des trompes ont aussi une culture négative à l'endocol.

Les bactéries aérobies et anaérobies qui peuvent jouer un rôle dans la salpingite doivent être recherchées seulement dans les échantillons non contaminés par la flore vaginale normale. La culture de ces bactéries est réservée aux spécimens laparoscopiques ou per-opératoires et aux spécimens endométriaux prélevés à l'aide d'un système de cathéters doubles introduits par l'orifice du col, le cathéter externe empêchant la contamination du cathéter interne par la flore normale. De plus, il faut placer l'échantillon dans un milieu de transport approprié pour protéger les bactéries anaérobies de l'oxygène de l'air ambiant à moins qu'il ne puisse être acheminé au laboratoire en moins de quinze minutes. En pratique, dans la salpingite, la culture des aérobies et des anaérobies est rarement requise.

Il en va de même pour la recherche des *Mycoplasmas* qui ne sera effectuée que sur des spécimens laparoscopiques ou per-opératoires. D'ailleurs, ces bactéries requièrent un milieu de transport spécifique, différent de celui utilisé pour les anaérobies, et un équipement de laboratoire spécial. Il faut donc s'enquérir des disponibilités locales et des procédures requises avant d'envisager la recherche des *Mycoplasmas*.

Si le questionnaire révèle des facteurs d'exposition à d'autres MTS ou au VIH, il faut compléter l'investigation de laboratoire avec les sérologies appropriées: VDRL, anticorps anti-VIH. Dans ce dernier cas, on recommande un counselling pré- et post-test spécifique auprès de la patiente. Elle doit être bien informée et consentir au test.

Si la patiente est hospitalisée, on complète le bilan des analyses de laboratoire par une évaluation de la fonction rénale avec le dosage de l'azote uréique et de la créatinine. Enfin, si la patiente reçoit un aminoside, on procède au dosage sérique de l'agent antimicrobien habituellement 30 minutes avant et 30 minutes après l'administration de la troisième dose du médicament.

21.6 LA THÉRAPIE CURATIVE ET LA THÉRAPIE PALLIATIVE

Avant de débuter le traitement, le clinicien doit d'abord évaluer la gravité de la situation et décider si l'hospitalisation est nécessaire. En milieu hospitalier, la surveillance médicale est plus serrée et le traitement est administré de préférence par voie parentérale. Voici des critères d'hospitalisation:

— un diagnostic incertain;

— une urgence chirurgicale possible;

— une présomption d'abcès pelvien (masse);

— une patiente enceinte;

— une infection sévère;

— un échec du traitement externe (après 72 heures de traitement);

— un suivi incertain en externe;

— une indication médico-sociale (abus sexuel).

Le traitement antimicrobien s'attaque aux agents étiologiques potentiels et doit être amorcé rapidement. En milieu hospitalier, on administre 2 g de céfoxitine par voie intraveineuse toutes les six heures ou 2 g de céfotétan par voie intraveineuse toutes les douze heures et 100 mg de doxycycline PO toutes les douze heures.

Il faut maintenir ce traitement pendant au moins 48 heures après la défervescence. Si la patiente reçoit son congé, on continue le traitement à la doxycycline 100 mg toutes les douze heures pendant dix à quatorze jours.

On peut aussi choisir d'administrer de la clindamycine 600 mg par voie intraveineuse toutes les huit heures et de la gentamicine 1,7 mg/kg toutes les huit heures. Il faut maintenir ce traitement pendant au moins 48 heures. On doit procéder au dosage sérique de la gentamicine à la troisième dose. Rendue chez elle, la patiente continue le traitement à la doxycycline 100 mg PO toutes les douze heures pour une durée totale de quatorze jours. Ce traitement devient le traitement de choix chez les patientes allergiques à la pénicilline. Chez les femmes qui ne peuvent prendre de la doxycycline, on recommande la clindamycine 300 mg trois fois par jour pour une durée totale de quatorze jours.

On peut traiter les cas moins sévères de salpingite en externe. On recommande alors 2 g de céfoxitine par voie intramusculaire plus 1 g de probénécide PO, ou 250 mg de ceftriaxone par voie intramusculaire plus 100 mg de doxycycline PO toutes les douze heures pendant dix à quatorze jours.

Enfin, pour les patientes qui ne peuvent tolérer ni la doxycycline ni les tétracyclines, on peut utiliser l'érythromycine 500 mg PO toutes les six heures pendant 10 à 14 jours.

Même si seule la laparoscopie permet un diagnostic définitif de salpingite, on réserve cet examen pour les cas suivants:

— un diagnostic clinique incertain;

— la présence d'une masse suspecte;

— l'inefficacité du traitement médical.

En présence d'un abcès tubo-ovarien, il vaut mieux consulter en gynécologie dès le début du traitement afin d'évaluer la nécessité d'une intervention chirurgicale. En général, l'abcès tubo-ovarien guérit plus lentement que la salpingite aiguë non compliquée. Les agents antimicrobiens sont identiques à ceux de la salpingite aiguë. Si après cinq jours de traitement par voie parentérale, on observe une amélioration clinique significative, on peut continuer le traitement par voie orale avec une combinaison de doxycycline 100 mg toutes les douze heures et de métronidazole 500 mg toutes les huit heures. La durée totale du traitement ne doit pas excéder quatorze jours.

Certaines situations cliniques méritent une attention particulière. On recommande l'hospitalisation pour toute femme enceinte atteinte de salpingite aiguë. On recommande aussi de remplacer la doxycycline par l'érythromycine. Cette substitution vaut également pour la femme qui allaite. Si une salpingite modérée ou sévère survient chez une femme qui porte un stérilet, il faut hospitaliser la patiente et retirer le stérilet au moins 24 heures après le début de l'antibiothérapie. Si la patiente présente un tableau clinique indolent, peu symptomatique et une masse unilatérale, l'infection peut être causée par des *Actinomyces sp*. La détection des *Actinomyces sp* par frottis cervical de Papanicolaou est peu spécifique: on retrouve des bactéries embranchées chez près de 5 % des femmes en bonne santé. Le diagnostic d'actinomycose pelvienne se confirme à l'aide de cultures anaérobies de spécimens endométriaux non contaminés par la flore vaginale lors du prélèvement. L'actinomycose pelvienne prouvée bactériologiquement se traite avec la pénicilline cristalline G.

21.7 LA PRÉVENTION ET LE COUNSELLING

L'intervention préventive se fait de deux façons. D'abord, en identifiant les sujets à risque de cervicite et en procédant à leur dépistage systématique, ensuite en limitant les complications des infections pelviennes (voir tableau 21.1, p. 304).

Tableau 21.1 Prévention des complications des infections pelviennes

— Faire un diagnostic rapide et un traitement efficace des salpingites.

— Rechercher et traiter les infections cervicales par chlamydia avant une manipulation intra-utérine (IVG, stérilet, etc.).

— Éviter la pose d'un stérilet chez les nullipares surtout si elles sont exposées aux MTS.

Étant donné la complexité de la pathogénie et la multiplicité des souches de chlamydia, on ne peut espérer la disponibilité à court terme d'un vaccin efficace. Il demeure aussi très important de traiter le ou les partenaires (doxycycline 100 mg deux fois par jour pendant sept jours). Il faut noter que la majorité des partenaires demeurent asymptomatiques. L'attention doit porter sur le traitement plutôt que sur les cultures bactériennes. On recommande d'éviter tout contact sexuel pendant dix jours, sinon il faut au moins utiliser un condom.

21.8 LES CONSIDÉRATIONS DE SANTÉ PUBLIQUE

Au Québec, comme dans d'autres provinces, les infections génitales à *chlamydia* font partie de la liste des maladies à déclaration obligatoire. On désire ainsi faciliter la relance et le traitement des partenaires sexuels et définir de façon plus précise les groupes à risque. Le médecin doit s'assurer que les partenaires sexuels ont été examinés et traités.

Il y a une relation certaine entre les infections pelviennes et l'infertilité. Le degré d'infertilité est proportionnel à la sévérité des infections et à leur nombre. Ainsi, l'incidence d'infertilité après un épisode de salpingite légère est de 6,1 %; cette incidence augmente à 13 % dans le cas d'une salpingite modérée et elle atteint 30 % après un seul épisode de salpingite sévère (voir figure 21.1, p. 305).

Les dommages à l'épithélium tubaire ne sont pas toujours obstructifs, mais ils jouent un rôle étiologique important dans certains cas d'infertilité et de grossesse ectopique. Paradoxalement, une infection aiguë quasi indolore peut entraîner des douleurs chroniques.

Non seulement faut-il éviter les complications d'infections pelviennes, mais il faut aussi briser la chaîne de transmission des MTS en traitant les partenaires asymptomatiques.

Figure 21.1 Pourcentage de femmes présentant un problème en relation avec le nombre de salpingites

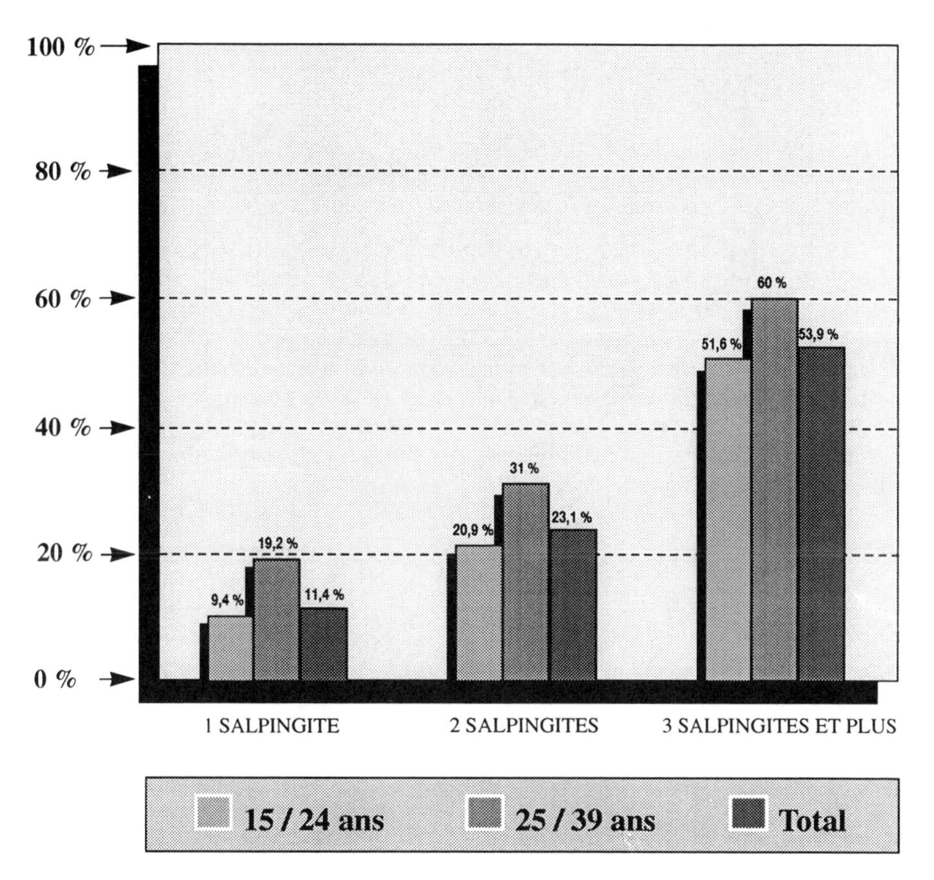

Adapté de Westrom, AJOG 1980.

21.9 LE SUIVI

Il est important d'évaluer l'efficacité du traitement après le premier contrôle de 48 heures ou à la sortie de l'hôpital. Il faut revoir la patiente sept jours plus tard, puis à la fin du traitement. Il faut tâcher d'enrayer complètement les symptômes et faire disparaître toute douleur aussi bien à la mobilisation du col qu'à la pression de l'utérus et des annexes. Toute douleur qui persiste est inquiétante. Un traitement de 10 à 14 jours ne suffit pas toujours à guérir la salpingite. Il faut souvent le prolonger. Lors des visites de contrôle, il faut s'assurer que les partenaires ont bien suivi le traitement afin d'éviter toute nouvelle infection.

Quand une grossesse survient chez une patiente avec des antécédents de salpingite, le clinicien doit s'assurer qu'il ne s'agit pas d'une grossesse ectopique.

Assez souvent, la patiente se plaint d'une douleur pelvienne persistante ou récidivante. Dans ce cas, il faut faire une laparoscopie rapidement et entreprendre un traitement efficace en raison des risques élevés de séquelles à long terme.

Il faut prévenir la patiente du risque de récidive de la salpingite (25 % de risque de récidive après un premier épisode). Cette patiente doit savoir comment se prémunir contre une nouvelle cervicite et une possible salpingite: éviter les MTS, les dispositifs intra-utérins et toute manipulation intra-utérine superflue. On s'explique mal ces nombreuses récidives. Peut-être s'agit-il d'une réinfection par un partenaire non traité ou un nouveau partenaire, d'une persistance de *Chlamydia trachomatis* au niveau des trompes malgré un traitement adéquat, ou encore d'une plus grande vulnérabilité des trompes endommagées aux micro-organismes de la flore du tractus génital inférieur.

22

LES PROCTITES ET LES ENTÉROCOLITES TRANSMISSIBLES SEXUELLEMENT

Christiane Gaudreau et Raymond G. Lahaie

22.1 DÉFINITION

La proctite est une inflammation d'origine infectieuse ou non que l'on retrouve sur les 15 cm distal du côlon, soit au niveau du rectum. Lorsqu'elle atteint aussi le côlon, on parle alors de proctocolite.

L'entérocolite est une inflammation d'origine infectieuse ou non que l'on retrouve à la fois sur le côlon et sur l'intestin grêle. La colite est une inflammation du côlon, et l'entérite, une inflammation de l'intestin grêle.

Il sera question ici des proctites et des entérocolites transmissibles sexuellement chez des patients immunocompétents.

22.2 LES AGENTS ÉTIOLOGIQUES

Les agents étiologiques de la proctite sont: *Neisseria gonorrhoeae*, *Chlamydia trachomatis* non LGV, *Treponema pallidum*, *Herpes simplex* (type II plus fréquent que type I). Ceux de l'entérocolite sont: *Shigella, Campylobacter* surtout *jejuni* subsp. *jejuni, Entamœba histolytica, Giardia lamblia* (entérite seulement). Les trois premiers agents peuvent aussi donner une proctocolite.

22.3 L'ÉPIDÉMIOLOGIE

Il existe peu d'études sur l'incidence des proctites et des entérocolites transmissibles sexuellement. Cependant, des études menées auprès de patients homosexuels révèlent certains faits.

On ne retrouve aucun agent infectieux dans 34 à 42 % des épisodes de proctite. En effet, une proctite traumatique, des fissures, une fistule, un abcès anal, des hémorroïdes ou une proctite allergique peuvent causer des symptômes similaires.

L'agent étiologique le plus fréquent est l'*Herpes simplex* (29 à 30 % des cas). Suivent ensuite *N. gonorrhoeae* (13 à 17 %), *T. pallidum* (11 %), *C. trachomatis* (3 à 15 %) et *E. histolytica* (7 à 9 %).

On retrouve au moins deux pathogènes potentiels dans 11 % des cas de proctite. On peut aussi trouver des *condylomata acuminata* (dus à un papillomavirus) ou des *condylomata lata* (syphilis secondaire).

Chez les hommes homosexuels asymptomatiques, on retrouve au moins un pathogène entérique à l'examen des selles dans 11 à 30 % des cas. La présence de *Neisseria meningitidis* et de tréponèmes autres que *pallidum* au niveau anal ou intestinal est de signification incertaine. Par contre, les *Chlamydia trachomatis* de sérotypes LGV et les *Campylobacter fetus* subsp. *fetus, Helicobacter cinaedi* et *fennelliae* ont été documentés comme des étiologies de proctocolite aux États-Unis. Au Québec cependant, elles ont rarement été recherchées.

Les protozoaires intestinaux non pathogènes, l'*Enterobius vermicularis* et une épidémie de fièvre typhoïde causée par un seul sérotype ont été liés épidémiologiquement à une transmission sexuelle.

Les infections à *Entamoeba histolytica* acquises sexuellement sont moins sévères et donnent rarement lieu à des manifestations extra-intestinales.

22.4 LA PRÉSENTATION DE CAS

Le patient qui présente des symptômes de proctite ou d'entérocolite doit répondre à une série de questions. S'il souffre d'entérite ou d'entérocolite infectieuse, il manifeste habituellement une diarrhée prédominante et des crampes abdominales.

Une forte fièvre ou du sang dans les selles révèle une infection entéro-invasive comme celle que l'on rencontre avec *Shigella* ou *Campylobacter*, par exemple.

La *Giardia lamblia* symptomatique peut causer une diarrhée non sanglante et sans fièvre et présenter des symptômes non spécifiques de type entérocolopathie fonctionnelle.

Le ténesme, un écoulement anal sanglant ou purulent, une douleur anorectale et des modifications d'évacuation des selles sont des symptômes plus spécifiques d'une proctite.

L'*Herpes simplex* peut causer une proctite, principalement lors d'une primo-infection. Le patient peut alors présenter une dysurie ou une rétention urinaire, une paresthésie sacrée, une douleur anorectale sévère associées à de la fièvre et à des adénopathies inguinales.

L'évaluation médicale d'un patient souffrant de proctite ou d'entérocolite doit se faire à partir d'un questionnaire épidémiologique incluant les comportements sexuels. La transmission sexuelle de ces infections a été particulièrement documentée chez les hommes homosexuels ayant un contact oro-anal direct ou indirect tel que:

— l'anilingus (relation oro-anale);

— la relation oro-génitale suivant une relation génito-anale;

— la transmission par du matériel souillé lors de douches, d'irrigation du côlon ou de manipulation rectale (l'importance de ces modes de transmission n'est cependant pas bien établie); ou

— la relation génito-anale avec plusieurs partenaires.

Par ailleurs, la prévalence élevée des microbes pathogènes dans cette population, les partenaires multiples ou inconnus, des infections rectales ou oropharyngées asymptomatiques fréquentes et des traumatismes rectaux relativement fréquents constituent les principaux facteurs liés à la transmission de ces infections.

Les hétérosexuels peuvent aussi contracter des pathogènes entériques par anilingus. Les femmes peuvent développer une proctite après une relation génito-anale, mais cette infection peut également être associée à une propagation à partir d'un foyer génital contigu.

Ces patients doivent subir un examen physique complet. Il faut vérifier la température, déceler les complications abdominales de l'entérocolite (mégacôlon toxique, perforation, etc.), les signes de déshydratation (en présence d'entérocolite) et les lésions orales, génitales ou périanales. L'examen de la région anale, accompagné d'un toucher rectal et d'un examen endoscopique s'il y a lieu, complète l'examen clinique (les prélèvements au niveau de l'anus doivent être faits avant d'utiliser un lubrifiant).

22.5 L'ÉVALUATION BIOLOGIQUE

En plus du bilan initial, du bilan de MTS complémentaire et du bilan d'un état fébrile (si tel est le cas), le bilan d'une proctite comprend aussi la recherche de *Neisseria gonorrhoeae* au niveau de la gorge, de l'urètre et de l'anus, de *Chlamydia trachomatis* au niveau de l'anus et de l'urètre et de l'*Herpes simplex* au niveau de l'anus.

On peut faire une coloration de Gram à partir d'un exsudat purulent anal pour rechercher les polymorphonucléaires et les diplocoques Gram négatif intracellulaires. Cependant, un tel examen s'avère souvent difficile à interpréter.

Un Tzanck test peut servir à reconnaître des cellules géantes multinucléées à partir de lésions périanales qui laissent supposer une infection herpétique.

Un fond noir peut être fait à partir d'un ulcère suspect. Cependant, la spécificité de ce test est relative à cause de la présence de tréponèmes non pathogènes dans l'intestin.

Le bilan d'une proctocolite ou d'une entérocolite comprend deux cultures et trois recherches de parasites sur des selles fraîches ou soumises dans des milieux de transport adéquats; l'état frais pour la recherche de trophozoïtes de *Giardia lamblia* ou d'*Entamoeba histolytica* n'est fait que sur des selles liquides moins de 30 minutes après la défécation.

L'endoscopie digestive, haute ou basse, est indiquée pour le diagnostic étiologique des entérocolites ou des proctites transmissibles sexuellement lorsque l'investigation initiale est négative et que le patient demeure symptomatique. L'endoscopie haute est utile pour obtenir des échantillons de sécrétions et de biopsies duodénales pour la recherche de *Giardia lamblia* ou d'une autre pathologie pouvant expliquer la diarrhée chronique. L'anuscopie ou la rectosigmoïdoscopie permettent d'obtenir des prélèvements et des biopsies utiles pour servir à des études à l'état frais, pour une culture et une histologie. Dans certains cas, l'aspect macroscopique des lésions peut être pathognomonique (herpès, LGV, syphilis, amibiase).

22.6 LA THÉRAPIE CURATIVE OU PALLIATIVE

Il faut entreprendre une thérapie antibiotique ou antivirale selon les agents pathogènes qui causent la proctite ou l'entérocolite.

Tableau 22.1

	1er CHOIX	2e CHOIX
*Neisseria gonorrhoeae**	Ceftriaxone 250 mg IM	Céfixime 800 mg PO Ciprofloxacine 500 mg PO***** Ofloxacine 400 mg PO*****
Chlamydia trachomatis	Doxycycline***** 100 mg PO bid × 7 j	Érythromycine 500 mg PO qid × 7 j
Syphilis primaire	Pénicilline G benzathine 2,4 millions U IM	Doxycycline 100 mg PO bid × 14 j***** ou Ceftriaxone 250 mg IM die × 10 j****** ou Erythromycine 500 mg PO qid × 14 j
*Herpes simplex*** Infection sévère	Acyclovir 800 mg PO tid × 7-10 j Acyclovir 5 mg/kg IV q 8 h × 5-7 j	Acyclovir 400 mg PO 5 fois/j × 7-10 j
Giardia lamblia	Métronidazole 250 mg PO tid × 5 j	Quinacrine HCL 100 mg PO tid × 5 j
Entamoeba histolytica asymptomatique	Iodoquinol 650 mg PO tid × 20 j	Diloxanide furoate 500 mg PO tid × 10 j
Infection intestinale	Métronidazole 750 mg PO tid × 10 j suivi de Iodoquinol 650 mg PO tid × 20 j	

Tableau 22.1 (*suite*)

	1er CHOIX	2e CHOIX
Shigella	Triméthoprime-sulfaméthoxazole 160/800 (1 co. DS) bid × 3-5 j	Ampicilline *** 500 mg PO qid × 3-5 j Ciprofloxacine 500 mg bid PO × 3-5 j
Campylobacter jejuni subsp. *jejuni*	Érythromycine 250 mg PO qid × 5 j	Ciprofloxacine**** 500 mg PO bid × 5 j

* Lors du traitement d'une telle infection, il faut toujours ajouter un traitement contre la *Chlamydia trachomatis*.

** Ce diagnostic ne doit pas être retenu sur un simple résultat de culture, mais doit être confirmé par l'histologie ou fortement suggéré par l'examen clinique.

*** Si la sensibilité *in vitro* a été démontrée.

**** Le développement de résistance à la ciprofloxacine par *C. jejuni* subsp. *jejuni* a été décrit par plusieurs auteurs. Dans ce contexte, l'échec microbiologique est fréquent.

***** Contre-indiquées chez les femmes enceintes et celles qui allaitent.

****** Certaines autorités sont réticentes à recommander cette alternative.

Les entérocolites nécessitent un traitement de support qui consiste à compenser les pertes en eau et en électrolytes et à suivre une diète de gastro-entérite. Un traitement antibiotique antibactérien s'impose si le patient est sévèrement malade ou pour une raison épidémiologique. Un traitement antiparasitaire approprié est indiqué pour les infections à *Giardia lamblia* et *Entamoeba histolytica.*

22.7 LA PRÉVENTION

Toute personne à risque de MTS doit subir un examen médical même si elle est asymptomatique. Elle peut bénéficier d'un traitement approprié des infections transmissibles sexuellement le cas échéant.

Le patient atteint de proctite ou d'entérocolite doit s'abstenir de relations sexuelles tant que des tests de contrôle ne démontrent pas que tout danger de contamination est écarté.

L'abstinence ou une relation stable avec un partenaire non infecté demeurent les meilleurs moyens de prévenir la transmission des MTS.

L'utilisation adéquate de condoms de latex (ou de digue [*dam*] dentaire pour les relations oro-anales), d'un lubrifiant hydrosoluble et d'un spermicide tel que le nonoxynol-9 lors de relations sexuelles avec un partenaire possiblement infecté diminuent le risque de transmission des MTS.

22.8 LES CONSIDÉRATIONS DE SANTÉ PUBLIQUE

Les considérations de santé publique relatives aux infections à *Neisseria gonorrhoeae,* à *Chlamydia trachomatis,* au *Treponema pallidum* (syphilis) et à l'*Herpes simplex* ont été discutées dans les chapitres précédents.

Au Québec, les infections à *Shigella,* à *Campylobacter,* à *Giardia lamblia* et à *Entamoeba histolytica* sont des infections à déclaration obligatoire. Il faut rechercher les contacts sexuels des patients infectés.

22.9 LE SUIVI

Il faut revoir le patient qui souffre de proctite ou d'entérocolite infectieuse transmissible sexuellement afin de s'assurer de la fidélité au traitement et de son efficacité clinique et microbiologique. Ces visites permettent aussi de discuter avec le patient de la prévention des MTS et de la recherche de ses contacts sexuels.

BIBLIOGRAPHIE

1. FRIEDMAN, S.L. et OWEN, R.L. «Intestinal diseases sexually transmissible in immunocompetent patients». In: *Gastrointestinal Disease*, Philadelphie, W.B. Saunders, 1989, p. 1257-1280.

2. La Lettre médicale, «Traitement médicamenteux des maladies sexuellement transmissibles». New York, 1992, p. 91-96.

3. MASUR, H. «Infections in homosexual men». *Principles and Practice of Infectious diseases.* New York, Churchill Livingstone, 1990, p. 2280-2284.

QUATRIÈME PARTIE

ASPECTS ÉPIDÉMIOLOGIQUES SPÉCIAUX

23

LES MTS, L'AVORTEMENT ET LA CONTRACEPTION

Édith Guilbert, Louise Charbonneau et Jean V. Guimond

23.1 DÉFINITION

Les grossesses non désirées et les maladies transmissibles sexuellement présentent certaines similitudes. Les unes et les autres résultent de relations sexuelles. Elles peuvent s'accompagner de symptômes et de complications, et même provoquer de l'anxiété et un état dépressif. Elles requièrent donc une intervention rapide, efficace, empathique et lucide.

Le dépistage des maladies transmissibles sexuellement occupe une place importante dans la pratique de la planification familiale. De même, la contraception et l'avortement préoccupent de plus en plus les personnes qui travaillent à la prévention des MTS et du sida.

23.2 LES AGENTS ÉTIOLOGIQUES

Tous les agents transmissibles sexuellement peuvent être en cause ici.

23.3 L'ÉPIDÉMIOLOGIE

L'utilisation de la contraception par 68,4 % des Canadiennes de 18 à 49 ans (1984) et par 74,9 % des Québécoises mariées de 18 à 49 ans (1984) est en fait sans doute une pratique fort répandue dans notre société. Cependant, au Québec, le nombre de grossesses non désirées reste encore élevé si l'on considère le nombre grandissant d'avortements qui y sont pratiqués. Chaque année, on compte 25 000 avortements, soit un taux d'environ 14 avortements pour 1 000 femmes de 15 à 44 ans. De ce nombre, 80 % ont moins de 30 ans et une sur cinq a moins de 20 ans. Le taux d'avortement le plus élevé se retrouve chez les femmes de 18 à 24 ans, nullipares et célibataires. Elles représentent aussi la clientèle qui court le plus de risques de contracter une MTS.

Ainsi, les prévalences de la gonococcie et de l'infection à *Chlamydia* pour les femmes qui fréquentent des cliniques de planification familiale ou d'avortement varient respectivement de 0,6 % à 1,6 % et de 5,3 % à 15,9 %. En 1983-1984, on a observé des prévalences de gonococcie et de *Chlamydia* de 0,6 % et de 5,3 % chez les femmes qui ont consulté pour un avortement à la clinique de planification des naissances (CPN) du Centre hospitalier de l'Université de Sherbrooke (CHUS). En 1985-1986, ces prévalences étaient de 0,9 % et de 11,4 % chez une même clientèle à la CPN du Centre hospitalier de l'Université Laval (CHUL) et, en 1988-1990, elles étaient de 0,1 % et 5,4 %.

Dans une clinique d'avortement de Montréal (associée aux CLSC Centre-ville, Centre-Sud et à la Clinique des jeunes Saint-Denis), fréquentée par des femmes de 21 ans et demi en moyenne, la prévalence de l'infection à *Chlamydia* était de 11,7 % en 1987 et de 6,9 % en 1990, celle de la gonococcie était de 0,5 % en 1990.

Aux États-Unis, la prévalence du virus de l'immunodéficience humaine (VIH) chez les femmes qui consultent dans les cliniques de planification familiale ou d'avortement a fait l'objet d'études récentes : elle varie de 0,0 à 15,5 cas pour 1 000 femmes. Une étude réalisée à la CPN de l'Hôpital général de Montréal montre une séroprévalence de 2,2 cas pour 1 000 femmes.

Les prévalences des autres MTS dans les CPN du Québec ne sont pas connues.

23.4 LA PRÉVENTION ET LE COUNSELLING

Qu'il s'agisse de la prévention des infections pelviennes, du choix de l'avortement par les femmes enceintes porteuses du VIH ou des mesures particulières à adopter face à certaines MTS lors d'un avortement ou après, la préoccupation des maladies transmissibles sexuellement est inhérente à la pratique de l'avortement.

23.4.1 La prévention de l'infection pelvienne

L'infection pelvienne *post abortum* survient chez 0,46 % à 10,8 % des femmes. Ces proportions varient selon la définition de l'infection pelvienne retenue, le type de clientèle, les techniques utilisées et le suivi post-avortement. Dans les CPN du CHUS et du CHUL, on a rapporté des proportions d'infection pelvienne *post abortum* de 5 % en 1983-1984 et de 4,8 % en 1985-1986. Dans la clinique d'avortement de Montréal précitée, 3,6 % des femmes ont présenté des signes d'infection pelvienne *post abortum.*

Le risque d'infection pelvienne *post abortum* est faible, mais il revêt un caractère très sérieux surtout lorsque l'on considère que l'avortement est souvent pratiqué chez des femmes jeunes qui désirent préserver leur fertilité. De plus, l'infection pelvienne augmente le risque de grossesse ectopique, d'infertilité et de symptômes gynécologiques (douleurs ou saignements anormaux).

Plusieurs études ont évalué les bénéfices d'une antibioprophylaxie avant, pendant ou après l'avortement comme moyen de prévenir les infections pelviennes. Le tableau 23.1 décrit les facteurs de risque d'infections pelviennes *post abortum.* À titre d'exemple, on rapporte cinq fois plus d'infections pelviennes *post abortum* chez les femmes porteuses d'infection à *Chlamydia.*

Tableau 23.1 Facteurs de risque d'infection pelvienne post-avortement

- Femme de moins de 24 ans
- Nulliparité
- Plus d'un partenaire sexuel dans la dernière année
- Infection pelvienne antérieure
- MTS à *Chlamydia trachomatis* ou à *Neisseria gonorrhoeae*
- Culture cervicale positive pour *Chlamydia trachomatis* ou *Neisseria gonorrhoeae*
- âge gestationnel avancé
- vaginite récente

Plusieurs approches prophylactiques ont été étudiées pour prévenir ces infections. Le tableau 23.2 résume celles qui sont recommandées.

Tableau 23.2 Antibiotiques efficaces pour la prévention de l'infection pelvienne post-avortement

Doxycycline	100 mg PO 1 h avant avortement et 200 mg PO 30 min après avortement
ou	
Tétracycline/ Érythromycine	1,5 g PO 2-3 h avant avortement et 500 mg PO q 6 h × 4 j après avortement
ou	
Pénicilline G et pivampicilline	4 millions U IM avant avortement 300 mg PO q 8 h × 4 j après avortement

Ces différents régimes prophylactiques se sont montrés particulièrement efficaces chez les femmes les plus à risque d'infection pelvienne. Ainsi, dans l'étude réalisée à la CPN du CHUL, la doxycycline a diminué le risque d'infection pelvienne de 87 % chez toutes les femmes et de 86 % chez les femmes nullipares qui avaient eu plus d'un partenaire sexuel dans l'année précédant l'avortement ou qui avaient déjà été porteuses d'une MTS à *Neisseria gonorrhoeae*.

Cependant, certains facteurs comme le développement de la résistance, les effets indésirables, l'accessibilité et le coût doivent restreindre l'usage systématique de l'antibioprophylaxie. Il vaut mieux réserver cette pratique à certains groupes cibles.

Un dépistage systématique de la gonococcie (culture spécifique) et de l'infection à *Chlamydia* (test d'immunofluorescence ou immuno-enzymatique) chez toutes les femmes qui demandent un avortement peut servir de référence pour la prévention de l'infection pelvienne *post abortum* (tableau 23.3).

On recommande une antibioprophylaxie plus longue (tétracycline 1,5 g 2-3 h avant avortement et 500 mg q 6 h × 4 jours après avortement) chez les femmes qui subissent un avortement par dilatation-évacuation ou par induction médicale. Au Québec, certains médecins qui pratiquent des avortements au deuxième trimestre de la grossesse recourent à l'antibioprophylaxie lorsque des tiges laminaires doivent être insérées plus de 24 heures avant l'intervention.

Tableau 23.3

TESTS POSITIFS	TESTS NÉGATIFS
	mais
traitement systématique avec antibiothérapie appropriée	groupe cible:
	+ infection pelvienne antérieure
+	+ antécédents de MTS à *Neisseria gonorrhoeae* ou à *Chlamydia*
traitement des contacts	+ nulliparité et plus d'un partenaire sexuel au cours de la dernière année
	= traitement préventif
LORS DE L'AVORTEMENT:	
doxycycline 100 mg 1 h avant avortement et 200 mg 30 min après avortement avec un peu de nourriture ou de liquide	

Enfin, il est essentiel de fournir aux femmes qui viennent d'avoir un avortement des informations sur les symptômes d'infection pelvienne et sur l'accessibilité de services cliniques en cas de problèmes.

23.4.2 L'avortement et le VIH

Les avis sont partagés sur les risques que comporte une grossesse chez les femmes porteuses du VIH. Ces risques semblent nettement moins grands que ce que l'on a d'abord cru. La possibilité de transmettre l'infection de la mère à l'enfant varie selon les études de 10 à 30 %. Les raisons pour lesquelles des femmes séropositives choisissent de devenir enceintes sont souvent très émotives et probablement liées à l'instinct de survie et au besoin de se reproduire.

Il n'est donc pas indiqué de conseiller systématiquement à une femme enceinte séropositive d'interrompre sa grossesse. Si elle opte pour un avortement, les précautions à suivre sont les mêmes que pour tout autre type d'intervention.

Cependant, il faut accorder une attention particulière au dépistage des autres MTS chez certaines femmes non porteuses du VIH dont les comportements sont plus à risque parce qu'il arrive fréquemment qu'une autre infection génitale serve de porte d'entrée au VIH.

23.4.3 L'avortement et les autres MTS

La présence de lésions ulcératives (syphilis, herpès) dans la sphère génitale ne constitue pas une contre-indication en soi à la pratique de l'avortement. Cependant, pour le confort de la femme, il est préférable de retarder l'intervention. La douleur des lésions de la primo-infection herpétique en particulier justifie la remise de l'intervention, d'autant plus que le traitement précoce avec l'acyclovir permet d'abréger la phase ulcérative.

La présence de condylomes à la vulve, au vagin ou au col de l'utérus ne sont pas non plus des contre-indications à l'avortement. Ils sont en général plus faciles à traiter lorsque la grossesse est terminée. En présence de condylomes cervicaux, macroscopiques ou microscopiques, il est préférable de pratiquer l'examen colposcopique six à huit semaines après l'avortement. En effet, la dilatation cervicale lors de l'avortement peut rendre difficile la visualisation des lésions.

L'infection à *Trichomonas* devrait être traitée avant l'intervention pour des raisons de confort.

En cas d'hépatite B en phase active, si l'avortement ne peut être retardé en raison du temps de gestation, on peut le pratiquer quand même. En effet, les risques sont minimes puisqu'il s'agit d'une intervention de très courte durée qui ne nécessite qu'une anesthésie locale.

23.5 LA CONTRACEPTION ET LES MTS

Comme les méthodes contraceptives ont une influence sur la transmission et la propagation des MTS, on doit les prescrire en tenant compte non seulement du risque de grossesse, mais aussi du risque de MTS.

Notons que l'efficacité d'une méthode contraceptive est toujours évaluée en fonction de son utilisation optimale et de son utilisation réelle. Le potentiel de protection contre les MTS doit aussi tenir compte de cette réalité.

Les méthodes contraceptives seront décrites ici en fonction de leur effet sur les MTS.

23.5.1 Les contraceptifs oraux

La contraception orale s'avère la méthode la plus efficace et la plus sûre pour les jeunes femmes en bonne santé. Cependant, on constate que la prise d'anovulants incite à négliger l'utilisation du condom.

Les anovulants contiennent peu d'œstrogènes et pourraient ainsi contribuer à maintenir l'ectropion cervical chez l'adolescente, augmentant du même coup le risque de MTS, en particulier la gonococcie et l'infection à *Chlamydia* parce que la fragilité de l'épithélium cylindrique en favorise la pénétration.

L'épaississement du mucus cervical et la diminution du flot menstruel, de la motilité des trompes et de la contractilité de l'utérus chez les femmes qui prennent des anovulants pourraient permettre de retarder ou d'empêcher l'ascension des bactéries vers les trompes et diminuer d'autant les risques d'inflammation pelvienne.

23.5.2 Le stérilet

Le stérilet n'est pas indiqué lorsqu'il y a un risque de MTS. En effet, il agit à la manière d'un corps étranger qui occupe la cavité utérine et qui se prolonge au col et au vagin par des fils, favorisant ainsi l'ascension des bactéries vers les trompes. De plus, le stérilet augmente le flot menstruel, la contractilité de l'utérus et la motilité des trompes. Il est donc particulièrement contre-indiqué chez les femmes de moins de 25 ans en raison de la prévalence de l'infection à *Chlamydia* et chez les nullipares qui n'ont pas un partenaire stable.

Le risque de salpingite est deux ou trois fois plus élevé chez une femme atteinte de MTS qui porte un stérilet.

La présence d'actinomycètes, habituellement identifiés au test de Pap chez la femme qui porte un stérilet depuis quelques années, mérite d'être bien évaluée parce que ces bactéries anaérobies sont considérées comme un facteur de risque pour une endométrite, une infection pelvienne et même un abcès tubo-ovarien. Chez la femme asymptomatique, on recommande d'enlever le stérilet et de le remplacer seulement après un contrôle négatif. La pénicilline est l'antibiotique de choix pour le traitement des actinomycètes.

23.5.3 Les méthodes barrières

23.5.3.1 Le diaphragme et la cape cervicale

Parce qu'elles recouvrent le col de l'utérus, ces méthodes offrent une bonne protection contre les infections à gonocoques et à *Chlamydia*. L'ajout habituel d'un spermicide peut augmenter cet effet protecteur.

Cependant, cette protection ne couvre ni le vagin ni la vulve et s'avère donc inefficace contre l'herpès, les condylomes et le *Trichomonas*. De plus, si la gonococcie est associée au *Trichomonas*, ce parasite pourrait contenir des gonocoques qui seront alors transmis au col lors du retrait du diaphragme ou de la cape.

Rappelons que ces méthodes sont utilisées avant tout pour la contraception et beaucoup de femmes ne s'en servent qu'à la période ovulatoire; elles se retrouvent donc sans protection contre les MTS pendant une bonne partie du cycle, en particulier à la période menstruelle.

23.5.3.2 Le condom

Le condom, utilisé adéquatement, offre un haut niveau de protection contre les MTS et le VIH en plus d'être un excellent moyen contraceptif. Cependant, chez les personnes qui ont tendance à multiplier les comportements à risque, l'utilisation du condom est habituellement irrégulière et son efficacité en est d'autant diminuée. Ainsi, le taux d'efficacité contraceptive optimal de 90 % tombe à 85 % et moins chez certaines utilisatrices.

Le condom ne protège pas la région vulvaire où peuvent se transmettre les condylomes et les lésions ulcératives. Les contacts oraux-génitaux non protégés par le condom peuvent également favoriser plusieurs types d'infections.

Le condom féminin fait de polyuréthane couvre une plus grande surface à la vulve et offre ainsi une meilleure protection. Il a été évalué surtout en fonction de son efficacité contre les MTS et le sida, mais, utilisé correctement, il devrait être tout aussi efficace comme contraceptif. Il offre deux avantages de plus que le condom masculin: le polyuréthane est plus résistant que le latex et le retrait rapide après l'éjaculation n'est pas nécessaire puisque la position du sac à l'intérieur du vagin demeure inchangée. Cependant, ses dimensions peuvent rebuter certaines femmes, en particulier les adolescentes lors de leurs premiers contacts sexuels.

23.5.4 Les spermicides

Les produits spermicides sont reconnus pour augmenter l'efficacité des méthodes contraceptives barrières. Commercialisés sous forme d'ovule, de gelée, de crème, de film soluble, de tablette moussante ou d'éponge, ils comprennent le plus souvent le nonoxynol-9 ou le chlorure de benzalkonium.

In vitro, ces deux produits se sont montrés bactéricides ou virucides contre *Neisseria gonorrhoeae*, *Chlamydia trachomatis*, *Mycoplasma*, *Trichomonas*, *Treponema pallidum*, l'hépatite B, l'herpès et le VIH. *In vivo*, plusieurs études ont montré une action protectrice du nonoxynol-9 contre *Neisseria gonorrhoeae* et, dans une moindre mesure, contre *Chlamydia trachomatis*. Aucune étude expérimentale ne décrit l'influence *in vivo* du chlorure de benzalkonium sur ces bactéries, ni l'effet des deux types de spermicides *in vivo* sur les virus transmissibles sexuellement.

L'utilisation du nonoxynol-9 augmente le risque de développer des vaginites à *Candida* et des ulcérations génitales. Des vaginites allergiques peuvent survenir avec les deux produits et les réactions cutanées locales pourraient peut-être constituer une porte d'entrée pour certains virus.

23.6 LES AUTRES MÉTHODES CONTRACEPTIVES

Plusieurs femmes ont recours au coït interrompu ou aux pénétrations orales et anales dans un but contraceptif.

Le coït interrompu demeure encore probablement la méthode contraceptive la plus utilisée par les femmes de tous âges. Il minimise les risques de grossesse et comme le sperme ne vient pas en contact avec le col de l'utérus, il peut diminuer les risques de contamination au virus de l'hépatite B et au VIH. Cependant, le coït interrompu n'empêche en rien la transmission des pathologies par contact direct, tels les condylomes, l'herpès, la syphilis ou l'écoulement urétral dans la gonococcie et la *Chlamydia*.

Plusieurs femmes (de 10 % à plus de 20 %) ont des pénétrations anales souvent dans un but contraceptif et la plupart du temps sans protection. Enfin, certaines adolescentes s'initient à la prostitution par des contacts oraux non protégés.

BIBLIOGRAPHIE

1. GUILBERT, E. «Les femmes et l'avortement : revue de littérature». Cahier 44, Groupe de recherches multidisciplinaires féministes, Université Laval, 1991, 101 p.

2. HATCHER, R., STEWART, F., TRUSSEL et al. *Contraceptive Technology Update*. 15th Revised Edition, Irvington Publishers Inc., New York, 1990-1992, 621 p.

3. «La consultation fait toute la différence». *Population Reports*, Série J, no. 35, John Hopkins University, 1987.

4. LEVALLOIS, P., RIOUX, J.E., COTÉ, L. «Chlamydial infection among females attending an abortion clinic : Prevalence and risk factor». *Canadian Medical Association Journal*, 137: 33-37, July 1, 1987.

5. LEVALLOIS, P., RIOUX, J.E. «Prophylactic antibiotics for suction curettage abortion : Results of a clinical trial». *Amerian Journal of Obstetrics and Gynecology*, 158(1): 100-105, January 1988.

6. REMIS, R.S., EASON, E.L. et al. «Prevalence and determinants of HIV infection among women undergoing an abortion in Montréal, Québec, Canada». Poster Presentation, VIth International Conference on Aids, San Francisco, California, USA, June 1990.

7. WENER, M.J., BIRD, F.M. «Contraception and sexually transmitted diseases in adolescent females». Mini Review. *Adolescent and Pediatric Gynecology*. 3: 127-136, 1990.

8. HANKINS, C. «Les femmes et la grossesse». *Le sida : un nouveau défi médical*. Éd. AMLFC, 1990, p. 186-192.

9. DECHÊNE, G. «Le choix d'un contraceptif : pas si simple». FMOQ, 1987.

10. «Role of contraceptives in the prevention of sexually transmitted diseases». *The Contraceptive Report*, March 1992.

11. SERFATY, D. «Infections génitales de la femme et moyens de contraception». *Les MTS*. Éd. EDISEM Inc., 1990, p. 109-113.

12. RADFORD, J.L., KING, A.J.C. et al. «Les jeunes des rues».

24

LES MTS ET LES AGRESSIONS À CARACTÈRE SEXUEL

Nancy Haley et Danielle Rousseau

24.1 DÉFINITION

Une agression à caractère sexuel (ACS) est un acte de violence, de domination, d'humiliation au cours duquel des attitudes, des paroles ou des gestes à connotation sexuelle sont imposés en utilisant l'intimidation, le chantage, la violence verbale, psychologique ou physique.

Les victimes d'une ACS risquent de contracter une maladie transmissible sexuellement par le contact des muqueuses ou les attouchements contaminés par des sécrétions. C'est d'ailleurs une conséquence fréquente des agressions sexuelles.

24.2 LES AGENTS ÉTIOLOGIQUES

Les victimes d'ACS peuvent être déjà porteuses d'une MTS, comme toute personne active sexuellement, mais il existe un risque non négligeable de contracter une MTS lors d'une agression. Le tableau 24.1, tiré des études américaines de C. Jenny révèle les agents étiologiques les plus fréquemment rencontrés.

Tableau 24.1 Risque de contracter une MTS après une ACS chez l'adulte

Agent étiologique	Risque d'infection après une ACS
Neisseria gonorrhoeae	4,2 %
Chlamydia trachomatis	1,5 %
Trichomonas vaginalis	12,3 %

Lors d'une agression, la transmission de certains virus (herpès, condylomes, hépatite B et VIH) est moins fréquente que celle des autres MTS, mais ces infections ont quand même été rapportées chez des victimes de tous âges. Le risque d'infections plus rares comme le chancre mou et le lymphogranulome vénérien n'a pas encore été évalué.

Le dépistage systématique des MTS chez l'enfant victime d'ACS n'est pratiqué que depuis quelques années. La gonococcie et la chlamydia semblent être les infections les plus fréquentes chez l'enfant.

24.3 L'ÉPIDÉMIOLOGIE

24.3.1 L'agression à caractère sexuel

Au Québec, comme partout en Amérique du Nord, l'agression à caractère sexuel est fréquente. La prévalence de ce crime n'est pas connue puisque la majorité des victimes et de leurs familles préfèrent garder l'anonymat et ne demandent pas l'aide des différents services disponibles. Au Canada, en 1984, le rapport Badgley a révélé que 22 % des femmes et 11 % des hommes ont déjà été victimes d'une agression sexuelle ou d'une tentative d'agression. D'autres études canadiennes et américaines rapportent des résultats similaires.

24.3.2 Les MTS après une agression sexuelle

Le risque de MTS après une ACS est lié au nombre d'assaillants, aux comportements à risque de l'agresseur, au type et à la fréquence des contacts sexuels. L'incidence et le type d'infection reflètent aussi la prévalence des infections dans la communauté.

Chez l'enfant, le risque d'une MTS après une ACS varie aussi selon l'âge et le type d'agression (attouchements ou pénétration) et selon qu'il s'agit d'agression sexuelle intrafamiliale ou extrafamiliale.

24.3.3 Les modes de transmission des MTS chez l'enfant

Chez l'enfant, il existe trois modes de transmission des MTS : périnatale, non sexuelle et sexuelle. Il est parfois très difficile de déterminer le mode exact de transmission.

24.3.3.1 La transmission périnatale

La possibilité de transmission périnatale doit être évaluée chez tout enfant de moins de trois ans. Plusieurs micro-organismes, comme la *Neisseria gonorrhoeae*, la *Chlamydia trachomatis*, le *Trichomonas vaginalis*, le *Treponema pallidum*, le virus du papillome humain (VPH), l'Herpès simplex et le VIH peuvent se transmettre *in utero* ou lors de l'accouchement.

Certaines de ces infections peuvent demeurer asymptomatiques pendant des mois, voire des années. La *Chlamydia trachomatis*, par exemple, peut demeurer latente jusqu'à un an ou plus dans le vagin et le rectum et de deux à trois ans dans l'oropharynx. La période de latence du VPH n'est pas bien établie, mais peut probablement atteindre cinq ans, tandis que l'infection à VIH chez l'enfant peut demeurer latente jusqu'à huit ans après sa transmission. Comme il est souvent difficile d'obtenir des informations précises chez ces jeunes patients, le médecin traitant doit considérer qu'il s'agit soit de transmission périnatale ou d'agression, et l'évaluation de la famille devient alors nécessaire.

24.3.3.2 La transmission non sexuelle

Certaines MTS comme le *molluscum contagiosum*, le condylome et l'herpès peuvent être acquises par auto-inoculation ou par contact intime non sexuel (partage des bains, utilisation des mêmes serviettes, etc.). Ce mode de transmission demeure cependant rare chez les enfants prépubères, et il faut considérer la possibilité d'abus sexuel.

24.3.3.3 La transmission sexuelle

Le diagnostic d'une MTS hors de la période néonatale suggère une agression sexuelle qui mérite un examen médical complet et une recherche approfondie des circonstances pour tenter de déceler d'autres signes d'agression ou de négligence. Puisqu'il existe souvent des infections concomitantes et asymptomatiques, il est important de procéder au dépistage des autres MTS chez l'enfant lorsque le clinicien suspecte un abus sexuel.

24.4 LA PRÉSENTATION CLINIQUE

24.4.1 L'approche

L'approche des intervenants (policier, médecin, travailleur social, etc.) face à une victime d'ACS a un impact très important tant au niveau de sa collaboration que de sa santé mentale et de son évolution. La personne agressée mérite d'être traitée avec respect et empathie. La victime doit reprendre le contrôle de la situation. Il est essentiel de l'informer de la démarche clinique et de s'assurer de son accord lors de l'entrevue et de l'examen. La victime d'une agression sexuelle récente doit être vue aussitôt qu'elle se présente à l'hôpital, car elle est en état de choc. Le prélèvement de sperme à l'état frais doit être réalisé dans les plus brefs délais et l'enquête policière doit se poursuivre après la visite à l'hôpital. L'intervention de crise comprend un service psychosocial, médical et médico-légal complet lors de l'évaluation initiale et du suivi.

24.4.2 L'évaluation médicale

L'évaluation médicale a pour but de maintenir la santé alors que l'évaluation médico-légale vise plutôt à documenter la nature des actes sexuels et des actes de violence subis et à identifier l'agresseur. Il existe un protocole d'intervention médicale pour les personnes qui ne désirent pas porter plainte ou qui sont indécises; ce formulaire se trouve dans une pochette de la trousse médico-légale. Un questionnaire bien rédigé, un bon examen physique et, s'il y a lieu, un échantillon de sperme à l'état frais constituent les éléments de preuve les plus importants. La victime peut toujours porter plainte plus tard, mais l'enquête policière est alors moins efficace et la crédibilité de la victime moins grande.

Si la victime désire porter plainte, il faut utiliser la trousse médico-légale. Elle contient un formulaire dont une copie demeure au dossier ainsi que tout le matériel nécessaire aux prélèvements. De plus la chaîne de transmission des prélèvements de l'urgence jusqu'au laboratoire de police scientifique est assurée, de sorte que les résultats des tests effectués proviennent hors de tout doute de la victime. La démarche à suivre est résumée au tableau 24.2.

Tableau 24.2 Évaluation initiale d'une ACS

ÉVALUATION MÉDICALE :

— description de l'état psychique;
— description des marques de violence et évaluation des blessures;
— dépistage des MTS;
— dépistage et prévention de la grossesse s'il y a lieu;
— état frais pour recherche de sperme s'il y a lieu;
— autres investigations selon les signes et symptômes.

TROUSSE MÉDICO-LÉGALE :

— agression remonte à moins de 72 heures;
— victime donne son consentement à la poursuite judiciaire.

24.4.3 L'histoire médicale

L'histoire médicale cherche à recueillir certaines données concernant:

1. l'agression : la date, l'heure, les circonstances, le type de violence (violence verbale, violence physique, assaillant armé, etc.), les actes sexuels subis;
2. l'agresseur : le sexe, le nombre, le lien avec la victime, les facteurs de risque de MTS;
3. l'anamnèse : la revue orientée des systèmes, l'histoire gynécologique ou andrologique, les antécédents pertinents;
4. le soutien et les ressources dont la victime dispose, le risque de récidive, l'indication de référence à la Direction de la protection de la jeunesse.

Les adolescents et les adultes relatent souvent une histoire précise de l'agression subie et ils consultent immédiatement après le crime. Cependant, plusieurs victimes attendent des jours voire même des mois après l'événement avant de consulter. Parfois, ils taisent ce crime, mais révèlent des symptômes médicaux ou psychologiques reliés au délit.

Les enfants racontent des histoires d'agression plutôt vagues et la majorité des cas sont diagnostiqués par le biais de conséquences médicales, de troubles psychosociaux ou de problèmes de comportement. Tout soupçon d'agression doit orienter le questionnaire et l'examen. Un symptôme ou un signe inhabituel au niveau du système génital, anal ou urinaire (douleur, pertes, saignements, prurit, découverte fortuite d'une MTS, etc.), ou un changement de comportement inexpliqué (dépression, régression, peur récente de certaines personnes, fugues, etc.) évoquent la possibilité d'un abus sexuel. Lorsque les réponses sont imprécises ou difficiles à obtenir, un intervenant social expérimenté peut aider le clinicien à obtenir plus de renseignements pour mieux orienter l'investigation.

24.4.4 L'examen physique

Chez l'adolescent ou l'adulte, l'examen est orienté selon l'histoire de l'agression et la revue des systèmes. Il est important de bien décrire l'état psychique de la victime et de noter toute trace de violence lors de l'examen physique. Ces lésions méritent une description détaillée de leur apparence (étendue et couleur) et de leur localisation; les ecchymoses rouges, noires ou bleues sont récentes alors que les ecchymoses jaunes ou vertes sont anciennes. La présence de vêtements déchirés ou tachés ainsi que la découverte d'un corps étranger doivent être documentées et toutes ces pièces doivent être remises aux policiers dans la trousse médico-légale.

Chez l'enfant, un examen physique complet s'impose. Il permet souvent de découvrir d'autres signes de négligence ou d'agression et atténue l'effet psychologique néfaste d'un examen centré uniquement sur les organes génitaux. La coopération de l'enfant est essentielle pour l'examen de la région ano-génitale. Selon l'âge, l'enfant peut aider à l'examen de la région génitale (retirer le prépuce, séparer les grandes lèvres et même introduire les tiges pour les prélèvements). Chez la fillette prépubère, un examen gynécologique interne ne doit être réalisé qu'en cas de saignement ou de présence de corps étranger. Il est préférable de ne pas faire de toucher rectal chez les enfants évalués pour sévices sexuels. Aucun examen ne doit être forcé: si la victime refuse l'examen et s'il n'y a pas d'indication médicale urgente, l'examen peut être reporté à plus tard.

24.5 L'ASPECT DE LABORATOIRE

24.5.1 Le dépistage des MTS chez un adolescent ou un adulte victime d'ACS

Au premier examen après une ACS d'un adolescent ou d'un adulte actif sexuellement, un dépistage pour les MTS n'est pas obligatoire, mais il permet de détecter toute infection préexistante ou de démontrer qu'il n'y en a pas. Après avoir obtenu le consentement du malade, les cultures et les sérologies appropriées peuvent être prélevées lors de la visite initiale. Les MTS acquises lors de l'agression ne deviennent décelables qu'après une certaine période d'incubation et la visite de contrôle est essentielle au diagnostic de ces pathologies. Les cultures et l'état frais sont répétés trois semaines après l'agression ou plus tôt si le patient est symptomatique. La sérologie pour la syphilis, l'hépatite B et le VIH peut être répétée dans certains cas (tableau 24.3).

Tableau 24.3 Dépistage des MTS chez l'adolescent ou l'adulte victime d'ACS

Cultures (visite initiale et trois semaines après l'agression)	
SITE	ORGANISME
Oropharynx, urètre, endocol, anus	*Neisseria gonorrhoeae* *Chlamydia trachomatis*
Vagin	État frais Culture générale
Peau : vésicules et/ou condylomes	Cultures virales Colposcopie et biopsie
Sérologie (visite initiale et trois mois après l'ACS si indiqué)	
	Syphilis Hépatite B VIH

24.5.2 Le dépistage des MTS chez l'enfant victime d'abus sexuel

Chez l'enfant, la pertinence des différents prélèvements varie selon le cas, l'examen, le type d'acte commis et le temps écoulé depuis l'ACS. Lorsqu'il y a une possibilité de contact avec les sécrétions génitales de l'agresseur, le dépistage des MTS est indiqué. Comme il est parfois difficile d'obtenir des renseignements précis sur les actes sexuels, il faut faire des prélèvement à l'oropharynx, à l'urètre, au vagin et à l'anus.

Chez l'enfant ou l'adolescent non actif sexuellement victime d'une ACS unique et récente, le dépistage des MTS n'est pas indiqué lors de l'évaluation initiale. Il faut 72 heures avant de pouvoir les détecter. Les cultures obtenues deux à trois semaines plus tard donnent des résultats plus valables. Les prélèvements pour la gonococcie et la chlamydia sont les plus importants à faire. Le contexte clinique détermine si le dépistage ou le diagnostic d'autres infections transmissibles sexuellement (trichomonas, VPH, herpès simplex, syphilis) est nécessaire. En présence de symptômes au niveau génital, un état frais et une culture générale permettent le diagnostic d'autres infections telles que le candida et le trichomonas (tableau 24.4).

Il est recommandé d'obtenir des prélèvements sanguins pour le dépistage de la syphilis, de l'hépatite B et du VIH seulement si le risque de ces infections est élevé. Autrement, il est préférable d'attendre trois mois après l'agression pour éviter de répéter inutilement les phlébotomies. Dans les situations douteuses où il existe des facteurs de risque préexistants pour ces infections, un prélèvement sanguin est indiqué lors de l'évaluation initiale et trois mois plus tard.

Tableau 24.4 Dépistage des MTS chez un enfant victime d'ACS ou chez un adolescent non actif sexuellement

Cultures (visite trois semaines après agression ou plus tôt si la victime est symptomatique)

SITE	ORGANISME
Oropharynx	*Neisseria gonorrhoeae* *Chlamydia trachomatis*
Méat urinaire (garçon)	*Neisseria gonorrhoeae* *Chlamydia trachomatis*
si symptômes :	Culture générale
Vagin (fille prépubère)	*Neisseria gonorrhoeae* *Chlamydia trachomatis*
si symptômes :	État frais Culture générale
Anus	*Neisseria gonorrhoeae* *Chlamydia trachomatis*
si symptômes :	Culture générale

Tableau 24.4 Dépistage des MTS chez un enfant victime d'ACS ou chez un adolescent non actif sexuellement (*suite*)

Peau	
vésicules :	Cultures virales
condylome :	application d'acide acétique et inspection à la loupe ou colposcopie; biopsie s'il y a lieu
Sérologie (visite initiale et trois mois après l'ACS si indiqué)	Syphilis Hépatite B VIH

24.5.2.1 Les techniques de prélèvement chez l'enfant

Avant de tenter d'obtenir des prélèvements chez l'enfant, il faut bien le préparer en lui expliquant ce que l'on compte faire et pourquoi. L'intromission de tiges ouatées dans le vagin ou l'anus est difficile et provoque souvent la douleur et la peur. Les prélèvements doivent être faits sur l'urètre du garçon ou sur le vagin, sur l'anus et sur le pharynx.

24.5.2.1.1 Le vagin ou l'urètre (garçon)

Chez la fillette prépubère, il n'est pas nécessaire d'obtenir des cultures du col. L'usage de petites tiges humidifiées avec du sérum physiologique sans agent de préservation peut diminuer l'inconfort. Si l'enfant est trop craintif pour permettre l'intromission des tiges, la technique du lavage vaginal à l'aide d'un petit tube nasogastrique peut s'avérer utile, mais la validité des cultures ainsi obtenues n'est pas encore bien établie. Il est trop douloureux d'introduire une tige ouatée dans l'urètre d'un enfant, il suffit de tenir la tige contre le méat urétral pendant dix secondes, puis de faire un mouvement rotatoire pour recueillir des sécrétions.

24.5.2.1.2 L'anus

Les tiges doivent demeurer en contact avec les cryptes rectales pendant 30 secondes et ne pas être contaminées par les selles.

24.5.2.1.3 Le pharynx

Les piliers amygdaliens doivent être frottés vigoureusement. Ce prélèvement est souvent le plus traumatique chez le jeune enfant; par conséquent, il est préférable de le garder pour la fin.

24.5.2.2 Méthodes diagnostiques chez l'enfant

Le choix des techniques utilisées pour diagnostiquer les différentes MTS chez l'enfant est extrêmement important à cause des implications découlant d'un tel diagnostic. Voici un aperçu des limitations des différentes méthodes selon l'organisme recherché.

24.5.2.2.1 *C. trachomatis*

La culture est la seule méthode valable chez l'enfant. Les méthodes de détection enzymatiques (Chlamydiazyme) et les méthodes d'immunofluorescence directe (Microtrak) ne doivent pas être utilisées pour la chlamydia, car leur sensibilité et leur spécificité sont plutôt suboptimales.

24.5.2.2.2 *N. gonorrhoeae*

Pour *N. gonorrhoeae*, seule la culture est fiable: les épreuves de détection d'antigènes ne sont pas encore validées dans cette population. Chez l'enfant, toute culture positive pour la gonococcie doit être confirmée par un deuxième test utilisant une méthodologie différente (biochimie, substrats enzymatiques), car un *Neisseria* non pathogène de la flore normale peut être faussement identifié comme un gonocoque. Les échantillons doivent être conservés à −70 °C pour d'éventuelles analyses. L'utilisation d'un laboratoire de référence peut s'avérer nécessaire pour confirmer le diagnostic.

24.5.2.2.3 *Trichomonas* et vaginose bactérienne

L'état frais pour la recherche de *Trichomonas* et de *clue cells* est indiqué seulement s'il existe des signes de ces infections. En présence de symptômes, une culture pour le *Trichomonas vaginalis* est plus fiable qu'un état frais qui ne permet de diagnostiquer que 60 % des infections retrouvées à la culture. Une culture générale des sécrétions permet de détecter des organismes comme les streptocoques A et B. Elle est indiquée lorsqu'il existe des symptômes ou des signes au niveau anal ou génital.

24.5.2.2.4 L'*Herpes simplex hominis*

Une culture virale avec un typage de l'Herpès simplex est recommandée en présence de vésicules ou de lésions suspectes au niveau de la région ano-génitale.

24.5.2.2.5 Le virus des papillomes humains (VPH)

L'identification, dans la région ano-génitale, de lésions suggérant la possibilité d'infection par le VPH rend essentiel un examen à la loupe ou au colposcope avec l'application d'acide acétique 3-5 %. Plusieurs laboratoires peuvent réaliser le typage du VPH sur des biopsies.

24.5.3 L'utilisation de la trousse médico-légale

Les prélèvements de la trousse médico-légale sont faits si l'ACS a eu lieu moins de 48 heures auparavant et si la victime consent à porter plainte. Les prélèvements doivent être faits d'après le récit des victimes. Il s'agit essentiellement de rechercher des produits du liquide séminal (spermatozoïdes, phosphatase acide, P30 et isoagglutinines ABO). À l'aide d'analyses de l'ADN, il est parfois possible, au laboratoire de police scientifique, d'identifier l'agresseur à partir d'un échantillon de sperme ou des sécrétions prélevées sur la victime ou sur ses vêtements.

Les vêtements déchirés ou tachés et les corps étrangers doivent être documentés et remis aux policiers dans la trousse médico-légale.

24.6 LE TRAITEMENT MÉDICAL

À la fin de l'examen, le médecin fait part à la victime de ses constatations et la rassure sur son intégrité physique. Il doit traiter les blessures et s'occuper des autres problèmes décelés.

S'il y a un risque de grossesse à la suite du viol, une prophylaxie avec la pilule du lendemain, soit deux comprimés d'Ovral suivis de deux autres douze heures plus tard, peut être considérée jusqu'à 72 heures après l'agression. Elle peut produire des nausées et des dérèglements du cycle menstruel.

Au Québec, le traitement prophylactique des MTS n'est pas recommandé à moins que la probabilité d'infection ne soit très élevée ou qu'il n'y ait des signes ou des symptômes d'infection sans qu'il soit possible de faire les analyses requises. Le traitement utilisé doit être efficace contre la gonococcie, la chlamydia et la syphilis en incubation. Dans certains cas où le risque d'infection à l'hépatite B est très élevé, une prophylaxie peut également être envisagée.

Les victimes sont en général incapables de reprendre leur travail à cause de leurs symptômes et des nombreuses démarches qu'elles doivent effectuer (police, suivi médical et psychosocial, déménagement, procès, IVAC, etc.); le médecin doit donc prescrire un arrêt de travail. Les victimes d'ACS, comme toute victime d'acte criminel, ont souvent intérêt à être inscrites à l'IVAC (indemnisation des victimes d'acte criminel), un programme administré par la CSST. Certaines dépenses engagées à la suite de l'agression sont compensées (manque à gagner, déménagement, psychothérapie, etc.)

Lorsque la victime quitte l'hôpital, l'intervenant doit s'assurer qu'elle sera à l'abri, entourée de personnes significatives qui lui offriront aide et soutien. Il fixe une date de rendez-vous pour le suivi psychosocial ainsi que des arrangements pour le suivi médical. Entre-temps, si la cliente a besoin d'information, d'aide et de soutien, il lui promet son entière collaboration.

Une ACS est un traumatisme majeur, qui cause un bouleversement important et souvent un état de stress post-traumatique (tel que décrit dans le DSM III-R). Dès lors, il est utile de prévenir la victime de ce qui l'attend dans les semaines à venir.

24.7 LES CONSIDÉRATIONS DE SANTÉ PUBLIQUE

Certaines MTS diagnostiquées chez les victimes d'agression sexuelle (comme chez tout autre patient) doivent être déclarées à l'unité de santé publique : les infections gonococciques, la syphilis, le sida, le chancre mou, le granulome inguinal, la lymphogranulomatose vénérienne et les chlamydiases.

La découverte d'une MTS chez l'enfant mérite d'être soigneusement investiguée en considérant toujours les modes de transmission des MTS selon l'âge de l'enfant et les limitations des méthodes diagnostiques utilisées. Elle doit toujours faire l'objet d'une enquête sociale menée par des intervenants expérimentés.

Lorsqu'on soupçonne un abus sexuel intrafamilial, il faut obligatoirement en aviser la Direction de la protection de la jeunesse (DPJ). Le médecin qui a signalé un cas d'inceste doit s'assurer que la victime est protégée et que des mesures appropriées sont prises. Il faut faire l'évaluation médicale de la fratrie et des proches. Lors d'un abus extrafamilial, si la sécurité de l'enfant semble compromise, il faut en aviser le DPJ.

24.8 LE SUIVI

En général, il est préférable que le même médecin assure le suivi des victimes d'ACS. Il voit au traitement des problèmes physiques et psychologiques, il s'occupe du dépistage et du traitement des MTS, et il prolonge au besoin l'arrêt de travail. Il remplit les rapports d'évolution de la CSST en cochant la case précisant qu'il s'agit d'une victime d'acte criminel. Un lien de confiance s'établit avec le médecin. Les victimes expriment ce qu'elles vivent et le médecin les rassure sur la normalité de leurs réactions. Il les encourage dans une démarche de désensibilisation à vaincre progressivement les peurs qui les empêchent de fonctionner. Le suivi psychologique de la victime et de sa famille est important. La prise en charge varie selon qu'il s'agit d'agressions intrafamiliales ou extrafamiliales. Elle varie aussi selon l'âge, les ressources et les besoins des victimes. Ce processus doit être individualisé et dynamique. Différentes initiatives dans les CLSC, les bureaux des services sociaux et les organismes communautaires ont permis d'élaborer diverses approches d'intervention individuelle et de groupe. Ces ressources demeurent limitées, mais s'avèrent souvent fort utiles aux victimes d'agression sexuelle.

24.9 LE TÉMOIGNAGE DU MÉDECIN

Les médecins témoignent rarement puisque, en milieu hospitalier, les archivistes remettent un dossier à jour. Cependant, dans certains cas particuliers, si l'avocat de la défense refuse le dossier comme preuve ou si le procureur juge que le témoignage du médecin peut donner du poids à sa plaidoirie, le médecin reçoit une sommation. Il communique alors avec le procureur pour éviter toute perte de temps. Après tout, la familiarisation avec le système judiciaire peut être stimulante si l'on réussit à vaincre la peur de l'inconnu. Somme toute, les cas d'ACS sont peu fréquents au cours d'une pratique et ces incidents représentent un traumatisme majeur pour les victimes. Le médecin qui accepte de bonne grâce de se déplacer pour témoigner montre au patient son implication et son intérêt réels et traduit une prise de position et un engagement social face à cette violence.

24.10 LA PRÉVENTION DES ACS

Plusieurs organismes communautaires travaillent à la prévention des agressions sexuelles. Dans plusieurs régions du Québec, les CALACS (Centres d'aide et de lutte contre les agressions à caractère sexuel) offrent des services de thérapie, d'information et parfois de prévention en milieu scolaire ou autre. Un répertoire de services préventifs et de ressources pour les victimes des ACS est disponible aux Services à la famille du Canada, 55, avenue Parkdale, Ottawa (Ontario) K1Y 4G1, téléphone : (613) 728-2463.

BIBLIOGRAPHIE

1. JENNY, C. et al. «Sexually transmitted diseases in victims of rape». *N Engl J Med* 1990; 322:713-6.

2. GLASER, J., HAMMERSCHLAG, M., McCORMACK, L. «Epidemiology of sexually transmitted diseases in rape victims». *Rev Infect Dis* Vol. 11, No. 2, 1989.

3. SCHWARCZ, S.K., WHITTINGTON, W.L. «Sexual assault and sexually transmitted diseases: detection and management in adults and children». *Rev Infect Dis* Vol. 12, Supp. 6, S682-S690, 1990.

4. Committee on Sexual Offences Against Children and Youths. *Sexual Offences Against Children* (Badgley Report). 1984, Vol. 1, Ottawa (Ontario), Dept. of Supply and Services Canada (Cat J 2-50/1984E).

5. PETERS, S.D. et al. «Prevalence». In: *A Sourcebook on Child Sexual Abuse*. D. Finkelhor (ed.), Beverly Hills, Sage Publications, 1986, p. 15.

6. FRAPPIER, J.Y., HALEY, N., ALLARD-DANSEREAU, C. *Abus Sexuels*. Presses de l'Université de Montréal, Montréal (Québec), 1990, 220 p.

7. PARADISE, J.E. «The medical evaluation of the sexually abused child». *Pediatric Clinics of North America*, Vol. 37, No. 4, 1990.

8. American Academy of Pediatrics, Committee on Child Abuse and Neglect. «Guidelines for the evaluation of sexual abuse of children». *Pediatrics*, 1991; 87: 254-260.

9. «Lignes directrices canadiennes pour la prévention, le diagnostic, la prise en charge et le traitement des maladies transmises sexuellement chez les nouveaux-nés, les enfants, les adolescents et les adultes», *RMTC*, avril 1992, vol. 18 Ss.

10. Canadian Paediatric Society Statement. *The Paediatrician's Role in Child Sexual Abuse*. MH 91-01, October 1991.

25

LES MTS ET LA GROSSESSE

André Dascal et Mark Miller

25.1 DÉFINITION

Les maladies transmissibles sexuellement peuvent survenir durant la grossesse. Il faut connaître leur importance, mesurer leurs conséquences et savoir quelle approche thérapeutique adopter.

25.2 LES AGENTS ÉTIOLOGIQUES

Voici le liste des agents pathogènes responsables de ces maladies: *Treponema pallidum* (syphilis), *Neisseria gonorrhoeae*, *Chlamydia trachomatis*, le streptocoque du groupe B (on a inclus cet agent même si son lien avec les MTS n'a pas encore été prouvé), les mycoplasmes génitaux (*Mycoplasma hominis* et *Ureaplasma urealyticum*), le virus de l'herpès simplex, le cytomégalovirus, le virus de l'hépatite B, le virus des papillomes humains, *Trichomonas vaginalis* et le virus de l'immunodéficience humaine.

Les inquiétudes manifestes que soulèvent les maladies transmissibles sexuellement, comme d'ailleurs toutes les autres infections qui surviennent durant la grossesse, s'expliquent par l'impact que peut avoir l'affection à la fois sur l'enfant et sur la mère. La manifestation d'une MTS durant la grossesse peut donner lieu à un avortement spontané, à une mortinaissance, à une naissance prématurée, à des infections périnatales et des infections intra-utérines (c.-à-d. congénitales), ainsi qu'à une septicémie puerpérale. Certaines MTS prédisposent en outre aux grossesses ectopiques (tableau 25.1).

La prévalence de ces maladies durant la grossesse est en hausse chez les jeunes femmes. Cette situation pourrait être attribuable à l'âge précoce où commencent les activités sexuelles.

On ne saurait trop insister sur l'importance de la prévention des MTS, tant par l'éducation que par l'utilisation de méthodes contraceptives barrières. Bien que l'usage combiné d'un condom et d'une crème spermicide ne joue de toute évidence aucun rôle contraceptif durant la grossesse, on doit encourager le recours aux méthodes barrières chez les femmes enceintes qui adoptent un comportement sexuel à haut risque.

Tableau 25.1 Associations courantes entre les agents pathogènes des MTS et l'issue de la grossesse

Infections périnatales ou congénitales	Virus de l'herpès simplex (VHS) Cytomégalovirus (CMV) Streptocoque du groupe B (SGB) *Neisseria gonorrhoeae* *Treponema pallidum* (syphilis) *Chlamydia trachomatis* Virus de l'immunodéficience humaine (VIH)
Endométrite	SGB *Ureaplasma urealyticum* *Mycoplasma hominis* *Chlamydia trachomatis*
Accouchement prématuré	*Chlamydia trachomatis* *Neisseria gonorrhoeae* SGB *Treponema pallidum* VHS

Tableau 25.1 Associations courantes entre les agents pathogènes des MTS et l'issue de la grossesse (*suite*)

	CMV *Mycoplasma hominis (?)* *Ureaplasma urealyticum (?)*
Avortement spontané	SGB *Neisseria gonorrhoeae* VHS *Mycoplasma hominis (?)* *Ureaplasma urealyticum (?)*
Grossesse ectopique	*Chlamydia trachomatis* *Neisseria gonorrhoeae*

25.2.1 *Treponema pallidum* (syphilis)

25.2.1.1 L'épidémiologie

Les épisodes primaires et secondaires de syphillis non traités durant la grossesse portent atteinte au fœtus dans 100 % des cas; ils donnent lieu à un accouchement prématuré ou à une mortinaissance dans 50 % des cas. Depuis l'avènement des antibiotiques jusqu'à la fin des années 1970, l'incidence de la syphilis congénitale était en baisse aux États-Unis, mais, depuis le milieu des années 1980, elle connaît une recrudescence. Au Québec, on ne s'est pas encore penché sur la situation. On doit néanmoins se rappeler que la syphilis congénitale constitue un très grave problème dans les pays en voie de développement.

Le dépistage précoce de cette maladie chez les femmes enceintes demeure l'élément clé de son traitement. Il est donc fortement recommandé d'effectuer une épreuve de dépistage (tel le VDRL) dès le début de la grossesse et de la répéter si la femme adopte un comportement sexuel à risque élevé durant sa grossesse. Les symptômes sont les mêmes chez les femmes enceintes que dans la population féminine en général.

25.2.1.2 Diagnostic

La mise en évidence de spirochètes dans le chancre ou des résultats positifs à une épreuve sérologique non spécifique de *Treponema* (tel le VDRL) confirmés par sérodiagnostic spécifique de l'agent pathogène (par FTA-abs ou MHATP) confirme un diagnostic de syphilis primaire. Le diagnostic de syphilis secondaire ou de syphilis tardive peut être établi uniquement par l'obtention de résultats positifs aux épreuves sérologiques et par l'observation de syndromes cliniques compatibles. Étant donné que la grossesse elle-même peut entraîner des résultats faussement positifs à l'épreuve de dépistage non spécifique de *Treponema*, tous les résultats doivent être confirmés par sérodiagnostic spécifique dans un laboratoire de référence. Par contre, les résultats positifs obtenus par sérodiagnostic spécifique (tel FTA-abs ou MHATP) ne doivent jamais être imputés à la grossesse.

25.2.1.3 Le traitement

Dès la confirmation du diagnostic, on doit administrer le traitement approprié. Il faut tenir compte des échecs thérapeutiques bien connus de l'érythromycine et de la tétracycline chez le fœtus. La pénicilline devient alors le médicament de premier choix. Le dosage est le même que celui des femmes qui ne sont pas enceintes. Comme la tétracycline est contre-indiquée durant la grossesse, les femmes enceintes allergiques à la pénicilline doivent être traitées à l'érythromycine. Il faut alors assurer un suivi serré de la mère et de l'enfant, afin de déceler sans délai tout signe d'échec thérapeutique. Pour les femmes allergiques aux bêtalactamines et incapables de tolérer l'érythromycine, la désensibilisation et un traitement à la pénicilline sont tout indiqués. Cependant, tout doit se faire en milieu hospitalier, sous étroite surveillance.

Après avoir reçu le traitement approprié, la femme enceinte devra subir un sérodiagnostic quantitatif mensuel jusqu'à la fin de sa grossesse. On doit répéter le traitement si, trois mois après la médication, on ne constate aucune baisse du titre des anticorps révélé par l'épreuve sérologique non spécifique de *T. pallidum*, ou encore si on observe une élévation de ce titre durant la grossesse. Un échec thérapeutique ou une réinfection peuvent expliquer cette situation.

25.2.2 *Neisseria gonorrhoeae*

Les facteurs de risque de la gonococcie chez les femmes enceintes sont les mêmes que chez les autres femmes. Bien que l'infection pelvienne aiguë d'origine gonococcique soit rare durant la grossesse, d'autres symptômes tels que la fièvre, une douleur pelvienne et une salpingite ont été observés durant le premier trimestre chez des femmes enceintes de qui on a obtenu des cultures positives. Une étude a révélé qu'après la vingtième semaine de gestation, 35 % des femmes atteintes d'une infection gonococcique ont connu un avortement septique. Il faut toutefois noter qu'on dispose de peu de renseignements sur l'évolution spontanée de la gonococcie non traitée chez les femmes enceintes. Le médecin doit tenir compte du risque d'infection pharyngée et d'infection rectale chez toutes les patientes puisqu'elles peuvent donner lieu à une dissémination de la maladie; cette situation semble survenir plus fréquemment chez les femmes enceintes.

Les infections ophtalmiques gonococciques et la septicémie gonococcique sont les principales conséquences de la gonococcie non traitée chez le nouveau-né. Au Québec, on ignore la prévalence réelle de la gonococcie, mais on sait qu'elle est nettement inférieure à celle des infections à Chlamydia et à Herpès simplex.

25.2.2.1 Le diagnostic

Chez toutes les femmes, enceintes ou pas, le diagnostic de la gonococcie se fait par culture du prélèvement cervical et, s'il y a lieu, du prélèvement pharyngé ou rectal. Les prélèvements doivent être analysés dans les plus brefs délais, de façon à assurer la viabilité du germe.

25.2.2.2 Le traitement

Le traitement est le même pour toutes les femmes. Les céphalosporines et les pénicillines peuvent être administrées sans danger durant la grossesse. Par contre, les tétracyclines et les quinolones sont contre-indiquées chez les femmes enceintes. Toute femme atteinte d'une infection gonococcique doit en plus recevoir un traitement concomitant contre l'infection à Chlamydia, car ces deux types d'infection peuvent se présenter en même temps; le médecin doit alors prescrire un médicament sans risque pour la femme enceinte, par exemple l'érythromycine.

25.2.3 *Chlamydia trachomatis*

Les facteurs de risque d'infection à *Chlamydia trachomatis* sont les mêmes chez les femmes enceintes que chez les autres: des femmes jeunes (moins de 25 ans) ayant de multiples partenaires ou de nouveaux partenaires récents, ayant déjà souffert de MTS ou présentant des signes ou symptômes d'infection à Chlamydia. Les principales complications associées à l'infection à Chlamydia chez les femmes enceintes sont la grossesse ectopique, la salpingite *post abortum*, l'endométrite post-partum et l'infection intra-partum de l'œil et du poumon chez le nouveau-né.

Des études menées au Canada révèlent une incidence de *Chlamydia trachomatis* d'environ 5 %. Une étude récente effectuée à Montréal auprès de femmes ayant subi un avortement au cours du premier trimestre de leur grossesse révèle une incidence de 4,6 %.

25.2.3.1 Le diagnostic

Les méthodes de diagnostic par culture de l'agent pathogène et par détection de l'antigène offrent un taux de sensibilité relativement faible pour l'infection à Chlamydia chez les femmes. Comme cet organisme nécessite des épreuves de détection de l'antigène et comme il est impossible de confirmer les résultats positifs dans la plupart des contextes cliniques, il faut traiter toutes les femmes enceintes ayant obtenu des résultats positifs ainsi que leurs partenaires sexuels. Il faut également noter qu'à cause justement du faible taux de sensibilité des épreuves dont on dispose actuellement, un résultat négatif ne signifie pas l'absence d'infection.

25.2.3.2 Le traitement

Comme les tétracyclines et les quinolones sont contre-indiquées durant la grossesse, l'érythromycine demeure le traitement de choix, mais il faut éviter l'estolate d'érythromycine, puisque cette substance présente une prévalence d'hépatotoxicité d'environ 10 % chez les femmes enceintes. La combinaison de triméthoprime-sulfaméthoxazole est une option thérapeutique, mais il faut toutefois se rappeler que le triméthoprime peut se révéler tératogène si on l'administre durant le premier trimestre et que le sulfaméthoxazole est contre-indiqué vers la fin de la grossesse en raison du risque d'ictère nucléaire. Pour les femmes qui ne peuvent tolérer l'érythromycine, on peut prescrire 500 mg d'amoxicilline trois fois par jour pendant sept jours; un suivi est alors nécessaire.

Comme une infection persistante pourrait avoir des effets sur le nouveau-né, il faut confirmer la guérison une semaine ou deux après le traitement.

25.2.4 Le streptocoque du groupe B (SGB, *Streptococcus agalactiae*)

Bien que certaines données laissent supposer que le SGB est un organisme transmissible sexuellement, l'infection suscite davantage d'intérêt dans le domaine de l'obstétrique, car ses effets se manifestent principalement chez le nouveau-né. Selon les méthodes de dépistage employées, jusqu'à 25 % des femmes peuvent accuser une infection asymptomatique du vagin; par contre, les signes et symptômes cliniques sont rares chez les femmes qui ne sont pas enceintes. L'infection peut parfois donner lieu à une endométrite. Chez les femmes enceintes, le SGB peut entraîner un accouchement prématuré et une rupture prématurée des membranes. On se préoccupe de la présence de l'organisme surtout au moment de l'accouchement parce qu'il peut alors provoquer une amniotite, une endométrite post-partum et une septicémie néonatale.

De récentes études sur la prévention des infections néonatales et des infections post-partum dues au SGB traitent de diverses possibilités: détruire l'organisme à divers moments au cours du dernier trimestre de la grossesse, vacciner les femmes enceintes séronégatives porteuses du germe, administrer aux nouveau-nés exposés un traitement prophylactique à l'ampicilline durant la période post-partum. On n'a pas encore déterminé avec exactitude la meilleure stratégie à adopter pour réduire le nombre d'interventions médicales chez les femmes enceintes et leurs bébés tout en leur assurant une bonne protection.

25.2.5 Les mycoplasmes génitaux (*Mycoplasma hominis* et *Ureaplasma urealyticum*)

Peu de données permettent d'établir un lien entre *Ureaplasma urealyticum* et la chorio-amniotite, la prématurité et la mort périnatale. Par contre, la fièvre et la septicémie post-partum ont été reliées à la présence de *Mycoplasma hominis*, habituellement associée à d'autres bactéries (infection polymicrobienne). On devra obtenir des données additionnelles sur les conséquences de cette infection sur la mère et son enfant avant de pouvoir formuler des recommandations sur les méthodes de dépistage, de traitement et de prévention. À l'heure actuelle, aucune méthode de dépistage prénatale par culture ou sérodiagnostic n'est indiquée.

25.2.6 Le virus de l'herpès simplex (VHS)

L'apparente augmentation de la prévalence d'infections génitales à VHS, l'efficacité de la chimiothérapie antivirale et les progrès réalisés dans les techniques diagnostiques ont donné lieu à une réévaluation des méthodes de dépistage et de traitement de la maladie chez les parturientes. La primo-infection symptomatique à VHS chez la femme enceinte peut se traduire par un avortement spontané ou un accouchement prématuré. En outre, on a relevé des cas d'infection congénitale et d'infection néonatale localisée ou disséminée. L'enfant peut contracter l'infection *in utero* (transmission transplacentaire du virus) ou encore durant la période périnatale (par contact avec les sécrétions maternelles infectées durant l'accouchement) ou la période postnatale (par contact avec une personne infectée). En dépit des récents progrès réalisés dans le domaine de la chimiothérapie antivirale, le taux de mortalité associé à l'infection néonatale est d'environ 10 % et le taux de morbidité est très élevé.

Comme l'herpès génital n'est pas une maladie à déclaration obligatoire, on ignore son incidence actuelle au Québec. D'ailleurs, on éprouve des problèmes d'évaluation similaires dans la plupart des pays. Cependant, des études ont démontré une incidence variant entre 0,3 % et 8 % parmi la population active sexuellement.

25.2.6.1 L'approche clinique

La stratégie logique à adopter consiste à prévenir la transmission périnatale en identifiant les mères qui seront vraisemblablement contagieuses au moment de l'accouchement et à pratiquer une césarienne. Cette stratégie pose cependant des problèmes. En effet, l'examen physique seul est insuffisant puisque les infections néonatales sont contractées de mères asymptomatiques excrétant le virus sans présenter de lésions visibles. Pendant plusieurs années, on a donc recommandé d'effectuer des cultures virales génitales une ou deux fois par semaine durant le troisième trimestre chez les femmes à haut risque. La décision de procéder à un accouchement par voie vaginale dépendait des résultats des dernières cultures. Cette approche comporte toutefois deux pièges. Premièrement, il arrive souvent que les résultats des cultures les plus récentes ne reflètent pas le degré de contagion de la mère à l'accouchement. Deuxièmement, il reste à définir le concept de «haut risque». De nombreux cas d'herpès néonatal ont été observés chez des enfants dont la mère ne présentait aucun des facteurs de risque reconnus.

Aujourd'hui, on recommande d'abandonner les épreuves de dépistage systématique durant le troisième trimestre et de pratiquer l'accouchement par voie vaginale quand il n'y a ni signes ni symptômes d'infection herpétique génitale durant le travail. Il faudra bien revoir cette approche transitoire insatisfaisante à la lumière de l'évaluation clinique des nouvelles épreuves diagnostiques qui permettront de déterminer avec plus de rapidité et de précision le degré de contagion de la mère durant le travail. De plus, l'évaluation des antécédents cliniques sera remplacée par la séro-identification des femmes infectées.

Pour être utiles, les épreuves de dépistage du virus utilisées au moment de l'accouchement doivent être rapides, hautement spécifiques et présenter un degré acceptable de sensibilité. On doit pouvoir disposer des résultats en quelques heures, voire en quelques minutes. Un manque de spécificité peut soulever de sérieux problèmes puisque des résultats faussement positifs peuvent entraîner des césariennes inutiles augmentant ainsi la mortalité et la morbidité. De plus, le degré élevé de sensibilité des dosages immunologiques et des sondes d'acide nucléique des lésions tardives vient compliquer la question de la spécificité. Ces épreuves peuvent en effet révéler des cultures négatives à cause de la faible quantité du virus, mais elles peuvent mettre en évidence une importante quantité d'antigènes non infectieux et non viables. On ignore le risque que représente pour un nouveau-né un canal génital dont les cultures sont négatives mais dont l'épreuve de détection rapide de l'antigène est positive. L'épreuve rapide rend possible le diagnostic des infections primaires récurrentes latentes qui menacent le nouveau-né; c'est là un avantage non négligeable.

La plupart des infections génitales récurrentes à VHS sont dues au VHS du type 2. De récentes découvertes permettent maintenant le sérodiagnostic spécifique de VHS 2. On a proposé d'identifier les femmes à risque par cette méthode. Cette démarche serait toutefois inefficace pour les femmes qui accusent une primo-infection présymptomatique à VHS 2 et pour celles qui sont infectées par VHS 1. Une étude révèle que le risque réel d'infection d'un enfant né d'une mère chez qui on a diagnostiqué l'excrétion virale durant l'accouchement (dans le cas d'une infection récurrente asymptomatique) se situe entre 0 et 8 %. Dans les cas à faible risque, la césarienne pour prévenir l'infection néonatale est à déconseiller, compte tenu des dangers qu'elle comporte et du peu d'avantages qu'on peut en tirer.

25.2.6.2 Le traitement

L'acyclovir est contre-indiqué durant la grossesse, sauf dans les cas de dissémination viscérale qui menace la vie de la mère ou de l'enfant. Il faut alors prescrire un traitement intraveineux à l'acyclovir, à raison de 10 à 12,4 mg/kg trois fois par jour pendant dix jours. Dans ces cas, il faut bien faire rapport à la société Burroughs Wellcome.

25.2.7 Le cytomégalovirus (CMV)

Dans la plupart des grandes villes d'Amérique du Nord, on estime qu'entre 40 et 100 % de la population a déjà connu une infection au CMV, mise en évidence par sérodiagnostic. La prévalence de séropositivité augmente avec l'âge; elle atteint des points culminants dans la population en âge de procréer. Cette constatation ainsi que la présence du CMV dans les sécrétions cervicales et le sémen laissent supposer que cette infection se transmet notamment par voie sexuelle.

25.2.7.1 Le diagnostic

La primo-infection maternelle représente le risque le plus élevé d'infection congénitale au CMV, mais celle-ci peut également faire suite à une réactivation ou à une réinfection. Compte tenu du faible risque d'infection durant la grossesse et du manque d'expérience clinique avec les traitements antiviraux dans ce contexte, le dépistage systématique des anticorps du CMV chez les femmes enceintes n'est pas recommandé. Il est difficile d'obtenir des preuves directes de l'infection *in utero* ou congénitale avant l'accouchement. Par contre, il est possible de prélever un échantillon du sérum de la mère au début de la grossesse: la mise en évidence de l'IgG anti-CMV révèle une exposition antérieure au virus. Une femme séronégative court un risque de primo-infection au CMV. Dès lors, s'il faut effectuer une transfusion sanguine chez une femme enceinte séronégative, il faut faire bien attention de choisir des produits sanguins exempts d'anticorps anti-CMV.

La manifestation d'un syndrome d'allure mononucléosique, la mise en évidence de l'IgM anti-CMV dans le sérum, la multiplication par quatre du titre des anticorps IgG anti-CMV et l'isolement viral du CMV justifient toutes un diagnostic d'infection aiguë au CMV. Le dosage de l'IgM peut en outre faciliter le diagnostic de réactivation ou de réinfection.

25.2.7.2 Le traitement

Les options thérapeutiques qui s'offrent à la femme enceinte atteinte d'une infection au CMV doivent tenir compte du stade de la grossesse et du risque relatif d'infection congénitale. En général, plus l'infection primaire se manifeste tôt durant la grossesse, plus les risques d'infection congénitale symptomatique sont élevés. Souvent, les données *in vitro* ne permettent pas de différencier l'infection primaire de la récurrence.

On ignore l'efficacité et la toxicité du traitement antiviral dans la prévention de l'infection congénitale chez les femmes ayant contracté le CMV durant leur grossesse; c'est pourquoi on ne peut faire de recommandation.

25.2.8 Le virus de l'hépatite B (VHB)

En Amérique du Nord, la plupart des infections aiguës au VHB surviennent chez les jeunes adultes. Cette constatation, de même que les cas documentés de transmission sexuelle et la mise en évidence du germe infectieux dans la salive et dans le sémen, permet de croire que la plupart des cas aigus observés chez les jeunes adultes ne faisant pas usage de drogues intraveineuses ont été transmis par voie sexuelle. Rien n'indique que l'hépatite B aiguë contractée durant la grossesse présente des signes cliniques différents de ceux des femmes qui ne sont pas enceintes. Les femmes chroniquement atteintes du virus par suite d'une infection dans la période périnatale ou dans l'enfance risquent également de transmettre la maladie à leur enfant.

Une étude récente regroupant des femmes enceintes de neuf hôpitaux de Montréal et une étude menée auprès de femmes ayant subi un avortement durant le premier trimestre de leur grossesse dans un hôpital de Montréal ont démontré une prévalence identique de positivité à HBsAg (marqueur sérologique du pouvoir infectant), soit 3 pour 1 000. Si on se fie à cette évaluation, on estime qu'environ 320 nouveau-nés risquent chaque année au Québec de contracter une infection périnatale au VHB. Bien que les femmes séropositives à HBeAg risquent davantage de transmettre l'infection que les femmes séronégatives à ce même antigène, la démarche thérapeutique à adopter en vue de prévenir la transmission périnatale demeure identique. On peut grandement diminuer le risque de transmission périnatale par immunisation passive et active des enfants nés d'une mère contagieuse; il faut alors agir dès la naissance. Les Centers for disease control (CDC) aux États-Unis ainsi que le Comité consultatif national sur les immunisations (CCNI) ont récemment recommandé le dépistage systématique de l'antigène HBsAg chez toutes les femmes enceintes.

25.2.8.1 L'approche clinique

On doit pouvoir disposer des résultats des épreuves de dépistage au moment de l'accouchement pour prendre une décision éclairée à propos du nouveau-né. Idéalement, le dépistage devrait être effectué durant le troisième trimestre pour permettre d'identifier aussi bien les porteuses chroniques que les femmes ayant contracté le virus durant leur grossesse. Par contre, dans le cadre de programmes de dépistage à grande échelle, il est préférable en pratique de réaliser les épreuves en début de grossesse. Les CDC et le CCNI recommandent d'effectuer le dépistage dès les premières consultations prénatales, et de faire un suivi chez les femmes qui présentent un comportement à risque élevé. Ainsi, un très faible pourcentage de femmes en phase d'incubation au moment de l'accouchement ne pourraient être identifiées. Si le contexte clinique le justifie, il est même possible de remédier à cette rare situation en procédant à des épreuves de dépistage répétées durant la période post-partum. Le risque de transmission est faible chez les femmes enceintes qui, malgré des antécédents d'infection au VHB, demeurent séronégatives à l'antigène HBsAg.

Aux enfants nés d'une mère qui possède l'antigène HBsAg, on doit administrer l'immunoglobuline spécifique de l'hépatite B ainsi que la première des trois doses du vaccin anti-VHB dans les plus brefs délais. Pour obtenir des résultats optimaux, on doit administrer l'immunoglobuline moins de douze heures après la naissance et changer de point d'injection pour le vaccin.

25.2.9 Le virus des papillomes humains (VPH)

Pour une femme enceinte, être porteuse du VPH ou contracter le virus durant la grossesse peut avoir des conséquences sur le travail (par l'obstruction mécanique qu'entraîne la croissance de verrues) ou sur l'enfant (par infection intra-partum). On a documenté des cas de transmission verticale du VPH chez des nouveau-nés; elle s'est traduite par une papillomatose des voies respiratoires, un condylome acuminé ou une papulose bowénoïde. On a également démontré la présence d'ADN du VPH dans le prépuce et les voies respiratoires de nouveau-nés normaux; cela pourrait indiquer une infection ou une contamination.

25.2.9.1 Le traitement

Toutes les femmes enceintes atteintes d'une infection au VPH doivent faire l'objet d'un test de Pap, qui permet de déceler la présence d'un cancer *in situ*. Comme les verrues peuvent entraîner des séquelles chez l'enfant, il est souhaitable de les éliminer avant l'accouchement. La podophyllotoxine, la podophylline et le 5-FU sont contre-indiquées durant la grossesse, mais on peut recourir à l'électrocoagulation, à la cryothérapie, à l'électrodessiccation, à l'acide trichloracétique et au traitement au laser. Bien qu'aucune donnée épidémiologique ne permette de justifier la césarienne pour prévenir l'infection néonatale au VPH, il peut s'avérer prudent de la pratiquer si les lésions sont étendues ou si le travail risque d'être entravé par le volume et la quantité des verrues.

25.2.10 Le *Trichomonas vaginalis*

Une étude a établi un lien entre la présence de *Trichomonas vaginalis* et la manifestion de fièvre dans le post-partum, mais ces résultats n'ont pas été confirmés. En général, on ne recommande pas d'effectuer le dépistage systématique de cet organisme chez les femmes enceintes à cause des difficultés que présente le traitement de cette infection durant la grossesse et de la controverse qu'il soulève à propos du taux de morbidité puerpérale. Les cultures des sécrétions vaginales demeurent la meilleure méthode de diagnostic parce qu'elles se montrent beaucoup plus sensibles que l'examen microscopique direct ou l'analyse d'urine. Le métronidazole, à cause de son pouvoir mutagène et cancérigène, est plutôt contre-indiqué durant la grossesse. Certains auteurs prétendent qu'il faut l'éviter pendant toute la grossesse, d'autres, pendant le premier trimestre seulement. L'application intravaginale quotidienne de clotrimazole (100 mg pendant six jours) ne présente aucun danger durant la grossesse et demeure le seul traitement de rechange; on lui attribue cependant un taux de guérison de 25 à 66 % seulement.

25.2.11 Le virus de l'immunodéficience humaine (VIH)

Une femme qui contracte le VIH durant sa grossesse ou qui devient enceinte alors qu'elle se sait porteuse du virus, doit décider de poursuivre sa grossesse ou de l'interrompre. Elle a besoin de l'assistance professionnelle d'une personne bien familière avec tous les aspects de la maladie et de ses conséquences sur la mère et sur l'enfant. Étant donné les complications que peut entraîner une aggravation de l'immunodépression chez la femme enceinte et en raison du risque d'infection pour le nouveau-né, il est préférable que la situation soit traitée personnellement entre le patient et un expert de l'infection au VIH.

On ignore encore si la grossesse modifie la progression naturelle de l'infection au VIH tout comme on ignore les effets du virus sur la grossesse et l'enfant à naître. On sait que la transmission du VIH de la mère à l'enfant est possible *in utero*, au moment de l'accouchement (par contact avec les produits sanguins) et probablement aussi par l'allaitement. Diverses études permettent cependant d'observer de grandes variations dans la fréquence de transmission.

BIBLIOGRAPHIE

1. DELAGE, G., MONTPLAISIR, S., REMY-PRINCE, S., PIERRI, E. «Prevalence of hepatitis B virus infection in pregnant women in the Montreal area». *Can Med Assoc J*, 1986, 134: 897-901.

2. DASCAL, A., LIBMAN, M.D., MENDELSON, J., CUKOR, G. «Laboratory tests for the diagnosis of viral disease in pregnancy». *Clin Obstet Gynecol*, 1990, 33: 218-231.

3. MILLER, M. GILLET, P.E. «Prevalence of sexually transmitted diseases in a Canadian pregnancy termination unit–Quebec». *Canada Dis Wkly Rep*, 1990, 16: 259-251.

4. GIBBS, R.S.«Obstetric factors associated with infections of the fetus and newborn infant». In: REMINGTON, J.S, KLEIN, J.O., *Infectious Diseases of the Fetus and Newborn Infant*. W.B. Saunders Company Inc., Philadelphie, 1990, pp. 981-999.

5. LIBMAN, M.D., DASCAL, A., KRAMER, M.S., MENDELSON, J. «Strategies for the prevention of neonatal infection with Herpes simplex virus: A decision analysis». *Rev Infect Dis*, 1991, 13: 1093-1104.

26

LES MTS ET L'ADOLESCENCE

Louise Charbonneau et Jean-Yves Frappier

26.1 DÉFINITION

L'OMS définit l'adolescence comme la période qui s'étend entre 12 et 19 ans. L'adolescence n'est plus décrite comme une simple transition, mais comme l'une des étapes les plus fertiles du développement biologique, cognitif et psychosocial dans la vie des individus. Les modifications des seins et des organes génitaux comme les décrit Tanner caractérisent bien la puberté, qui ne représente toutefois qu'un aspect de l'adolescence. L'évolution psychosexuelle constitue un paramètre important, mais souvent mal compris, du développement des adolescents.

26.2 L'ÉPIDÉMIOLOGIE

L'évolution de la sexualité reflète le cheminement normal de l'adolescent. Environ 28 % des adolescents québécois âgés de 14 ou 15 ans sont actifs sexuellement et ce pourcentage dépasse 50 % chez les jeunes de 16 à 17 ans. Cette expérience sexuelle favorise généralement leur épanouissement. Cependant, les changements et les événements se succèdent différemment selon les adolescents et cela crée parfois des tensions ou des problèmes comme les MTS ou les grossesses.

Des données révèlent que l'évolution des problèmes reliés à la sexualité des adolescents québécois est probablement bien différente de celle des adolescents du reste du Canada et des États-Unis. Ainsi, on observe un plus faible taux de grossesses et de MTS chez les adolescentes québécoises. Une plus grande ouverture d'esprit des familles, des écoles et des médecins et une plus grande disponibilité des services de santé expliqueraient cette différence. Pourtant, cette situation pourrait basculer, car la fin des années 1980 a connu une augmentation de la clientèle adolescente aux prises avec des situations difficiles: les familles déséquilibrées, le décrochage scolaire, la vie dans la rue, tout cela à un âge de plus en plus précoce. On voit surgir certains phénomènes inquiétants comme, par exemple, la baisse de l'âge auquel surviennent les problèmes reliés à la sexualité et à l'introduction du VIH, entre autres chez les adolescents utilisateurs de drogues intraveineuses.

L'arrivée du sida a tendance à masquer l'importance des autres MTS, mais le médecin qui reçoit une clientèle jeune décèlera davantage d'infections à *Chlamydia*, de condylomes et de l'herpès.

Au Québec, même si elle est à déclaration obligatoire depuis 1987, l'infection à *Chlamydia*, comme toutes les autres MTS, n'est pas toujours déclarée. En 1990, 14 597 cas de tous âges ont été rapportés. Au Canada, cette même année, près de 30 % des cas déclarés provenaient des 15 à 19 ans, avec un taux supérieur à 800/100 000 et une forte majorité de femmes.

En 1987, une étude effectuée auprès d'adolescentes montréalaises qui consultaient une clinique d'adolescents pour un suivi de contraception orale ou pour une interruption volontaire de grossesse a montré une prévalence de 16 % d'infections à *Chlamydia*, la plupart asymptomatiques. Une recherche plus récente auprès de 3 000 jeunes de la région de Montréal révèle une prévalence d'infections à *Chlamydia* de 11,1 %. Chez les garçons de 15 à 24 ans, le risque de contracter une telle infection est associé au jeune âge, à l'hétérosexualité, à la présence d'un écoulement urétral et à l'absence de gonococcie. La prévalence de l'infection chez les filles de 15 à 24 ans est de 15,6 %, le risque de contracter une telle infection est associé au jeune âge, à un contact connu avec une personne infectée et au nombre de partenaires sexuels dans la dernière année.

La condylomatose est en voie de devenir la MTS la plus fréquente. Sa présence à l'adolescence est d'autant plus inquétante qu'on a établi un lien entre le cancer du col de l'utérus, l'âge des premières relations sexuelles et la présence du VPH. La prévalence de la gonococcie, malgré une baisse importante dans les années 1980, demeure élevée dans le groupe des 15 à 19 ans. Le rapport gonococcie/*Chlamydia* était de 1/4 en 1989, au Canada.

Le taux déclaré de MTS est plus élevé chez les filles de 15 à 19 ans et chez les garçons de 20 à 24 ans. Notons que les adolescentes ont souvent des partenaires plus âgés qu'elles, qu'elles consultent davantage, notamment pour la prescription d'anovulants.

Les statistiques montrent des taux d'infection élevés chez les adolescents. De plus, comme les données s'appliquent aux 15 à 19 ans et comme ces adolescents ne sont pas encore tous actifs sexuellement, il est possible que les taux de MTS et les risques de complications soient encore plus grands chez les personnes sexuellement actives dans ce groupe d'âge. Il faut toutefois se rappeler que le risque n'est pas le même pour tous; il convient donc de considérer les facteurs de risque plutôt que l'âge. Soulignons enfin que le Québec ne connaîtra pas une forte augmentation du nombre et du pourcentage de sa population adolescente au cours de la prochaine décennie.

26.3 LA PRÉSENTATION DE CAS

26.3.1 L'histoire

La plupart des adolescents se développent sainement même s'ils vivent parfois des périodes de crise. Comme les médecins sont consultés plus souvent par des adolescents en crise ou en difficulté, leur perception de l'adolescence est souvent faussée et négative.

Certains adolescents consultent parfois sous de faux prétextes: ils vérifient l'ouverture d'esprit du médecin et le respect de la confidentialité. Parfois la gêne et la peur les empêchent de parler de leurs symptômes ou même d'admettre leurs activités sexuelles. Ils attendent qu'on leur pose des questions.

L'anamnèse (voir tableau 26.1, p. 363) revêt une importance particulière à l'adolescence et la façon de poser les questions peut permettre d'établir le lien de confiance nécessaire à la résolution des problèmes de MTS. En effet, certains adolescents craignent que les adultes ne condamnent leurs activités sexuelles; par conséquent, ils hésitent à consulter. Pourtant, dans les sondages, ils avouent souhaiter recevoir de l'information et des conseils en sexualité de la part de leur médecin. Un questionnaire franc, formulé sur un ton neutre et accompagné d'explications sur les raisons d'un point plus délicat, se révèle un outil précieux. À la première visite, l'anamnèse peut paraître très longue, mais plusieurs questions peuvent être posées pendant l'examen. Elles démontrent à l'adolescent l'intérêt qu'on lui porte. Pour les sujets embarrassants comme les relations anales ou l'homosexualité, le médecin peut aborder la question en commençant par: «Un certain nombre de jeunes de ton âge ont... As-tu déjà eu...?»

26.3. L'évaluation médicale et les facteurs de risque comportementaux

26.3.2.1 Les facteurs liés au développement

Certaines caractéristiques propres aux adolescents expliquent en partie la fréquence élevée des MTS et des grossesses dans ce groupe d'âge.

Sur le plan physiologique, l'immaturité du col et la présence d'un ectropion sont des facteurs de vulnérabilité, particulièrement pour l'infection à *Chlamydia.*

Sur le plan cognitif, comme le développement de la pensée du jeune adolescent est encore incomplet, il éprouve de la difficulté à imaginer les conséquences de ses actes.

Sur le plan psychologique, l'adolescent acquiert sa maturité et son identité en franchissant une série d'étapes et en accomplissant diverses tâches. Normalement, cela se déroule à coups d'essais et d'erreurs. Toutefois, un sentiment d'invulnérabilité lui permet de croire que les malheurs n'arrivent qu'aux autres. Enfin, il ne faut pas oublier le goût du risque et du défi inhérent à l'adolescence, mais surtout la difficulté à évaluer la portée des risques encourus.

Sur le plan social, il faut considérer les pressions exercées sur l'adolescent; les médias sont omniprésents et lui offrent une image peu réaliste de la sexualité.

26.3.2.2 Les autres facteurs

Devant des adolescents susceptibles d'avoir contracté une MTS, le médecin doit identifier un certain nombre d'autres facteurs qui influenceront son intervention:

- les émotions si fortement ressenties à l'adolescence et qui font prendre aux choses banales des proportions parfois dramatiques;
- l'importance du groupe des pairs et la crédibilité accordée aux mythes véhiculés par les ami(e)s;
- le développement de l'orientation sexuelle; certains adolescents commencent à reconnaître leur homosexualité, sans toujours l'accepter ni la révéler. Souvent, leur orientation homosexuelle les porte à adopter un comportement à risque en réaction contre le rejet de leur entourage;
- l'image que le jeune adolescent se fait progressivement de son corps et dont les notions de fertilité et de vulnérabilité ne font pas toujours partie;

— l'estime de soi encore fragile à cet âge; l'adolescent peut manquer de sécurité et de confiance en lui, particulièrement lorsqu'il doit annoncer à un partenaire qu'il est porteur d'une MTS.

26.3.2.3 La diversité des adolescents

Même s'il existe des caractéristiques communes au développement de tous les adolescents, ils n'en constituent pas moins un groupe très hétérogène autant par leur personnalité et leur maturité que par leurs milieux familial, scolaire et social. Cette diversité doit être reconnue parce qu'elle permet de prévoir les risques et les problèmes auxquels ils sont exposés.

26.3.2.3.1 L'âge

Chez les plus jeunes, le développement corporel et la capacité de reproduction précèdent le développement cognitif. Ils expérimentent, ils sont vulnérables aux pressions de l'entourage et ils vivent au quotidien. La prévention ne fait aucunement partie de leurs préoccupations. Les jeunes adolescents actifs sexuellement vivent généralement des difficultés sociofamiliales et courent davantage de risques d'abus de drogues, de promiscuité sexuelle, de décrochage scolaire, etc.

26.3.2.3.2 Le sexe

Les filles consultent plus que les garçons, à cause notamment du concept de «maladie» qui entoure encore les menstruations et de l'exemple des femmes de la famille qui recourent traditionnellement à la médecine pour régler leurs problèmes génitaux. À cet égard, les garçons ont des modèles différents et ils ont encore tendance à faire porter la responsabilité sur la fille, à nier le problème ou à craindre de consulter.

26.3.2.3.3 Les caractéristiques psychosociales des adolescents

Les adolescents présentent différents genres et adoptent différents modes de vie; le médecin doit être attentif à ces différences puisqu'elles évoquent des risques différents. Il doit adapter son approche selon qu'il s'agit d'un jeune de la rue, d'un jeune cégépien, d'une jeune adolescente abusée sexuellement, etc. Certains adolescents vivent des problèmes d'adaptation assez importants. Souvent ces mêmes adolescentes peuvent adopter des conduites à risque: drogues, prostitution, nombreux partenaires, etc.

26.3.2.3.4 L'appartenance culturelle et ethnique des adolescents

Certains adolescents peuvent vivre des problèmes engendrés par la contradiction entre la culture de leur pays d'origine et la culture du pays d'accueil, particulièrement en ce qui a trait à la sexualité, parfois empreinte de tabous et d'interdits parentaux très puissants. Dans la pratique médicale, les difficultés portent sur la compréhension des problèmes, la recherche des contacts et le suivi.

26.3.3 L'examen physique

Certaines adolescentes subissent leur premier examen gynécologique au moment où elles consultent pour un dépistage de MTS. Il faut comprendre leurs craintes et leur accorder un peu de temps: cela vaut la peine pour les examens ultérieurs. Chez le garçon, c'est souvent aussi le premier examen des organes génitaux depuis l'enfance.

De plus, les prélèvements génitaux ou sanguins effraient souvent les adolescents qui éprouvent des difficultés psychosociales. Un examen et des cultures faites de façon intempestive risquent d'être interprétés comme une punition et de décourager toute nouvelle consultation.

26.4 L'ÉVALUATION BIOLOGIQUE

Les pathologies les plus courantes à l'adolescence sont l'infection à *Chlamydia* et les condylomes; la gonococcie est moins fréquente, quoiqu'elle existe toujours dans ce groupe d'âge. Les prélèvements requièrent une grande attention. La fréquence des pénétrations orales et anales incite à ne pas négliger ces sites de prélèvement; jusqu'à 20 % des adolescents ont des relations sexuelles anales. Ces pratiques, jumelées aux relations sexuelles durant les menstruations, prémunissent contre la grossesse, mais elles comportent des risques accrus pour les MTS. La gonococcie est plus fréquente chez les adolescents qui ont voyagé et dont les partenaires sont bisexuels ou plus âgés. La fréquence de l'infection à *Chlamydia* justifie le dépistage systématique, chaque année ou chaque fois qu'il y a un nouveau partenaire. Pour détecter les condylomes, un examen minutieux s'impose chez les adolescents des deux sexes. Chez les adolescentes qui ont des conduites à risque, un test de Pap aux six mois est une bonne pratique préventive qui permet de détecter les atypies condylomateuses et les dysplasies maintenant courantes chez les très jeunes femmes. Toute adolescente enceinte doit subir un dépistage pour la *Chlamydia* et la gonococcie, peu importe l'issue de la grossesse.

26.5 LA THÉRAPIE CURATIVE ET LA THÉRAPIE PALLIATIVE

Le médecin qui intervient auprès d'adolescents porteurs de MTS ne doit pas craindre d'être constamment en butte à des obstacles et à des problèmes de toutes sortes; au contraire, certains adolescents sont mieux renseignés que bien des adultes grâce aux cours reçus à l'école. Cependant, certaines difficultés peuvent bien sûr entraver la bonne marche d'un traitement.

26.5.1 L'absence de symptômes

Un partenaire asymptomatique est un obstacle au traitement. Le garçon a parfois tendance à accuser la fille puisque c'est elle qui présente des symptômes et elle qui consulte. Il est difficile d'aborder la question d'une MTS avec les partenaires surtout s'ils sont occasionnels. Il faut dire aussi qu'ils sont à un âge où le corps est totalement engagé, mais la confiance en soi, pas encore bien établie.

26.5.2 La fidélité au traitement

La fidélité au traitement peut laisser à désirer. D'abord, le coût de certains médicaments est prohibitif pour la plupart des adolescents, particulièrement pour ceux qui présentent des conduites à risque. Ensuite, l'effet du médicament peut les inquiéter davantage que l'infection elle-même. Enfin, le régime de vie de certains adolescents est presque incompatible avec la prise régulière de médicaments, d'autant plus lorsqu'ils ne présentent aucun symptôme. Il faut donc favoriser l'utilisation de médications à dose unique en prenant garde aux quinolones chez les plus jeunes.

26.5.3 La confidentialité

Le respect de la confidentialité est un élément clé pour créer le climat de confiance nécessaire au succès thérapeutique. L'objet de la consultation doit demeurer confidentiel pour les adolescents acompagnés de leurs parents ou de leurs tuteurs, et la consultation elle-même, pour les adolescents qui viennent seuls. Plus les adolescents sont mal à l'aise face aux adultes, plus il faut leur offrir de solides garanties de confidentialité.

26.6 LA PRÉVENTION ET LE COUNSELLING

Le counselling doit tenir compte de la personnalité des adolescents qui consultent et de leurs caractéristiques psychosociales. Il faut adapter les messages au jeune qui est devant nous et ne pas s'étonner d'avoir à les répéter.

La crainte d'une grossesse domine encore chez les parents des adolescents. C'est pourquoi la contraception orale rassure tellement les parents et les travailleurs de la santé. Le condom ne reçoit cependant pas la même approbation. Même si les données disent le contraire, on pense encore que l'adolescent responsable n'est pas actif sexuellement et, s'il l'est, la pilule demeure la seule mesure acceptable. Le condom offre une double protection que beaucoup d'adultes refusent eux-mêmes pour leurs propres activités sexuelles.

La peur du sida a peut-être contribué à faire comprendre que l'information n'est pas le seul outil capable d'inciter les adolescents à adopter des comportements préventifs. L'information s'adresse à la raison, mais les adolescents sont gênés, effrayés et remplis d'émotions sur lesquelles l'information ne peut rien.

Il faut donc créer une norme, c'est-à-dire vendre l'idée du condom aux adolescents comme on leur vend d'autres produits, en montrant comment ceux qui y souscrivent sont dans la norme, donc perçus positivement. Il faut déployer toute notre imagination comme dans toute bonne campagne publicitaire. L'effort de prévention doit d'abord s'adresser à l'adolescent lui-même et ne pas faire appel aux notions d'altruisme et de responsabilité. Enfin, il faut consacrer un effort spécial aux adolescents qui présentent des facteurs de risque élevé: ces adolescents se retrouvent dans des classes spéciales à l'école, ils fréquentent certains organismes de jeunes ou traînent de plus en plus dans la rue. Ils échappent facilement aux campagnes traditionnelles de prévention et d'éducation et méritent que l'on s'attarde à trouver des moyens différents pour les atteindre.

26.7 LES CONSIDÉRATIONS DE SANTÉ PUBLIQUE

La loi de la santé publique permet le traitement confidentiel des MTS entre 14 et 18 ans. Toutefois, même avant 14 ans, on peut recourir à d'autres considérations légales comme la «maturité du mineur» où l'adolescent peut consentir à un traitement s'il est en mesure d'en comprendre la nature et les conséquences.

La recherche des contacts se heurte à plusieurs obstables, souvent identiques à ceux du traitement: la peur des réactions, la gêne, la peur de ternir sa réputation.

Il faut aider l'adolescent et respecter son rythme. Sans le soustraire à sa responsabilité, on peut lui offrir de contacter le partenaire en assurant la confidentialité lorsque cela est possible.

26.8 LE SUIVI

La relance est très importante durant l'adolescence. Quand l'on considère tous les obstacles au traitement et à la recherche des partenaires, on comprend mieux la nécessité de revoir l'adolescent. En plus de vérifier l'éradication de l'infection, le suivi permet de renforcer les aspects préventifs que l'on voudrait voir adopter. En effet, étant donné que les adolescents sont souvent submergés par un événement qui soulève leurs émotions, ils ne comprennent pas toujours du premier coup l'importance de la prévention. Ils la comprendront mieux une fois le drame passé et surtout, une fois le lien de confiance établi entre l'adolescent et le médecin.

Tableau 26.1 Anamnèse et MTS à l'adolescence

— âge du coïtarche
— nombre de partenaires sexuels depuis le coïtarche
— caractéristiques des partenaires: âge, style de vie, origine culturelle
— lien avec le partenaire
— changement récent de partenaire
— type de pénétration: orale, vaginale, anale
— orientation sexuelle: hétérosexuelle, homosexuelle, bisexuelle
— histoire antérieure de MTS
— style de vie: école, travail
famille
voyages à l'étranger avec contacts sexuels
abus de drogues et d'alcool
prostitution
utilisation de drogues injectables
— contraception
— utilisation réelle du condom

BIBLIOGRAPHIE

1. KING, A.J.C. et al. *Étude sur les jeunes canadiens face au sida*. Kingston, Université Queen's, 1988.

2. FORGET, G., CHARBONNEAU, L., FRAPPIER, J.Y., GAUDREAULT, A., GUILBERT, E., MARQUIS N. *Être adolescent et fertile: une responsabilité personnelle et sociale*. Avis sur la grossesse à l'adolescence, Ministère de la Santé et des Services sociaux. Québec, 1989, 128 p.

3. GIRARD, M., FRAPPIER, J.Y. «Cervicites à chlamydia trachomatis chez des adolescentes». *Clinical and Investigative Medicine*, 1987, 10: A35.

4. VINCELETTE, J., BARIL, J.G., ALLARD, R. «Predictors of chlamydial infection and gonorrhea among patients seen by private practitioners». *CMAJ*, 1991, 144: 713-721.

5. WILKINS, J. et al. *Médecine de l'adolescence: une médecine spécifique*. Montréal, Hôpital Sainte-Justine, 1985.

6. CHARBONNEAU, L. «Le premier examen gynécologique de l'adolescente». *Can Fam Phys*, 1991; 37: 1156.

7. FRAPPIER, J.Y., WESTWOOD, M., coéditeurs. *Médecine de l'adolescence: défi des années '90*. Compagnie Ross, 1991, 106 p.

27

LES MTS ET LA PÉDIATRIE

Marc Girard et Gilles Delage

27.1 DÉFINITION

L'enfant à naître est une victime potentielle des maladies transmissibles sexuellement. Il peut être contaminé par la mère pendant la gestation ou au moment de l'accouchement. Les répercussions sont observables à la naissance ou au cours des premières semaines de vie. Il sera question ici des infections transmises par la mère à son enfant au cours de la grossesse ou de l'accouchement, ainsi que des risques liés à l'allaitement maternel.

27.2 LES AGENTS ÉTIOLOGIQUES

La majorité des infections transmissibles sexuellement peuvent toucher le fœtus ou le nouveau-né (voir tableau 27.1, p. 372). Le risque de contamination de l'enfant exposé à un agent infectieux varie en fonction de la nature du micro-organisme, du stade de l'infection maternelle (aiguë ou chronique), du mécanisme de transmission et du degré de contagiosité maternelle.

27.3 L'ÉPIDÉMIOLOGIE

L'augmentation des infections transmissibles sexuellement chez la mère a provoqué un accroissement des infections chez le nouveau-né. Elles touchent environ 5 à 8 % de la population néonatale. La fréquence de l'infection maternelle et néonatale varie selon l'agent (voir tableau 27.1, p. 372).

27.4 LA PRÉSENTATION DE CAS

27.4.1 L'histoire

La contamination peut se faire pendant la croissance fœtale, au cours de la naissance ou après la naissance.

L'infection intra-utérine ou prénatale du fœtus s'acquiert par voie sanguine transplacentaire ou par le liquide amniotique infecté. Lors de la transmission sanguine, le parenchyme hépatique est d'abord touché et chaque agent causal présente un tableau clinique spécifique. Cette infection se répercute sur la croissance fœtale et augmente le risque de prématurité. Quand il y a infection du liquide amniotique par voie ascendante avec ou sans rupture prématurée des membranes ou lors de manœuvres diagnostiques (amniocentèse), le fœtus ingère ou inhale ce liquide, portant alors atteinte aux voies respiratoires et au tractus digestif.

La contamination prénatale ou intra-partum est le mode de transmission le plus fréquent. Le nouveau-né est contaminé par les sécrétions vaginales ou l'urine lorsqu'il passe par la voie vaginale. La mère infectée peut être symptomatique ou asymptomatique. L'agent infectieux peut attaquer la peau, les muqueuses et les voies respiratoires, mais il peut être encore plus invasif et envahir tout le système.

La contamination postnatale est moins fréquente et elle se fait par le lait infecté (VIH et CMV) ou par contact muco-cutané de la mère à l'enfant (virus de l'herpès simplex et streptocoque du groupe B).

27.4.2 L'évaluation médicale et les facteurs de risque comportementaux

L'évaluation médicale débute par un questionnaire rigoureux de la parturiente et par l'identification de facteurs de risque (voir tableau 27.2, p. 373).

27.4.3 L'examen physique

La majorité des infections contractées au cours de la période prénatale entraînent des conséquences sur la croissance fœtale et produisent parfois des malformations congénitales. La prématurité est fréquente et l'infection persiste souvent en période postnatale (voir tableau 27.3, p. 374).

Les symptômes d'une infection pernatale apparaissent au cours des premières semaines de vie. Même si les manifestations cliniques permettent de déceler un agent étiologique, certains tableaux cliniques sont moins précis et nécessitent une investigation plus systématique (voir tableau 27.4, p. 375).

27.4.3.1 Le cytomégalovirus

Le cytomégalovirus se transmet généralement lors de l'accouchement par la glaire cervicale ou l'urine. De 50 à 85 % des femmes sont porteuses d'anticorps témoins d'une infection antérieure, mais seulement 2 à 8 % d'entre elles excrètent le cytomégalovirus, risquant ainsi de transmettre l'infection. Le nouveau-né est généralement asymptomatique quoiqu'on puisse parfois observer une pneumonite.

Les répercussions du cytomégalovirus sont nettement plus sérieuses lors d'une primo-infection de la mère pendant la grossesse avec une transmission transplacentaire secondaire. Cela touche davantage les adolescentes et les jeunes femmes parce qu'elles n'ont pas souffert d'une infection antérieure qui leur conférerait une protection. Le nouveau-né atteint présente souvent une hépatosplénomégalie avec ictère et une atteinte sévère du système nerveux central (20 %), l'atteinte oculaire est également fréquente (choriorétinite) et 25 % des survivants gardent des séquelles. Plus de 80 % des nouveau-nés demeurent asymptomatiques. Chez la mère déjà immune au début de la grossesse, le risque d'une transmission est inférieur à 1 % et les enfants infectés conservent des séquelles dans environ 5 % des cas.

27.4.3.2 La syphilis

La contamination du fœtus survient après la seizième semaine de vie fœtale et le risque de transmission materno-fœtale est plus élevé durant la première année où la mère est atteinte de syphilis. Le dépistage précoce a diminué l'incidence de l'infection et la majorité des cas proviennent de mères qui ont contracté l'infection pendant la grossesse. La présentation clinique peut être précoce ou tardive. Les symptômes et les signes apparaissent vers le premier mois de vie (voir tableau 27.5, p. 376) et ressemblent à ceux d'une syphilis secondaire. Presque tous les cas (90 %) de syphilis congénitale présentent des altérations osseuses à valeur diagnostique. De plus, une anémie hémolytique sévère peut accompagner la forme précoce.

27.4.3.3 Le VIH

Les risques de transmission du VIH semblent moins élevés qu'on ne l'a d'abord cru. Le nouveau-né présente principalement des symptômes et des signes neurologiques et constitutionnels (voir tableau 27.6, p. 376). Les infections opportunistes touchent de préférence les systèmes neurologique, pulmonaire et digestif. Dans la majorité des cas, les symptômes apparaissent au cours des deux premières années de vie.

27.4.3.4 Chlamydia trachomatis

La *C. trachomatis* est la principale cause de conjonctivite néonatale et de pneumonie chez le nourrisson de moins de trois mois. Malgré une prophylaxie oculaire, l'atteinte pulmonaire demeure encore fréquente. L'image radiologique et la présentation clinique (voir tableau 27.7, p. 377) sont très évocatrices. Le rôle de la *C. trachomatis* comme facteur étiologique de l'otite moyenne demeure toujours controversé.

27.4.3.5 Neisseria gonorrhoeae

La conjonctivite reste la complication la plus fréquente qu'entraîne la cervicite gonococcique. Cependant, la prophylaxie à base de pommade d'érythromycine ou de tétracycline s'avère très efficace. L'écoulement conjonctival purulent nécessite un diagnostic rapide afin d'éviter des lésions cornéennes permanentes. La gonococcémie néonatale est rare, mais on peut parfois trouver une arthrite gonococcique.

27.4.3.6 Herpès simplex

Le virus de l'herpès simplex est habituellement transmis durant la période périnatale. Le nouveau-né devient symptomatique entre la première et la troisième semaine de vie. Au début, il présente un état septique souvent sans atteinte cutanée ou encore des lésions cutanées peu nombreuses ou limitées au niveau oculaire. Sans traitement, l'infection atteint les yeux et se propage au système nerveux central et aux viscères. Elle peut entraîner des séquelles neurologiques. Le taux de mortalité atteint 60 %. Lors d'une transmission prénatale (10 %), les symptômes sont présents à la naissance bien qu'on ne décèle aucune lésion cutanée dans 50 % des cas. L'atteinte neurologique est sévère et la mortalité très élevée.

27.4.3.7 Le VPH

Malgré l'incidence élevée de l'infection chez la parturiente, le nouveau-né est rarement atteint. Le VPH touche principalement les voies génitales et occasionnellement les voies respiratoires supérieures. Un cri rauque ou des difficultés respiratoires de type obstructif traduisent habituellement une papillomatose laryngée.

27.4.3.8 L'hépatite B

La mère porteuse de HBsAg et de HBeAg au moment de l'accouchement risque fort de transmettre son infection (90 % des cas). Les enfants présentent rarement une hépatite aiguë, mais 90 % des enfants infectés deviennent porteurs chroniques. Une cirrhose ou un carcinome hépatocellulaire à l'âge adulte guettent les victimes d'une telle infection. En l'absence de HBeAg, le risque de transmission tombe à environ 5 %.

27.4.3.9 Le streptocoque du groupe B

Cette infection n'est pas à proprement parler une maladie transmissible sexuellement et la présence de cet agent chez la femme n'a aucune répercussion au cours de la grossesse. Cependant, la bactérie peut contaminer le nouveau-né lors de l'accouchement. De 5 à 25 % des femmes sont porteuses du streptocoque du groupe B au cours de la grossesse. L'infection précoce est habituellement liée à une transmission verticale. Les symptômes apparaissent dans la première semaine de vie sous forme d'une septicémie sévère avec choc (voir tableau 27.8, p. 377). Moins de 1 % des cas sont dans cette catégorie. La forme précoce se distingue de la forme tardive qui est liée à une contamination à l'hôpital ou à la pouponnière et qui se manifeste par un tableau de méningite.

27.5 L'ÉVALUATION BIOLOGIQUE

Le diagnostic d'une infection néonatale causée par un agent de MTS repose sur l'identification de cet agent. L'examen direct ou la culture d'un liquide biologique approprié permet d'isoler l'agent (voir tableau 27.9, p. 378). La sérologie peut aider, mais il faut tenir compte de la transmission transplacentaire des anticorps de la mère. Le nouveau-né non infecté d'une mère syphilitique conserve un VDRL positif pendant trois mois et un FTA-abs pendant six mois.

27.6 LA THÉRAPIE CURATIVE ET PALLIATIVE

Les recommandations thérapeutiques dépendant du germe en cause (voir tableau 27.10, p. 379). Il est important de noter que la plupart de ces infections exigent rapidement des mesures préventives ou thérapeutiques. La pommade d'érythromycine pour la prévention de la conjonctivite néonatale à *C. trachomatis* prête à controverse et son utilisation ne prévient pas la pneumonie. Dans ces cas, un traitement systémique s'impose.

La conjonctivite gonococcique se raréfie avec l'efficacité des pommades antibiotiques. En cas d'échec, des irrigations ophtalmiques et un traitement systémique sont entrepris.

L'infection herpétique et la septicémie à streptocoque du groupe B exigent beaucoup d'attention. La létalité et la morbidité de ces infections justifient un traitement précoce et énergique.

La syphilis congénitale se traite avec la pénicilline. Le type de pénicilline et la durée du traitement varient selon l'atteinte du liquide céphalo-rachidien.

27.7 LA PRÉVENTION ET LE COUNSELLING

Au début de la grossesse, on prescrit des épreuves sérologiques de dépistage pour la syphilis et l'hépatite B. Quand le VDRL est positif, on confirme le diagnostic de syphilis par un FTA-abs et on commence un traitement. En présence d'HBsAg, on assure une protection au nouveau-né en lui administrant un vaccin et des immunoglobulines spécifiques dès la naissance (HBIG); il faut répéter la vaccination un mois et six mois plus tard. Chez les femmes à risque, on suggère de rechercher *N. gonorrhoeae* et *C. trachomatis* à la vingtième et à la trente-quatrième semaine de grossesse. Si la mère est porteuse de l'agent, on entreprend immédiatement un traitement pour elle et son partenaire. La sérologie anti-VIH est réservée aux femmes qui ont des comportements à risque et/ou qui désirent connaître leur statut sérologique. Ces épreuves de dépistage ne se font pas sans consentement ni counselling pré- et post-test (voir tableau 27.11, p. 380).

En fin de grossesse, il faut surveiller étroitement les lésions herpétiques et condylomateuses. S'il existe des lésions herpétiques, on suggère de procéder par césarienne à moins que la rupture des membranes ne soit survenue depuis plus de trois heures. Les cultures systématiques hebdomadaires du col utérin ou des sécrétions vaginales en fin de grossesse chez les femmes qui ont déjà souffert d'herpès génital sont aujourd'hui remplacées par un questionnaire et un examen génital minutieux au début du travail. Les condylomes ne sont pas une contre-indication à un accouchement par voie vaginale si les lésions ne causent pas d'obstruction. Enfin, on ne propose aucun dépistage systématique pour le streptocoque du groupe B et le cytomégalovirus.

27.8 LES CONSIDÉRATIONS DE SANTÉ PUBLIQUE

L'identification d'une infection transmissible sexuellement chez le nouveau-né exige un traitement de la mère et de son partenaire. L'annonce d'une telle infection demande beaucoup de doigté et provoque chez les parents un sentiment de culpabilité et un sérieux questionnement sur la relation de couple. Une rencontre individuelle des parents permet parfois d'identifier et de traiter d'autres partenaires. Les maladies à déclaration obligatoire sont signalées aux autorités sanitaires.

BIBLIOGRAPHIE

1. BERHMAN, R.E., KLIEGMAN, R.M. *Textbook of Pediatrics*. 14th ed., Philadelphie, W.B. Saunders, 1992.
2. FEIGIN, R.D., CHERRY, J.D. et al. *Texbook of Pediatric Infectious Diseases*. 2nd ed. W.B. Saunders, Philadelphie, 1987.
3. MANDEL, G.L., DOUGLAS, R.G., BENNETT, J.E. *Principles and Practice of Infectious Diseases*. New York, Churchill Livingston, 3th ed, 1990.
4. REMINGTON, J.S., KLEIN, J.O. *Infectious Diseases of the Fœtus and Newborn Infant*. 3th ed.Philadelphie, W.B. Saunders, 1990.
5. RUDOLPH, A.M. *Rudolf's Pediatrics*. 19th ed. Norwalk, Appleton and Lange, 1991.
6. TAEUSCH, H.W., BALLARD, R.A., AVERY, M.E. *Diseases of the Newborn*. 6th ed. Philadelphie, W.B. Saunders, 1991.
7. HARRISON, H.R. et al. «Chlamydia trachomatis infant pneumonitis». Comparison with matdred controls and other infants pneumonitis. *N Engl J Med*, 298: 702, 1978.

Tableau 27.1 Mode de transmission des principaux germes des MTS et fréquence d'infection

Agent	Fréquence infection par 1 000 grossesses	Mode de transmission	Fréquence infection intra-utérine par 1 000 naissances vivantes	Fréquence infection néonatale par 1 000 naissances vivantes	Risque de contamination si exposé
Chlamydia trachomatis	60-100	périnatale		20-40 (conjonctivite 5-10 (pneumonie)	18-50 % 11-20 %
Cytomégalo-virus	20-80*	prénatale (10 %) périnatale (90 %)	2-22	20-120	20-40 %* 50-80 %
Gonocoque	0,5-10	prénatale périnatale	rare	0,05-0,38	2-30 %
Hépatite B	0,9-3,0	prénatale périnatale	rare	0,1-0,3	5-90 %
Herpès simplex	1-110	prénatale (10 %) périnatale (90 %)	0,01-0,02	0,1-0,5	1-2 %**
VPH	50	périnatale		0,1-1	0,5-1 %
Streptocoque groupe B	50-250	périnatale		3-5	0,5-2 %
Treponema pallidum	0,2	périnatale	0,08		50-60 %
VIH	1-50	mal connu	?	?	13-50 %

* primo-infection durant la grossesse
** risque plus élevé si lésions actives

Tableau 27.2 Population à plus haut risque ou facteurs de risque de porteur d'une MTS

- moins de 25 ans
- utilisateur de drogues injectables
- utilisateur de drogues
- prostitution
- jeunes avec des difficultés psychosociales
- antécédents de MTS depuis < 1 an
- nouveau partenaire depuis < 2 mois
- relations sexuelles non protégées avec une personne ayant une des caractéristiques déjà mentionnées
- relations sexuelles non protégées avec un homme bisexuel

Tableau 27.3 Répercussion fœtale d'une infection transmissible sexuellement selon l'agent causal

	Cytomégalo-virus	Gonocoque	Hépatite B	Herpès simplex	*Treponema pallidum*	VIH
Prématurité	+	+	+	+	+	+/-
Retard de croissance intra-utérin	+	-	-	-	-	+/-
Anomalie du développement psychomoteur	+	-	-	-	-	+
Maladie congénitale	+	-	rare	rare	+	+
Malformation	+	-	-	-	-	+/-
Infection persistante postnatale	+	+	+	+	+	+

Tableau 27.4 Manifestations cliniques d'une infection néonatale contractée *in utero* ou lors de l'accouchement selon l'agent causal

	Chlamydia trachomatis	Cytomégalo-virus	Gonocoque	Herpès simplex	Streptocoque Groupe B	*Treponema pallidum*	VIH
Hépatomégalie, ictère		+ +		+ +	+ +	+ +	+ +
Adénopathie						+	+
Méningo-encéphalite		+		+	+	+	+
Microcéphalie		++		+			+
Calcifications intracrâniennes		++		+			+
Hydrocéphalie		+		+			
Lésions osseuses		+		+		++	
Lésions articulaires			+			+	
Pneumonie	++	+		+	++	+	+
Myocardite				+			+
Conjonctivite	++		++	+		+	
Choriorétinite		+		+		+	
Surdité		+			+	+	
Pétéchies, purpura		+	+	+	+	+	
Vésicule, ulcère				++		+	
Exanthème				+		++	

Tableau 27.5 Symptômes et signes cliniques rencontrés chez le nouveau-né infecté par le *T. pallidum*, présentation précoce

Hépatomégalie	51 %
Splénomégalie	49 %
Anémie	34 %
Ictère	30 %
Exanthème	35 %
Pétéchies	41 %
Rhinorrhée	23 %
Anomalies osseuses	61 %
Lymphadénopathie	32 %
Pseudoparalysie	28 %

Tableau 27.6 Symptômes et signes cliniques rencontrés chez le nouveau-né infecté par le VIH

- retard du développement psychomoteur
- encéphalopathie
- microcéphalie
- infections virales ou bactériennes récurrentes
- hyperplasie lymphoïde pulmonaire
- lymphadénopathie
- hépatosplénomégalie
- insuffisance de gain pondéral
- diarrhée chronique récurrente
- hyperplasie des glandes salivaires
- infections opportunistes
- atteinte des lignées hématologiques

Tableau 27.7 Symptômes et signes cliniques rencontrés chez le nouveau-né avec infection respiratoire à *C. trachomatis*

toux quinteuse (staccato)	93 %
conjonctivite	46 %
sibilances	16 %
râles	88 %
anomalies tympaniques	59 %
prodrome depuis 1 semaine	79 %
présentation entre 3 et 11 semaines de vie	93 %
radiographie	
• infiltrat diffus	82 %
• hyperinflation	82 %
éosinophilie > 400/mm^3	73 %

Source: HARRISON H. R. et al. «Chlamydia trachomatis infant pneumonitis. Comparison with matched controls and other infants pneumonitis». *N. Engl. J. Med.* 298:702, 1978.

Tableau 27.8 Symptômes et signes cliniques rencontrés chez la mère et le nouveau-né infectés par le streptocoque du groupe B

	INFECTION PRÉCOCE	INFECTION TARDIVE
Date d'apparition	< 3 jours de vie	> 7 jours de vie
Symptômes maternels		
rupture prématurée des membranes	59 %	0 %
chorio-amnionite	17 %	0 %
fièvre périnatale	59 %	14 %
Symptômes néonataux		
détresse respiratoire	95-100 %	15-20 %
apnée	80-90 %	10-15 %
choc	50-60 %	10-15 %
méningite	30 %	80 %

Tableau 27.9 Méthodes d'identification d'une infection par des agents des MTS chez le nouveau-né

	LIEU DE PRÉLÈVEMENT	MÉTHODE
C. trachomatis	conjonctive trachée	coloration de Giemsa ou culture sur cellules de McCoy
Cytomégalovirus	urine sang	culture virale sérologie virale
N. gonorrhoeae	conjonctive, articulation, LCR	Gram et culture
Hépatite B	sang	sérologie virale
Herpès simplex	peau LCR	culture virale
VPH	cordes vocales	examen histologique
Streptocoque groupe B	aspiration trachéale sang LCR	Gram et culture
Treponema pallidum	peau, sang LCR	examen sur fond noir immunofluorescence sérologie

Tableau 27.10 Traitement des infections néonatales dues à un agent des MTS

	PROPHYLAXIE	TRAITEMENT
C. trachomatis	pommade ophtalmique érythromycine 0,5 %	érythromycine 30-50 mg/ kg/ 24 h aux 6 h PO × 10 j
N. gonorrhoeae	pommade ophtalmique érythromycine 0,5 % ou tétracycline 1 % ou Ag No_3 1 % + érythromycine 50 mg/kg/j aux 6 h PO × 14 j	ophtalmie néonatale ou septicémie ceftriaxone 50 mg/kg/j IV × 7 j
Hépatite B	HBIG 0,5 ml IM à la naissance + immunisation active (0,1,6 mois)	
Herpès simplex		acyclovir 30-45 mg/kg/24 h aux 8 h IV × 10 j
Streptocoque groupe B		ampicilline 200 mg/kg/j aux 6 h IV × 14 j + gentamycine 5-7,5 mg/kg/j aux 8 h IV × 14 j
Treponema pallidum		si LCR normal pénicilline G benzathine 50 000 U/kg IM en 1 dose si LCR anormal pénicilline G procaïnée 50 000 U/kg IM en 1 dose × 10 j

Tableau 27.11 Épreuves de dépistage chez la femme enceinte en cours de grossesse

< 20 semaines	• VDRL • HBsAg — si facteurs de risque: • sérologie anti-VIH • culture — gonocoque • test — *C. trachomatis*
≥ 34 semaines	— si facteurs de risque: • VDRL • HBsAg • culture — gonocoque • test — *C. trachomatis*

28

LES MTS ET L'URGENCE

Daniel Gervais et Marie Jolivet

28.1 DÉFINITION

Les médecins qui travaillent à l'urgence font souvent face à des cas de MTS dont la sévérité et l'urgence sont fort variables.

Au Québec, il n'existe pas de publication officielle sur la proportion des consultations reliée aux MTS dans les salles d'urgence. Toutefois, après avoir interrogé plusieurs médecins, on peut établir un taux de 1 à 5 % dont une forte proportion se trouve dans les grands centres urbains.

Nous discuterons des différents aspects pratiques susceptibles d'optimiser l'approche du patient porteur d'une MTS, sans parler du traitement spécifique puisqu'il en a déjà été question.

28.2 LES TYPES DE PATIENTS

La plupart des patients qui se rendent à l'urgence pour une MTS ne requièrent pas d'hospitalisation. Il s'agit souvent de patients issus d'un milieu socio-économique peu favorisé. Ils déménagent fréquemment, se soucient peu d'avoir un médecin de famille attitré et montrent peu d'intérêt à connaître le résultat de leurs tests une fois qu'ils ont obtenu une prescription d'antibiotiques. Ils ne savent pas trop ce qu'est une MTS, n'en connaissent pas les moyens de prévention ni les implications épidémiologiques.

Certains patients se présentent à l'urgence tout simplement parce qu'ils préfèrent l'anonymat d'une salle d'urgence.

D'autres s'amènent fort inquiets à l'idée d'avoir acquis une MTS ou encore le VIH/sida parce qu'ils ont eu une relation sexuelle non protégée la veille. Ils ne comprennent pas toujours que le médecin ne leur accorde pas toute l'importance désirée en remettant les analyses à plus tard ou qui leur conseille de consulter leur médecin de famille.

À l'autre extrême, certains consultent pour des symptômes de longue date qui les avaient laissés indifférents jusqu'alors, avec les conséquences épidémiologiques que l'on suppose. Ils croient souvent qu'une seule visite suffira à poser le diagnostic et qu'un traitement miracle les rendra rapidement asymptomatiques. Ils sont fort déçus d'apprendre qu'il faut une visite de contrôle pour bien établir le diagnostic.

Enfin, plusieurs patients, ignorant d'autres ressources, profitent des suggestions de l'infirmière au triage qui les oriente vers des cliniques sans rendez-vous, des CLSC ou des urgences de clinique privée. Elle doit cependant être fine psychologue pour bien faire la distinction entre ceux qui suivront ses conseils et ceux qui retourneront chez eux sans avoir vu de médecin, avec le risque de contagiosité que cela entraîne.

28.3 LE RÔLE DU MÉDECIN À L'URGENCE

Quelque 80 % des patients qui consultent dans une salle d'urgence ne répondent pas à la définition d'un problème médical qui nécessite des soins d'urgence. Cela crée un engorgement des salles d'urgence et rend le personnel médical et paramédical moins disponible et moins efficace.

Les médecins des salles d'urgence doivent être rapides et expéditifs tout en posant le bon diagnostic et en prescrivant le bon traitement. Pourtant, ils ne connaissent pas tous la même expérience clinique et ne sont pas tous dotés du même sens de l'organisation du travail; de plus, ils ne manifestent pas tous le même intérêt pour les MTS ni la même motivation pour travailler dans une salle d'urgence.

Chacun doit distinguer le patient qui peut retourner chez lui avec une médication orale en évaluant le risque que comporte un diagnostic erroné de celui qu'il faudra garder sous observation et traiter plus agressivement.

Il doit connaître les médecins spécialistes de l'hôpital et, en cas de doute, communiquer avec l'un d'eux.

Comme le médecin qui travaille à l'urgence dispose de peu de temps à consacrer à chaque patient, il ne peut discuter de counselling prétest pour le VIH et de considérations épidémiologiques et préventives, exception faite du traitement épidémiologique des contacts si une MTS est rapidement mise en évidence. Les malades qui ont besoin de plus d'explications et ceux qui souffrent de pathologies dont le traitement n'est pas urgent, par exemple un condylome, un molluscum ou une vaginite rebelle, peuvent être référés à d'autres médecins.

On lui demande enfin d'évaluer en quelques minutes si le patient suivra rigoureusement son traitement et s'il sera fidèle à ses rendez-vous. Pour y arriver, il doit donc poser des questions claires et précises.

28.4 L'INVESTIGATION

Le patient asymptomatique qui désire un dépistage de routine doit être orienté ailleurs. Cependant, lorsque des prélèvements sont jugés nécessaires, il faut se souvenir que plusieurs MTS cohabitent fréquemment. Un bilan MTS complet doit alors être envisagé. Le médecin doit trouver sur place tout le matériel et l'équipement nécessaires (voir tableau 28.1, p. 384).

Si un fond noir est indiqué, il faut rejoindre le microbiologiste infectiologue de garde pour fixer un rendez-vous dans les 24 heures. Il faut prévenir le patient de n'appliquer ni crème ni onguent sur la lésion avant l'examen.

Les requêtes qui accompagnent les échantillons doivent être claires. On doit y trouver le nom du patient, son numéro de téléphone, son adresse, le type de spécimen prélevé ainsi que le nom du médecin à qui le résultat doit être acheminé. Cela permet de procéder à l'analyse sans délai et de transmettre rapidement les résultats au patient.

Ces résultats pourtant essentiels manquent plus souvent qu'on ne le croit et occasionnent une perte de temps pour le malade comme pour le médecin.

Enfin, un protocole pour la personne agressée sexuellement doit être facilement accessible.

TABLEAU 28.1 Matériel requis pour la détection de MTS à l'urgence

— Table d'examen gynécologique

— Microscope, lames, eau distillée

— Spéculum vaginal

— Proctoscope (anuscope)

— Bandelettes pour lecture du pH vaginal (3,5-6,0)

— Écouvillons minces en aluminium avec bout en alginate de calcium pour prélèvement urétral chez l'homme

— Milieu de transport Stuart modifié

— Lame ou milieu de transport pour *Chlamydia trachomatis*

— Lames ou milieu de transport pour l'herpès

— Milieu de transport pour *Ureaplasma urealyticum* et *Mycoplasma hominis*

— Facilités de prélèvements sanguins

28.5 LE TRAITEMENT

Le médecin qui travaille à l'urgence doit connaître les plus récents protocoles de traitement des MTS. Il doit également connaître les allergies ou les intolérances médicamenteuses antérieures du patient et l'aviser des effets indésirables possibles des antibiotiques prescrits.

Au moment du questionnaire, il est important de déterminer si le patient sera fidèle au rendez-vous de contrôle. Dans le doute, il vaut mieux traiter empiriquement et, quand c'est possible, opter pour un traitement unidose.

Certaines pathologies, tels l'herpès ou l'urétrite très symptomatiques, peuvent être traitées d'emblée. D'autres pathologies nécessitent l'hospitalisation et une antibiothérapie parentérale. Quand il n'y a pas d'urgence, les patients doivent prendre rendez-vous pour obtenir leurs résultats et initier un traitement approprié.

28.6 LE SUIVI

Plusieurs jours peuvent s'écouler entre deux quarts de travail successifs d'un même médecin à l'urgence. Il lui est donc impossible d'assurer la continuité des soins et de vérifier le résultat du traitement des patients ambulatoires. Par contre, les consultants peuvent assurer la relève pour les patients hospitalisés.

On peut suggérer au patient non hospitalisé de retourner voir son médecin de famille à qui on fera parvenir une copie des résultats. On lui remet alors une brève note expliquant le diagnostic posé, les tests effectués ainsi que le traitement prescrit. Le patient peut aussi prendre rendez-vous à la clinique de relance, à la clinique de médecine familiale ou encore chez un médecin spécialiste. Il peut également revoir à son bureau le médecin qui l'a vu à l'urgence. C'est alors le nom de ce médecin qui doit apparaître sur les requêtes.

En terminant, il convient de souligner le rôle important des unités de santé publique dans le dépistage des contacts.

28.7 CONCLUSION

Bien que la majorité des cas de MTS ne soient pas considérés urgents, le médecin de l'urgence doit s'assurer d'avoir bien cerné le problème et faire les analyses pertinentes. Il doit veiller à ce que le patient comprenne bien l'importance du suivi. Comme les patients requièrent souvent une approche globale du problème, ils apprécient un médecin intéressé par tout ce qui touche aux maladies transmissibles sexuellement.

BIBLIOGRAPHIE

1. DERLET, R.W. «Refusing care to patients who present to an emergency department». *Annals of Emergency Medicine*, 19: 3, March 90, p. 262-267.

2. MUSTALESH, A. «Emergency medical services: Twenty years of growth and development». *New York State Journal of Medicine*, Aug. 86, p. 414-420.

3. American College of Emergency Physicians. «Hospital and emergency department overcrowding». *Annals of Emergency Medicine*, 19: 3, March 1990, p. 336.

4. Editorial. «The emergency patient follow-up: Is non compliance changeable or immutable?». *The Journal of Emergency Medicine*, 1988, Vol. 6, p. 421-422.

29

LA PRÉVENTION DES MTS

Marc Steben et Fernand Turgeon

29.1 DÉFINITION

Les objectifs de la médecine sont de promouvoir, de préserver et de rétablir la santé, de minimiser la souffrance et de soulager la détresse des personnes malades.

La prévention est la pierre angulaire des objectifs visés par la médecine. Elle peut théoriquement se diviser en prévention primaire, secondaire et tertiaire, quoiqu'en pratique cette division soit beaucoup moins précise.

La prévention primaire vise, par des efforts personnels ou communautaires, à réduire l'incidence de la maladie.

La prévention secondaire vise, par la détection précoce ainsi que l'intervention rapide et efficace, à réduire la prévalence de la maladie en diminuant sa durée.

La prévention tertiaire vise, en minimisant les incapacités et les souffrances, à réduire les complications de la maladie.

29.2 LES VALEURS MORALES ET LA PRÉVENTION

Le médecin confronte régulièrement ses valeurs personnelles à celles de ses clients, mais cette confrontation atteint probablement son apogée avec les MTS. En effet, l'expression des pratiques sexuelles varie souvent d'un individu à l'autre et la consommation de psychotropes fait parfois partie intégrante de la sexualité. Ces différences de valeurs heurtent souvent celles du médecin traitant qui doit pourtant les accepter. Il ne peut éthiquement les condamner et il doit tâcher de diminuer les risques pour la santé de ses clients. Si le médecin se sent mal à l'aise dans une situation donnée, il doit référer la personne à un collègue.

29.3 LA PRÉVENTION PRIMAIRE

L'évaluation du risque de MTS fait partie du rôle du médecin et elle s'applique à tous les patients. Le risque pour le patient peut ne pas être réalisé ou il peut ne pas être exprimé. Cependant, s'il y a risque de MTS, le médecin doit faire du counselling et éclairer son patient sur les risques relatifs aux diverses pratiques sexuelles et au nombre de partenaires. Il doit aussi lui parler des pratiques sexuelles dites «sécuritaires». Le tableau 29.1, p. 389 résume les points importants de la prévention primaire.

Lors d'une consultation pour contraception, l'évaluation du risque de MTS permet d'orienter le choix de la méthode appropriée.

Le médecin doit vérifier les connaissances des personnes à risque sur les condoms et leur utilisation (voir tableau 29.2, p. 390). Par conséquent, il doit lui-même posséder les connaissances suffisantes pour aider la personne à risque à choisir le type de condom qui lui convient et lui expliquer clairement les limites qu'ils comportent (voir tableau 29.3, p. 390-392). Il faut aussi aborder le problème des condoms qui se déchirent. Les principales causes de rupture sont résumées dans le tableau 29.4, p. 393.

Le médecin doit savoir si le patient fait usage de psychotropes afin de déterminer le bien-fondé d'un programme de sevrage. Si le patient s'injecte des drogues intraveineuses, il faut lui faire connaître l'existence de personnes-ressources et le sensibiliser aux équipements d'injections stériles. De plus, il faut lui apprendre les techniques de stérilisation des équipements partagés.

Le Comité Consultatif National sur l'Immunisation (CCNI) recommande maintenant le dépistage de l'hépatite B chez toutes les femmes enceintes au Canada en vue de vacciner dès la naissance les nouveau-nés des femmes porteuses du virus de l'hépatite B. Cette vaccination est également souhaitable chez les patients à risque, soit à cause de leurs activités sexuelles, soit à cause de leur consommation de drogues intraveineuses. Il faut alors contacter la personne responsable de cette vaccination à l'unité de santé publique afin de connaître les conditions pour obtenir le vaccin gratuitement. La vaccination universelle contre l'hépatite B est recommandée au Canada.

Tableau 29.1 La prévention primaire

COUNSELLING SEXUEL

- Nombre de partenaires
- Risque relatif des pratiques sexuelles
- Pratiques sexuelles sécuritaires
- Négociations des pratiques sexuelles sécuritaires

CHOIX D'UNE MÉTHODE CONTRACEPTIVE

COUNSELLING SUR LES CONDOMS/SPERMICIDES

- Choix (voir tableau 29.3, p. 390)
- Modes d'emploi adéquat (voir tableau 29.4, p. 393)

COUNSELLING SUR LA CONSOMMATION DE PSYCHOTROPES

COUNSELLING SUR L'ÉQUIPEMENT D'INJECTION INTRAVEINEUSE DE DROGUES

- Programme de sevrage
- Importance d'un équipement stérile

DÉPISTAGE DE L'HÉPATITE B CHEZ LA FEMME ENCEINTE

VACCINATION CONTRE L'HÉPATITE B

- Nouveau-nés de mères porteuses d'hépatite B
- Personnes à risque

Tableau 29.2 Vérification de l'utilisation des condoms

1) Pour tous les partenaires

2) Pour toutes les relations

3) Pour toute la durée de la relation sexuelle

Tableau 29.3 Condoms: quelques situations, quelques suggestions

Lorsqu'on veut un condom lubrifié ordinaire pour prévenir les MTS et la grossesse, on peut utiliser:

— Ortho Shields protection lubrifié
— Sheik Sensi crème lubrifié
— Sheik Denim lubrifié
— Titan lubrifié
— Ramsès Sensitol lubrifié
— Trojan Enz lubrifié
— Trojan Plus lubrifié
— Life Styles lubrifié
— Life Styles galbé

Lorsqu'il y a une diminution trop importante de la sensation, on utilise:

a) des condoms plus minces:
 — Conceptrol Suprême
 — Sheik Sensi-Thin
 — Life Styles ultrasensibles

b) des condoms nervurés:
 — Trojan Naturalube Ribbed

— Titan Ribbed

— Ramsès nervuré

c) des condoms en peau d'animal*

— Naturalamb/Trojan Kling-Tite

— Fourex/Quatr-X

d) mettre une goutte de lubrifiant hydrosoluble sur le gland avant d'enfiler le condom

Lorsqu'il y a relations orales, on utilise:

— Ortho Shields non lubrifié

— Trojan non lubrifié

— Trojan Enz non lubrifié

— Sheik non lubrifié

— Ramsès non lubrifié

Lorsqu'il y a relations anales, on utilise des condoms plus solides:

— Ortho Shields Protection X

— Ramsès Ultra

Lorsque le pénis est trop petit et que le condom glisse, on recommande les condoms Ortho, généralement plus petits que Trojan ou Julius Schmid.

Lorsque le pénis est trop gros, on recommande:

— Trojan Enz grand

— Fourex/Quatr-X

— Naturalamb/Trojan Kling-Tite

Lorsqu'il y a irritation, on suggère:

— de prendre un lubrifiant hydrosoluble supplémentaire comme K-Y, Surgilube, Lubafax

— un condom de peau animale:

Fourex/Quatr-X

Naturalamb/Trojan Kling-Tite

Lorsqu'on veut un condom gadget sécuritaire, on peut utiliser:

— Ramsès nervuré

— Trojan Naturalube Ribbed
— Titan Ribbed
— Life Styles nervurés
— Life Styles couleurs variées

Lorsqu'on veut un maximum de protection contre les MTS et la grossesse (% nonoxynol-9), il y a:

— Ramsès Ultra 15 (15 %) (condoms extra-forts)
— Ramsès Extra15 (15 %)
— Ramsès Extra (8 %)
— Ramsès nervuré avec lubrifiant spermicide (8 %)
— Sheik Excita nervuré avec lubrifiant spermicide (8 %)
— Sheik Sensi-Thin avec lubrifiant spermicide (8 %)
— Sheik Elite avec lubrifiant spermicide (8 %)
— Ortho Shields Protection Plus (5 %)
— Titan avec lubrifiant spermicide (5 %)
— Trojan Enz grand avec lubrifiant spermicide
— Trojan Enz avec lubrifiant spermicide
— Life Styles ultrarésistant avec spermicide
— Life Styles lubrifié avec spermicide

Si le condom se déchire facilement, il y a:

— Ortho Shields Protection X
— Ramsès Ultra
— Life Styles ultrarésistant avec spermicide

Si la personne veut essayer, on suggère:

— Life Styles variété

---

* Bien que théoriquement les pores du condom en peau d'animal puissent laisser passer les virus de l'hépatite B et le VIH, aucun cas d'infection n'a pu être relié à son utilisation. Quand un couple refuse le condom de latex, le condom en peau d'animal vaut quand même mieux que pas de condom du tout.

Tableau 29.4 Pourquoi les condoms se déchirent-ils?

A. AVANT L'UTILISATION
- — Date d'expiration
- — Conservation (voiture, table de chevet)
- — Transport (portefeuille ou sac à main)
- — Ouverture accidentelle de l'enveloppe

B. AU MOMENT DE L'UTILISATION
- — Ouverture de l'enveloppe
- — Ongles, bagues, dents
- — Réservoir non collabé

C. PENDANT L'UTILISATION
- — Manque de lubrification vaginale
- — Mauvais lubrifiant: vaseline, shortening, margarine, lotion, huile pour bébé
- — Pénétration brusque

29.4 LA PRÉVENTION SECONDAIRE
(voir tableau 29.5, p. 395)

Il faut tout mettre en œuvre pour renseigner la population sur les signes et symptômes des MTS. Cela favorisera les consultations dès l'apparition des symptômes qui peuvent être éphémères et donner ainsi une fausse impression de guérison. Si les patients tardent à consulter, ils risquent de développer des complications et de transmettre l'infection à de nouveaux partenaires.

Il est primordial que le médecin connaisse les symptômes et les signes cliniques reliés aux MTS tout en sachant que certaines atteintes uro-génitales ou systémiques peuvent présenter des signes et symptômes analogues.

Une MTS requiert un traitement adéquat. Le médecin doit donc suivre l'évolution constante de ce domaine: le traitement approprié hier est peut-être aujourd'hui révolu et peut-être changera-t-il encore demain.

Les analyses de dépistage permettent de détecter une infection qui reste silencieuse à la fois subjectivement et objectivement. Les analyses de diagnostic permettent d'identifier l'étiologie d'une maladie qui se manifeste soit objectivement ou subjectivement. Dans les deux cas, les mêmes analyses s'appliquent.

Le tableau 29.6, p. 395 résume les critères de Breslow-Somers auxquels doit répondre une analyse de dépistage. Ces critères sont importants et le médecin traitant devrait les connaître avant de prescrire certaines analyses de laboratoire.

Le tableau 29.7, p. 396 résume les critères de Codman pour qu'une épreuve de dépistage de MTS fasse l'objet d'un programme de masse. Actuellement, aucune analyse disponible ne rencontre ces critères.

Les médecins ont régulièrement l'occasion de prescrire des analyses de dépistage de MTS lors d'un examen médical périodique, d'un contrôle de contraception, d'une visite prénatale ou préavortement. Le tableau 29.10, p. 397 dresse la liste des personnes qui pourraient bénéficier d'un dépistage.

Certaines infections devraient faire partie d'un dépistage personnalisé (tableau 29.8, p. 396), d'autres pas (tableau 29.9, p. 396).

Le dépistage du VIH appartient autant à la prévention tertiaire que secondaire. Il devrait être réservé aux personnes qui ont des comportements à risque: bien sûr, les risques sont plus élevés dans certains groupes. Ce dépistage devient de plus en plus justifié depuis qu'il est recommandé d'administrer de la zidovudine chez les personnes infectées par le VIH avant même qu'elles ne développent le sida.

Le traitement épidémiologique des contacts est négligé et mal compris. Il s'agit de traiter les partenaires d'une personne infectée par la gonococcie, la *Chlamydia*, l'urétrite non gonococcique, la cervicite muco-purulente, la syphilis infectieuse ou la trichomonase sans avoir recours à l'analyse microbiologique, seulement à la notion de contact. Bien qu'il soit faux de prétendre que tous les contacts seront infectés, la fiabilité relative des analyses microbiologiques nous fait craindre la transmission de la maladie. En effet, la personne dont le résultat serait faussement négatif ne recevrait pas de traitement.

Les contacts sexuels et sociaux de personnes infectées par le virus de l'hépatite B bénéficieraient d'une prophylaxie post-contact (voir la section sur l'hépatite B).

Plusieurs études africaines révèlent qu'uriner et se laver les organes génitaux après une relation sexuelle sont des moyens assez efficaces pour la prévention des maladies ulcératives génitales.

Tableau 29.5 La prévention secondaire

- Reconnaissance des signes et symptômes par le patient
- Consultation rapide chez le médecin en cas de signes ou symptômes
- Détection précoce des MTS par le médecin
- Traitement adéquat des MTS
- Dépistage des MTS
- Dépistage de l'anti-VIH avec counselling prétest puis post-test
- Traitement épidémiologique des contacts
- Prophylaxie postexposition de l'hépatite B
- Recommandation d'uriner et de se laver les organes génitaux après une relation sexuelle

Tableau 29.6 Critères de Breslow-Somers pour une épreuve de dépistage

1) Approprié aux objectifs de santé et acceptable pour le patient
2) Prévention primaire ou secondaire influençant la qualité et la durée de la vie
3) L'histoire naturelle de la maladie est suffisamment connue pour justifier la procédure et ses effets indésirables
4) Période asymptomatique durant laquelle la détection et le traitement réduisent substantiellement les risques de morbidité ou de mortalité
5) Des traitements sont disponibles
6) La prévalence et la sévérité de la maladie justifient l'intervention
7) La procédure est simple et son coût justifiable
8) Les ressources pour le suivi sont disponibles

Tableau 29.7 Critères de Codman pour un programme de dépistage de masse

1) Efficacité démontrée par une étude randomisée
2) Efficacité prouvée du traitement
3) Rapport effort-bénéfice favorable
4) Une analyse adéquate est disponible
5) Le programme rejoint ceux qui devraient en bénéficier
6) Le système de santé peut supporter un tel programme
7) Les personnes diagnostiquées suivent le traitement et les conseils

Tableau 29.8 Quoi dépister?

Chlamydia

Gonococcie

Syphilis

VPH et ses complications

Hépatite B (pour vacciner)

VIH (certains le placeraient en prévention tertiaire)

Anticorps VHS chez les femmes enceintes dont le partenaire souffre d'herpès génital (pour la surveillance de la primo-infection chez la femme enceinte)

Tableau 29.9 Quoi ne pas dépister?

Mycoplasmes génitaux

Gardnerella vaginalis

Streptocoque bêta hémolytique du groupe B

CMV

VHS (sauf cas discuté au tableau 29.8)

Tableau 29.10 Qui dépister?

EN GÉNÉRAL:

Les femmes, surtout les adolescentes

EN PARTICULIER:

Les nouveau-nés

- — dont un parent a une MTS
- — dont la mère n'a eu aucun test MTS ni soins prénatals
- — dont la mère appartient à un groupe à risque

Les enfants

- — qui ont subi des agressions à caractère sexuel
- — les frères et sœurs d'enfants qui ont subi des agressions à caractère sexuel

Les adolescents actifs ou qui ont été actifs, surtout:

- — les adolescentes enceintes
- — les contacts sexuels avec une personne atteinte de MTS
- — les prostitué(e)s
- — les jeunes de la rue
- — les utilisateurs de drogues injectables
- — les filles subissant un avortement thérapeutique
- — ceux qui ont des antécédents de MTS
- — les frères et sœurs d'enfants qui ont subi des agressions à caractère sexuel

Les adultes présentant au moins deux des facteurs suivants:

- — moins de 25 ans
- — un nouveau partenaire au cours des deux mois précédents
- — au moins deux partenaires dans l'année
- — MTS dans l'année précédente
- — aucun contraceptif ou méthode non barrière
- — relations anales avec un partenaire à haut risque

29.5 LA PRÉVENTION TERTIAIRE

Les coûts reliés au traitement et les faibles pourcentages de réussite font que la prévention tertiaire est souvent peu rentable pour le système de santé canadien. Le tableau 29.11 résume les interventions actuellement disponibles selon les pathologies.

Tableau 29.11 La prévention tertiaire

- — Interféron alpha 2 pour l'hépatite B chronique
- — Acyclovir pour l'herpès génital
- — Zidovudine pour l'infection par le VIH
- — Tuboplastie pour infertilité tubaire post-*Chlamydia*
- — Fertilisation *in vitro* pour infertilité tubaire post-*Chlamydia*

BIBLIOGRAPHIE

1. MMWR. «Sexually Transmitted Diseases». *Treatment Guidelines*, Sept. 1, vol. 38, No S-8, 1989, 43 pages.
2. STEBEN, M. «Family practitioners and sexually transmitted diseases». *Can J Inf Dis*, Vol. 2, supp. A, August 1991, p. 27A-30A.

CONCLUSION

Marc Steben et Fernand Turgeon

La médecine se définit et se définira toujours comme une science et un art.

Les soins aux patients rencontrés dans la pratique quotidienne s'alimentent constamment à ces deux sources. L'approche globale nécessaire au traitement des MTS est peut-être, de toutes les démarches cliniques, celle qui illustre le mieux l'importance d'allier les connaissances scientifiques et la maîtrise de l'art.

En effet, les mécanismes physiopathologiques, les signes et symptômes cliniques, l'évaluation biologique, le diagnostic, le traitement, le suivi et la prévention des MTS font appel à des connaissances qui s'appliquent à une foule d'autres pathologies puisque tous les organes et tous les systèmes peuvent être atteints. La syphilis et les infections au VIH, entre autres, illustrent très bien que connaître et comprendre les MTS, c'est disposer d'un atout supplémentaire qui se répercute sur la pratique médicale.

De plus, ces maladies nécessitent une approche et un savoir-faire où réside tout l'art de la profession.

La relation de confiance essentielle entre le patient et son médecin exige des qualités humaines et un doigté empreint de respect. Le médecin doit manifester l'ouverture d'esprit nécessaire pour lui permettre de mettre de côté ses propres valeurs et aider son patient. Il doit maîtriser l'art d'établir un bon contact s'il veut se faire comprendre, guider son patient et aborder la question parfois délicate du suivi des partenaires sexuels. Le support psychologique et la compréhension revêtent autant d'importance que la thérapie spécifique du germe en cause. Les mots «suivi», «counselling» et «prévention» trouvent toute leur signification dans cette pratique.

Le secret professionnel est un gage de confidentialité qui favorise la confiance et crée un lien entre le médecin et la personne qui a recours à ses services.

Les MTS constituent un moment privilégié de la pratique où se conjuguent la rigueur scientifique et l'approche humaine.

ABRÉVIATIONS

5FU	5 fluoro-uracile
ACS	agression à caractère sexuel
ADN	acide désoxyribonucléique
AIP	atteinte inflammatoire pelvienne
ART	*automated reagin test*
AZT	azidothymidine (zidovudine)
CALACS	Centres d'aide et de lutte contre les agressions à caractère sexuel
CCNI	Comité Consultatif National sur l'Immunisation
CDC	*Centers for disease control*
CHCD	Centre hospitalier de courte durée
CHUL	Centre hospitalier de l'Université Laval
CHUS	Centre hospitalier de l'Université de Sherbrooke
CIN	Cervical intraepithelial neoplasia (voir NIC)
CLSC	Centre local de santé communautaire
CMV	cytomégalovirus
CSST	Commission de la santé et sécurité au travail
CT	*Chlamydia trachomatis*
ddC	didéoxycytidine (zalcitabine)
ddI	didéoxyinosine (didanosine)
DGPS	Direction générale de la protection de la santé
DPJ	Direction de la protection de la jeunesse
DSC	Département de santé communautaire (maintenant USP)
EIA	*enzyme immunoassay* (forme usuelle)
EIA	*enzyme-linked immunosorbent assay* (voir EIA)
FC	fixation du complément
FN	faux négatifs
FP	faux positifs
FTA-abs	*fluorescent treponema antibody absorption*
HAV	virus de l'hépatite A
HBcAg	antigène de nucléocapside ou *core* du virus de l'hépatite B
HBeAg	antigène e du virus de l'hépatite B
HBIG	immunoglobuline hyperimmune contre l'hépatite B
HBsAg	antigène de surface du virus de l'hépatite B
HBV	virus de l'hépatite B
HCV	virus de l'hépatite C
HDV	virus de l'hépatite D
HEV	virus de l'hépatite E
HSV	virus de l'herpès simplex (anglais)
IFD	Immunofluorescence directe

IVAC	Indemnisation des victimes d'acte criminel
LCDC	*Laboratory center for disease control* (voir LLCM)
LLCM	Laboratoire de la lutte contre la maladie
LCR	liquide céphalo-rachidien
LGV	lymphogranulome vénérien
LSPQ	Laboratoire de santé publique du Québec
MAC	*Mycobacterium avium*-complex
MADO	maladie à déclaration obligatoire
MAI	*Mycobacterium avium-intracellulare* (voir MAC)
MHATP	*micro-hemagglutination assay for Treponema pallidum*
MIF	micro-immunofluorescence
MIP	maladie inflammatoire pelvienne
MSSS	Ministère de la Santé et des Services sociaux
MST	Maladies sexuellement transmissibles (expression reconnue par l'OMS et en usage en Europe)
MTS	Maladies transmissibles sexuellement (expression en usage au Canada, voir MST)
NGPP	*Neisseria gonorrhoeae* productrice de pénicillinase
NACI	*National Advisory Committee on Immunization* (voir CCNI)
NIC	néoplasies intra-épithéliale du col utérin
OMS	Organisation mondiale de la Santé
PCR	réaction en chaîne par polymérase
PMN	polymorphonucléaire
PO	per os
PPC	pneumonie à *Pneumocystis carinii*
PPNG	penicillinase producing N. gonorrhoea (voir NGPP)
RIPA	*radio-immunoprecipitation assay*
RPR	*rapid plasma reagin*
TMP/SMX	triméthoprime-sulfaméthoxazole
TRUST	*toluidine red unheated serum test*
UG	urétrite gonococcique
UNG	urétrite non gonococcique
UDI	utilisateur de drogues injectables
VDRL	*venereal disease research laboratory*
VHB	virus de l'hépatite B
VHS	virus de l'herpès simplex
VIH	virus de l'immunodéficience humaine
VN	vrais négatifs
VP	vrais positifs
VPH	virus des papillomes humains

BIBLIOGRAPHIE GÉNÉRALE

— Pour les personnes intéressées à parfaire leurs connaissances, nous recommandons le volume de King K. Holmes, Per-Anders Mardh, P. Frederick Sparling et Paul J. Wiesner: *Sexually Transmitted Diseases*, édition 1990, publié chez McGraw-Hill. Cette référence n'est mentionnée nulle part ailleurs, car elle pouvait servir à tous les chapitres. L'ouvrage coûte environ 150,00 $.

— Les développements les plus récents dans les domaines des MTS et du VIH sont publiés dans les deux rapports épidémiologiques suivants:

Morbidity and Mortality Weekly Report, distribué par la Massachusetts Medical Society C.S. P.O. Box 9120, Waltham MA 02254-9120.

Relève des maladies transmissibles au Canada, Groupe Communications Canada Édition, Ottawa K1P 0S9.

— Les périodiques suivants vous permettent de demeurer à jour avec les derniers travaux de recherche:

Sexually Transmitted Diseases. Lippincott AVDA, P.O. Box 9897, Denver, Colorado 80209-0897 États-Unis (303) 436-7224. En devenant membre de l'American Venereal Disease Association, vous recevez la revue gratuitement. Le seul abonnement annuel à cette revue est plus coûteux que la cotisation.

International Journal of S.T.D. and AIDS. Royal Society of Medicine, 1 Wimpole St., London W1M 8 AE. Royaume-Uni.

Genito-urinary Medicine. BMJ Publishing Group, Box No. 60 B, Kennebunkport, ME 04046. États-Unis

LISTE DES AUTEURS

ALARY, MICHEL
Médecin épidémiologiste
Université Laval, Québec

AUGER, PIERRE
Microbiologiste infectiologue
Université de Montréal

BARIL, JEAN-GUY
Généraliste
Hôpital Saint-Luc, Montréal

BÉLIVEAU, CLAIRE
Microbiologiste infectiologue
Université de Montréal

BERGERON, MICHEL G.
Microbiologiste infectiologue
Université Laval, Québec

BERNATCHEZ, HAROLD
Microbiologiste infectiologue
Centre hospitalier régional de Rimouski

BISSONNETTE, FRANÇOIS
Obstétricien-gynécologue
Hôpital Saint-Luc, Montréal

BOURGAULT, ANNE-MARIE
Microbiologiste infectiologue
Université de Montréal

CHARBONNEAU, LOUISE
Microbiologiste
Clinique des jeunes Saint-Denis, Montréal

DASCAL, ANDRÉ
Microbiologiste infectiologue
Université McGill, Montréal

DECHÊNE, GENEVIÈVE
Généraliste
Clinique médicale de l'Ouest, Verdun

DELAGE, GILLES
Microbiologiste infectiologue
Hôpital Sainte-Justine, Montréal

DRAPEAU, MONIQUE
Médecin de famille
Unité de santé publique
Centre hospitalier de l'Université de Sherbrooke

FRAPPIER, JEAN-YVES
Pédiatre
Hôpital Sainte-Justine, Montréal

GAUDREAU, CHRISTIANE
Microbiologiste infectiologue
Hôpital Saint-Luc, Montréal

GERVAIS, DANIEL
Généraliste
Clinique médicale de l'Ouest, Verdun

GIRARD, MARC
Interniste
Hôpital Sainte-Justine, Montréal

GUILBERT, ÉDITH
Omnipraticienne épidémiologiste
Université Laval, Québec

GUIMOND, JEAN
Généraliste
Hôpital général de LaSalle

HALEY, NANCY
Pédiatre
Université de Montréal

JEAN, CHRISTIAN
Gynécologue-obstétricien, Québec

JOLIVET, MARIE
Microbiologiste infectiologue
Centre hospitalier de Verdun

LAFLAMME, PIERRE-J.
Microbiologiste infectiologue
Centre hospitalier régional de Lanaudière,
Joliette

LAHAIE, RAYMOND G.
Gastro-entérologue
Université de Montréal

LAMOTHE, FRANÇOIS
Microbiologiste infectiologue
Hôpital Saint-Luc, Montréal

LAVERDIÈRE, MICHEL
Microbiologiste infectiologue
Université de Montréal

LEFORT, PAUL E.
Généraliste
Centre hospitalier de Verdun

MARCOUX, DANIELLE
Dermatologue
Université de Montréal

MARTEL, ALAIN Y.
Microbiologiste infectiologue, interniste
Centre de recherche du Centre hospitalier de l'Université Laval, Québec

MILLER, MARK
Microbiologiste infectiologue
Université McGill, Montréal

MONTPLAISIR, SERGE
Microbiologiste infectiologue
Hôpital Sainte-Justine, Montréal

PEDNEAULT, LOUISE
Microbiologiste infectiologue
Hôpital Sainte-Justine, Montréal

POISSON, MICHEL
Microbiologiste infectiologue
Université de Montréal

RÉMIS, ROBERT
Spécialiste en santé communautaire
Centre d'études sur le sida
Unité de santé publique
Hôpital général de Montréal

RENÉ, PIERRE
Microbiologiste infectiologue
Hôpital Royal Victoria, Montréal

RINGUET, JACQUES
Santé communautaire
Université Laval, Québec

ROBERT, JEAN
Microbiologiste infectiologue
Université de Montréal

ROBERT, YVES
Généraliste
Université de Montréal

ROUSSEAU, DANIELLE
Généraliste
Présidente de la Table de concertation en matière de crimes sexuels,
Territoire de la communauté urbaine de Montréal

SAINT-ANTOINE, PIERRE
Microbiologiste infectiologue
Hôpital Notre-Dame, Montréal

SAINT-JEAN, LISE-ANNE
Microbiologiste infectiologue
Université de Montréal

STEBEN, MARC
Médecin de famille
Clinique médicale de l'Ouest, Verdun

TOMA, EMIL
Microbiologiste infectiologue
Hôtel-Dieu de Montréal

TURGEON, FERNAND
Microbiologiste infectiologue
Hôpital Saint-Luc, Montréal

TURGEON, PIERRE L.
Microbiologiste infectiologue
Hopital Saint-Luc, Montréal

VALIQUETTE, LUC
Urologue
Hôpital Saint-Luc, Montréal

VINCELETTE, JEAN
Microbiologiste infectiologue
Université de Montréal

WILLEMS, BERNARD
Hépatologue
Université de Montréal

ANNEXE

PROGRAMME DE GRATUITÉ DES MÉDICAMENTS POUR LE TRAITEMENT DES MTS

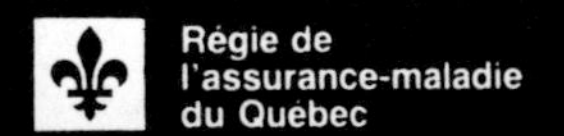

COMMUNIQUÉ

Pour information: (entre 8 h 30 et 16 h 30)
Service de l'assistance aux professionnels
Québec: 643-8210
Montréal: 873-3480
Ailleurs au Québec (sans frais) 1-800-463-4776

À l'attention des médecins omnipraticiens et spécialistes

Sillery, le 24 mars 1992

PROGRAMME DE GRATUITÉ DES MÉDICAMENTS POUR LE TRAITEMENT DES MALADIES TRANSMISES SEXUELLEMENT

Le ministre de la Santé et des Services sociaux a mis sur pied un programme de gratuité des médicaments pour le traitement des MTS et il en a confié l'administration à la Régie de l'assurance-maladie du Québec. Grâce à ce nouveau programme, toute personne atteinte de MTS et ses contacts pourront se procurer ces médicaments gratuitement dans les officines privées.

Entrée en vigueur
Ce programme **entre en vigueur le 1er avril 1992**.

Admissibilité
Le programme s'adresse à tout résident du Québec atteint de MTS, à condition qu'il soit inscrit à la Régie et qu'il présente une carte d'assurance-maladie valide. Il ne s'adresse pas aux personnes âgées de 65 ans ou plus ni à celles qui détiennent un carnet de réclamation, car ces personnes bénéficient déjà de la gratuité des médicaments.

Les personnes qui sont admissibles à ce nouveau programme mais qui ne désirent pas en bénéficier devront assumer le coût des médicaments qui leur sont nécessaires et ne pourront en aucun cas être remboursées par la Régie.

Maladies et cas visés
- Syndromes cliniques associés aux MTS : atteinte inflammatoire pelvienne, salpingite, cervicite, urétrite, rectite, proctite, épididymite ;
- Chlamydiose ;
- Gonorrhée ;
- Syphilis ;
- Lymphogranulome vénérien, granulome inguinal, chancre mou ;
- Cas contact de MTS soumis à un traitement épidémiologique.

Le programme s'applique dans le cas des patients porteurs de MTS à déclaration obligatoire ainsi que de leurs contacts.

Ordonnance
Pour permettre aux patients d'obtenir les médicaments gratuitement, le médecin rédige une ordonnance pour *chaque traitement* et pour *chaque patient*. Il doit, en plus des renseignements habituels, inscrire le code de programme approprié, soit :

K : Programme de traitement des personnes atteintes de MTS ; ou
L : Programme de traitement épidémiologique des cas contact de personnes atteintes de MTS

Les mêmes codes servent dans le cas des ordonnances verbales.

8035

Notez que toute modification ou prolongation de traitement doit faire l'objet d'une nouvelle ordonnance.

Pour la période d'implantation du programme, la Régie met à la disposition des médecins des formules spéciales d'ordonnance (#3280).

Aide-mémoire concernant le traitement des MTS
Ce guide, dont vous trouverez un exemplaire ci-joint, a été préparé à l'intention des professionnels de la santé par le Conseil consultatif de pharmacologie et a été entériné par la Direction de la santé publique du ministère de la Santé et des Services sociaux.

Rémunération des services médicaux
Les services médicaux rendus dans le cadre de ce programme sont rémunérés selon les dispositions et tarifs prévus aux ententes.

Médicaments et coûts
La liste des médicaments concernés avec leur coût est présentée en annexe.

Confidentialité des renseignements détenus par la Régie
Nous vous rappelons que les renseignements que la Régie recueille des professionnels de la santé dans le cadre de l'application des programmes qu'elle administre sont confidentiels.

Nous sollicitons votre collaboration pour bien informer vos patients que la Régie recueillera des professionnels de la santé, dans le cadre de l'application de ce programme de gratuité des médicaments, des renseignements qui lui sont nécessaires à des fins de paiement uniquement et ces renseignements sont traités de manière à protéger le respect de la vie privée.

EXEMPLE DE FORMULE SPÉCIALE D'ORDONNANCE

Programme spécial médicaments gratuits

Ministère de la Santé et des Services sociaux
Programme de santé publique

NOM **Jean Bénéficiaire**

ADRESSE **100 rue Fictive**

Québec

CODE **K** DATE **92 - 04 - 05**

℞ **Doxycycline 100mg #20**

Sig: 1 cap. 2 fs par jour

SIGNATURE ....

NO DE PERMIS **165432-6**

3280 *292 06/91* Régie de l'assurance-maladie du Québec

Source : Direction générale des affaires corporatives
Comm. 119/92-03-24

information médicament

NUMÉRO SPÉCIAL 1er AVRIL 1992

PROGRAMME DE GRATUITÉ DES MÉDICAMENTS POUR LE TRAITEMENT DES MALADIES TRANSMISSIBLES SEXUELLEMENT (MTS)

Conseil consultatif de pharmacologie

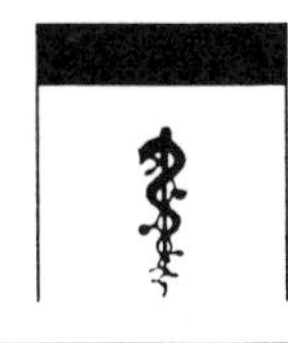

Dans le cadre du programme de gratuité des médicaments pour le traitement des maladies transmissibles sexuellement (MTS) mis de l'avant par le ministère de la Santé et des Services sociaux, le Conseil consultatif de pharmacologie a préparé un aide-mémoire concernant le traitement des MTS visées par ce programme. Cet aide-mémoire résume, sous forme de tableaux, les suggestions de traitement pour ces MTS, qui sont :

- *syndromes cliniques associés aux MTS :*
  atteinte inflammatoire pelvienne, salpingite, cervicite, urétrite, rectite, proctite, épididymite;
- *chlamydiose;*
- *gonorrhée;*
- *syphilis;*
- *chancre mou, lymphogranulome vénérien, granulome inguinal.*

Les traitements s'adressent tant aux personnes chez qui une infection est diagnostiquée qu'à leurs contacts identifiés.

Liste des médicaments admissibles au programme

Une liste des médicaments admissibles au programme est présentée au tableau 5. Des exemples de coûts de quelques traitements y sont également présentés. Cette liste fera partie d'une annexe à la Liste de médicaments assurés et sera mise à jour à chaque publication.

Références

Les références peuvent être fournies sur demande.

TABLEAU 1
INFECTIONS À GONOCOQUE

<table>
<tr><th colspan="2">INFECTIONS NON COMPLIQUÉES (TOUS LES SITES) CHEZ L'ADOLESCENT ET L'ADULTE</th></tr>
<tr><th>Traitement recommandé</th><th>Remarques</th></tr>
<tr><td>ceftriaxone 250 mg i.m. x 1 dose
ou
ofloxacin 400 mg p.o. x 1 dose
ou
ciprofloxacin 500 mg p.o. x 1 dose
ou
spectinomycine 2 g i.m. x 1 dose

suivi de :

doxycycline 100 mg p.o. b.i.d. x 7 jours[1]

(la doxycycline sert à traiter une infection à chlamydia qui coexiste avec la gonorrhée dans plus de 40 % des cas)</td><td>Les quinolones (ofloxacin, ciprofloxacin) sont contre-indiquées chez l'enfant prépubère, la femme enceinte ou celle qui allaite.

La doxycycline est contre-indiquée chez la femme enceinte ou celle qui allaite; on peut la remplacer par l'érythromycine.

Alternatives :
• cefixime 800 mg p.o. x 1 dose PLUS doxycycline 100 mg p.o. b.i.d. x 7 jours[1];
• cefuroxime axétil 1 g p.o. x 1 dose PLUS doxycycline 100 mg p.o. b.i.d. x 7 jours[1];
• amoxicilline 3 g p.o. x 1 dose PLUS probénécide 1 g p.o. x 1 dose PLUS doxycycline 100 mg p.o. b.i.d. x 7 jours[1] (seulement pour une infection autre que pharyngée acquise dans une région où la résistance du gonocoque à la pénicilline est faible).</td></tr>
<tr><th colspan="2">GROSSESSE</th></tr>
<tr><th>Traitement recommandé</th><th>Remarques</th></tr>
<tr><td>ceftriaxone 250 mg i.m. x 1 dose
ou
cefixime 400 mg p.o. x 1 dose
ou
spectinomycine 2 g i.m. x 1 dose
suivi de :
érythromycine 500 mg p.o. q.i.d. x 7 jours[2]</td><td>Les quinolones (ofloxacin, ciprofloxacin) et les tétracyclines (doxycycline) sont contre-indiquées chez la femme enceinte ou celle qui allaite.</td></tr>
<tr><th colspan="2">ENFANTS (ET ADOLESCENTS PRÉPUBÈRES)</th></tr>
<tr><th>Traitement recommandé</th><th>Remarques</th></tr>
<tr><td>cefixime 8 mg/kg p.o. (maximum 400 mg) x 1 dose
ou
ceftriaxone 125 mg i.m. x 1 dose
ou
amoxicilline 50 mg/kg p.o. plus probénécide 25 mg/kg p.o. x 1 dose
suivi de :
érythromycine 40 mg/kg par jour p.o. en 4 doses (maximum 2 g) x 7 jours</td><td></td></tr>
</table>

[1] Ou tétracycline 500 mg p.o. q.i.d. x 7 jours.
[2] Si cette posologie n'est pas tolérée, donner de l'érythromycine 250 mg p.o. q.i.d. x 14 jours.

TABLEAU 2
INFECTIONS À *CHLAMYDIA TRACHOMATIS*

INFECTIONS NON COMPLIQUÉES CHEZ L'ADOLESCENT ET L'ADULTE	
Traitement recommandé	**Remarques**
doxycycline 100 mg p.o. b.i.d. x 7 jours[1]	La doxycycline est contre-indiquée chez la femme enceinte ou celle qui allaite.
GROSSESSE	
Traitement recommandé	**Remarques**
érythromycine 500 mg p.o. q.i.d. x 7 jours[2]	*Alternatives :* deux premiers trimestres : sulfaméthoxazole[3] 1 g p.o. q.i.d. x 14 jours; dernier trimestre : amoxicilline 500 mg p.o. t.i.d. x 7 jours (les données concernant l'efficacité de ce traitement sont limitées).
ENFANTS	
Traitement recommandé	**Remarques**
Moins de 9 ans : érythromycine 40 mg/kg par jour p.o. en 4 doses (maximum 500 mg p.o. q.i.d.) x 7 jours *ou* sulfaméthoxazole[3] 75 mg/kg par jour p.o. en 2 doses (maximum 1 g p.o. b.i.d.) pour 10 jours	
9 ans et plus : doxycycline 5 mg/kg par jour p.o. en 2 doses (maximum 100 mg b.i.d.) pour 7 jours *ou* tétracycline 40 mg/kg par jour p.o. en 4 doses (maximum 500 mg p.o. q.i.d.) pour 7 jours	*Alternatives* (si les tétracyclines ne sont pas tolérées) : érythromycine 500 mg p.o. q.i.d. x 7 jours[2] (maximum 500 mg q.i.d.) *ou* sulfaméthoxazole[3] 75 mg/kg par jour p.o. en 2 doses (maximum 1 g b.i.d.) pour 10 jours.

[1] Ou tétracycline 500 mg p.o. q.i.d. x 7 jours.
[2] Si cette posologie n'est pas tolérée, donner de l'érythromycine 250 mg p.o. q.i.d. x 14 jours.
[3] L'association triméthoprim-sulfaméthoxazole peut être utilisée.

TABLEAU 3 SYPHILIS, CHANCRE MOU, LYMPHOGRANULOME VÉNÉRIEN ET GRANULOME INGUINAL	
SYPHILIS PRIMAIRE, SECONDAIRE, LATENTE DEPUIS MOINS DE 1 AN	
Traitement recommandé	**Remarques**
pénicilline G benzathine 2,4 millions U i.m. x 1 dose	*Alternatives pour patients allergiques à la pénicilline :* doxycycline 100 mg p.o. b.i.d. x 14 jours[1]; *enfants de moins de 9 ans et femmes enceintes :* de préférence : désensibilisation à la pénicilline et traitement standard *ou* érythromycine 40 mg/kg par jour p.o. en 4 doses (maximum 500 mg q.i.d.) pour 14 jours. N.B.: L'estolate d'érythromycine est contre-indiquée durant la grossesse.
SYPHILIS LATENTE DEPUIS 1 AN ET PLUS (INCLUANT CARDIO-VASCULAIRE)	
Traitement recommandé	**Remarques**
pénicilline G benzathine 2,4 millions U i.m. par semaine pour 3 semaines consécutives	Comme ci-haut mais traitement pour 28 jours.
CHANCRE MOU	
Traitement recommandé	**Remarques**
ceftriaxone 250 mg i.m. x 1 dose *ou* érythromycine 500 mg p.o. q.i.d. x 7 jours	*Alternatives :* ciprofloxacine 500 mg p.o. b.i.d. x 3 jours *ou* triméthoprim-sulfaméthoxazole 2 comprimés (80 mg TMP chacun) p.o. b.i.d. x 7 jours. N.B.: La sensibilité de *H. ducreyi* au TMP-SMX est variable à travers le monde.
LYMPHOGRANULOME VÉNÉRIEN	
Traitement recommandé	**Remarques**
doxycycline 100 mg p.o. b.i.d. x 21 jours[1,2]	*Alternative :* érythromycine[2] 500 mg p.o. q.i.d. x 21 jours.
GRANULOME INGUINAL	
Traitement recommandé	**Remarques**
triméthoprim/sulfaméthoxazole 2 comprimés (80 mg TMP chacun) p.o. b.i.d. jusqu'à 14 jours *ou* doxycycline 100 mg p.o. b.i.d. jusqu'à 14 jours[1,2]	Le traitement doit être continué jusqu'à la disparition des lésions, ce qui peut prendre jusqu'à 28 jours.

[1] Ou tétracycline 500 mg p.o. q.i.d. x 7 jours.

[2] Les patients allergiques à la pénicilline qui reçoivent de la tétracycline ou de l'érythromycine doivent êtres suivis de près pour s'assurer du succès du traitement.

TABLEAU 4 SYNDROMES CLINIQUES ASSOCIÉS AUX MTS	
ATTEINTE INFLAMMATOIRE PELVIENNE ET SALPINGITE[1] (LORSQUE TRAITÉES EN EXTERNE), CERVICITE, URÉTRITE, RECTITE, PROCTITE ET ÉPIDIDYMITE (CONTRACTÉE PAR CONTACT SEXUEL)	
Traitement recommandé	**Remarques**
ceftriaxone 250 mg i.m. x 1 dose *ou* ofloxacin 400 mg p.o. x 1 dose *ou* ciprofloxacin 500 mg p.o. x 1 dose **suivi de :** doxycycline 100 mg p.o. b.i.d.[2] : • pendant 7 jours pour la cervicite, l'urétrite, la rectite et la proctite • pendant 10 à 14 jours pour l'atteinte inflammatoire pelvienne, la salpingite et l'épididymite *ou (si les tétracyclines sont contre-indiquées) :* érythromycine 500 mg p.o. q.i.d. (mêmes durées)[3]	Les femmes enceintes doivent être hospitalisées. La doxycycline est contre-indiquée chez la femme qui allaite.

[1] Une thérapie en milieu hospitalier avec des agents i.v. est souvent préférée pour ces syndromes.
[2] Ou tétracycline 500 mg p.o. q.i.d. (mêmes durées).
[3] Si cette posologie n'est pas tolérée, donner de l'érythromycine 250 mg p.o. q.i.d. x 14 jours.

TABLEAU 5
COMPARAISON DES COÛTS DE TRAITEMENT POUR LES MÉDICAMENTS REMBOURSÉS POUR LE TRAITEMENT DES MTS
1er avril 1992

Dénomination commune	Posologie recommandée	Coût du traitement[1]
8:12.06 CEPHALOSPORINES		
cefixime - formes orales	800 mg p.o. x 1 dose	6,75 $
ceftriaxone - formes injectables	250 mg i.m. x 1 dose	12,07 $
cefuroxime axetil - formes orales	1 g p.o. x 1 dose	6,19 $
8:12.12 ÉRYTHROMYCINES - formes orales		
érythromycine (base)	500 mg p.o. q.i.d. x 7 jours	de 5,58 $ à 24,85 $
érythromycine (estolate)	500 mg p.o. q.i.d. x 7 jours	
érythromycine (ethylsuccinate)	500 mg p.o. q.i.d. x 7 jours	
érythromycine (stéarate)	500 mg p.o. q.i.d. x 7 jours	
8:12.16 PÉNICILLINES		
amoxicilline	3 g p.o. + 1 g p.o. de probénécide[2]	3,04 $
pénicilline G (benzathine)	2,4 millions U	14,06 $
pénicilline G (procaïnique)	4,8 millions U	6, 05 $
8:12.24 TÉTRACYCLINES - formes orales		
doxycycline	100 mg p.o. b.i.d. x 7 jours	de 15,08 $ à 24,54 $
tétracycline	500 mg p.o. q.i.d. x 7 jours	5,41 $
8:12.28 AUTRES ANTIBIOTIQUES		
spectinomycine	2 g i.m. x 1 dose	16,08 $
8:22 QUINOLONES - formes orales		
ciprofloxacine	500 mg p.o. x 1 dose	2,72 $
norfloxacine	800 mg p.o. x 1 dose	4,87 $
ofloxacine	400 mg p.o. x 1 dose	2,56 $
8:24 SULFAMIDES		
sulfaméthoxazole	1 g p.o. q.i.d. x 14 jours	9,49 $
8:40 AUTRES ANTI-INFECTIEUX		
triméthoprim-sulfaméthoxazole - formes orales	1 co (160 mg - 800 mg) p.o. b.i.d. x 7 jours	6,76 $
40:40 URICOSURIQUES		
probénécide[2]	1 g p.o. + 3 g p.o. d'amoxicilline	3,04 $

[1] Les coûts sont tirés de la Liste de médicaments assurés publiée par la RAMQ en janvier 1992 et ne comprennent pas les honoraires professionnels du pharmacien.
[2] Le probénécide est utilisé comme agent inhibiteur de la sécrétion tubulaire des pénicillines.